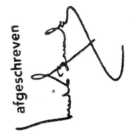

code naam verity

daar krijg ik nog een beetje lucht

voetjes, en ze draagt nooit schoenen

al gezegd dat mijn kamer aan de

doof zijn om daar doorheen te slapen

soldaten in de boeien GAN DE BEN

nootjes gingen hakken. Maar

waar ze die zalige grijze kool

het schimmelige restjes die er

vaste, het vieze zaagsel van de

en steenkool haalde, de

van de Gestapo-officiers schilde

onder tussendoor haar handen te

naar de gevangenis gestuurd

goed, gisteren en eergisteren hadden

terwijl zij op zoek gingen naar

kapitein die toch niets beters te

gevangene ben, geen werknemer

de kok was zo'n gore smeerlap

mijn borsten kon voelen. En

nuwe bok wel zo guul om mij de

te jassen, want dan hadden je

PAPIER. De kelders van het Château

een paar ruimtes (met ijskasten

naar de meeste kelderruimtes

neen ook gewoon te verdomde donker

staan er nog: enorme koffiepotten

wijnflessen en jampotten, en in een

ben. Er zijn een paar dienstliften, eten

Elizabeth Wein

code
naam
verity

Uit het Engels vertaald
door Esther Ottens

Van Goor

ISBN 978 90 00 32954 0
NUR 285

© 2012 Elizabeth Gatland
© 2013 Nederlandstalige uitgave Uitgeverij Unieboek | Het Spectrum bv, Houten –
Antwerpen

oorspronkelijke titel *Code Name Verity*
oorspronkelijke uitgave Hyperion, imprint van Disney Book Group, New York

www.unieboekspectrum.nl
www.facebook.com/youngadultboeken

tekst Elizabeth Wein
vertaling Esther Ottens
omslagfoto Arcangel Images
omslagontwerp Whitney Manger
zetwerk Mat-Zet bv, Soest

Van Goor maakt deel uit van Uitgeverij Unieboek | Het Spectrum bv, Postbus 97
3990 DB Houten

Vertaling gedichtfragmenten Burns:
Frans de Cort, *Liederen*, J.B. Wolters, Groningen/J.W. Marchand & Co, Antwerpen 1868
(For the Sake o' Somebody)
M.J.M. de Haan, *Gedichten/Robert Burns*, B.V. Maatschappij 'De Nieuwe Haagsche', Den
Haag 1996 (For Auld Lang Syne)

Voor Amanda
— we vormen een spectaculair team —

'Mensen die passief verzet plegen,
moeten beseffen dat zij net zo
belangrijk zijn als saboteurs.'

SOE, *Handboek geheime operaties*,
'Methoden van passief verzet'

Maddie. Ik weet het even niet meer. Ik ben

lazen sterke drank waren en vluchtte zo veilig te

den een spectaculair team. Ik wist zo zeker dat

laar is een eenvoudige reden voor: geen papier

ele ochtend liggen slapen, net alsof ik vakantie

onger en was ik het een beetje zat om in het

Lysander hadden ze me al eerder laten zien,

te vredige moment van mijn vakantie. Ook

ik had gehuild, en alleen daar krijg ik nog een

ieve voetjes, en ze draagt nooit schoenen.) Na die

amer aan de suite grenst die ze voor

elpt geen zacht bedje aan. De volgende ochtend

er gesleept. Ik wist zeker dat ze me in mootjes

chonden hotel, waar ze die zalige grijze kool

relige restjes die ergens anders vandaan komen

pveegde en er iets minder vies zaagsel voor

n schoonspoelde, de aardappels voor de

te twee dingen deed zonder tussendoor haar

e gevangenis gestuurd – niet naar deze, natuurlijk

adden ze dus iemand nodig die al deze vele

a er voor zulk werk beter geschikt dan een

e herinneren dat ik een gevangene ben, geen

e kok was zo'n gore smeerlap dat ik ook als de

n... IK LIET HEM BEGAAN. Voor iets te eten

oen ze klaar waren met piepers jassen. Zelf

iel verkocht ik mijn lichaam voor PAPIER. De

ijk. Er zijn een paar ruimtes (met ijskasten en

elderruimtes staan leeg omdat ze niet goed bewaard

Deel 1

verity

Ormaie 8-11-'43 J.B.-S.

IK BEN EEN LAFAARD

Ik wilde heldhaftig zijn en deed alsof ik dat was. Ik ben altijd goed geweest in doen alsof. De eerste twaalf jaar van mijn leven heb ik met mijn vijf grote broers de Slag om Stirling Bridge nagespeeld, en hoewel ik een meisje ben, mocht ik altijd William Wallace spelen, die een voorouder van ons schijnt te zijn, want ik sprak van die mooie ophitsende oorlogstaal. God, ik heb echt mijn best gedaan vorige week. Goden, wat heb ik mijn best gedaan. Maar nu weet ik dat ik een lafaard ben. Na de bespottelijke afspraak die ik met ss-*Hauptsturmführer* Von Linden gemaakt heb, weet ik dat ik een lafaard ben. En ik zal jullie precies geven waar jullie om vragen, alles wat ik me maar kan herinneren. Jullie zullen *het naadje van de kous* weten.

Dit is onze afspraak. Ik schrijf het op om het in mijn hoofd op orde te houden. 'Laten we het eens zo proberen,' zei de Hauptsturmführer tegen me. 'Waarmee kan ik u omkopen?' En ik zei dat ik mijn kleren terug wilde.

Nu klinkt het zo kinderachtig. Hij had natuurlijk verwacht dat ik iets opstandigs zou antwoorden ('Geef me mijn vrijheid' of 'Victorie'), of iets edelmoedigs, zoals 'Speel niet zo met dat arme Franse verzetsjoch en gun hem een waardige en genadige dood'. Of op zijn minst iets wat rechtstreeks met mijn huidige toestand te maken had, zoals 'Laat me alsjeblieft slapen' of 'Geef me eten' of 'Haal die achterlijke ijzeren staaf die al drie dagen tegen mijn ruggengraat zit nou eens weg'. Maar ik was bereid om nog een flink tijdje zonder slaap en zonder eten rechtop te blijven zitten, als het maar niet in mijn ondergoed hoefde – soms stinkend en nat, en VERSCHRIKKELIJK GÊNANT. De warmte en waardigheid van mijn flanellen rok en wollen trui zijn me op dit moment veel meer waard dan integriteit of vaderlandsliefde.

En zo verkocht Von Linden mijn kleren stuk voor stuk aan me terug. Behalve mijn sjaal en kousen, natuurlijk, die me meteen in het begin afgepakt zijn om te voorkomen dat ik mezelf ermee wurgde (ik heb het nog geprobeerd). De trui kostte me *vier radiocodes*, inclusief sleutelgedichten, wachtwoorden en frequenties. Von Linden gaf me de trui meteen op krediet terug. Toen ze me aan het eind van die drie vreselijke dagen eindelijk losmaakten, lag hij in mijn cel op me te wachten. Eerst kon ik dat stomme ding helemaal niet aankrijgen, maar zelfs als een soort das om mijn nek was hij een hele troost. Nu ik mijn armen eindelijk door de mouwen heb weten te krijgen, doe ik hem denk ik nooit meer uit. De rok en de blouse kostten beduidend minder dan de trui, en voor mijn schoenen heb ik maar één code per stuk betaald.

In totaal zijn er elf codes. Met de laatste had ik mijn onderjurk kunnen kopen. Merk op dat hij het zo speelt dat ik mijn kleren *van buiten naar binnen* krijg, zodat ik me als toppunt van gruwelijkheid telkens als ze me een kledingstuk geven moet *uitkleden* waar iedereen bij is. Hij is de enige die niet kijkt en dreigde alles weer van me af te pakken toen ik hem erop wees dat hij een legendarisch schouwspel misliep. Het was de eerste keer dat de totaalschade echt te bezichtigen was, en ik wilde dat hij zijn meesterwerk *bewonderde* (mijn armen vooral), én het was de eerste keer in een hele tijd dat ik weer op mijn benen kon staan, waarmee ik indruk op hem wilde maken. Hoe dan ook, ik heb besloten het verder zonder mijn onderjurk te stellen, wat me meteen de moeite van het weer helemaal uit- en aankleden bespaart, en in ruil voor de laatste code heb ik een voorraadje inkt en papier gekocht. Plus wat tijd.

Von Linden heeft gezegd dat ik twee weken heb en dat ik zo veel papier kan krijgen als ik nodig heb. Ik hoef alleen maar te vertellen wat ik van de Britse oorlogsinspanning weet. En dat zal ik doen. Von Linden lijkt op kapitein Haak in zoverre dat hij ondanks zijn beestachtigheid een rechtschapen heer is, en ik heb wel wat van Pan, met mijn naïeve vertrouwen dat hij zich aan de regels en zijn woord zal houden. Tot nu toe doet hij dat ook. Ik mag mijn bekentenis beginnen op het prachtige crèmekleurige briefpapier van hotel Château de Bordeaux, dat vroeger in dit gebouw zat. (Als ik de dichtgetimmerde luiken en de vergrendelde deuren niet met eigen ogen gezien had, had ik nooit geloofd dat een Frans hotel er zo afstotelijk grauw kon uitzien. Maar jullie hebben het ook voor elkaar gekregen om het mooie stadje Ormaie een grauwe aanblik te geven.)

Het is nogal wat voor één enkele code, maar behalve mijn verradersverslag heb ik Von Linden ook mijn ziel in het vooruitzicht gesteld, al geloof ik niet dat hij dit serieus neemt. Het zal in elk geval een opluchting zijn om iets te schrijven wat *niets maar dan ook niets* met codes te maken heeft. Ik ben het zo vreselijk beu om radiocodes te verraden. Pas toen we al die lijsten op papier zetten, besefte ik wat een enorme hoeveelheid code ik in mijn hoofd heb.

Het is eigenlijk toch wel een wonder.

STELLETJE ACHTERLIJKE MOFFEN.

Ik ben de klos. Ik ben finaal de klos. Wat ik ook doe, uiteindelijk schieten jullie me dood, want dat doen jullie nu eenmaal met vijandelijke agenten. Dat doen *wij* ook met vijandelijke agenten. Als ik deze bekentenis geschreven heb en jullie me *niet* doodschieten en ik toch nog thuiskom, word ik daar alsnog berecht en als collaborateur doodgeschoten. Maar van alle duistere kronkelpaden die voor me liggen, is dit het gemakkelijkste, het duidelijkste. Wat heeft de toekomst anders voor me in petto? Een blik petroleum in mijn keelgat en een lucifer tegen mijn lippen? Scalpel en zuur, zoals bij die verzetsjongen die zijn mond niet opendoet? Mijn levende skelet in een veewagen, samen met tweehonderd andere hopelozen op weg naar God weet waar, om nog voor we daar aankomen te sterven van de dorst? Nee. Die paden ga ik niet. Dit is het gemakkelijkste. Die andere zijn zo angstaanjagend dat ik niet eens om de eerste bocht durf te kijken.

Ik zal in het Engels schrijven. Voor een krijgsverslag in het Frans mis ik de woordenschat, en in het Duits kan ik niet goed genoeg schrijven. Iemand zal voor Hauptsturmführer Von Linden moeten vertalen; dat kan *Fräulein* Engel mooi doen. Die spreekt heel goed Engels. Zij legde me uit dat paraffineolie en petroleum hetzelfde zijn. Thuis zeggen we paraffine, maar de Duitsers en de Fransen noemen het petroleum.

(Wat betreft die paraffine, petroleum, hoe je het ook noemt. Ik geloof niet echt dat jullie een liter petroleum aan mij zouden verspillen. Of kopen jullie het op de zwarte markt? Hoe voer je zo'n post dan op? '1 l extreem brandbare olie ter executie van Engelse spion.' Hoe dan ook, ik zal mijn best doen om jullie de uitgave te besparen.)

Een van de eerste dingen op de bijzonder lange lijst van onderwerpen die ik geacht word in mijn bekentenis op te nemen is 'De locatie van Engelse vliegbases voor de invasie van het Europese vasteland'. Fräulein Engel kan bevestigen dat ik in lachen uitbarstte toen ik dat las. Denken jullie nu echt dat ik ook maar een flauw benul heb waar de geallieerden van plan zijn bezet Europa binnen te vallen? Ik werk als geheim agent bij de *Special Operations Executive* omdat ik Frans en Duits spreek en goed ben in verhalen verzinnen, en ik zit gevangen in het Gestapo-hoofdkwartier in Ormaie omdat ik volstrekt geen richtinggevoel heb. Onthoud even dat de mensen die mij hebben opgeleid mijn zalige onwetendheid van vliegbases toejuichten *omdat* ik jullie er dan ook niets over zou kunnen vertellen *als* jullie me te pakken kregen, én dat ik niet eens te horen kreeg van welk vliegveld we vertrokken toen we hierheen kwamen, en laat me jullie er vervolgens aan herinneren dat ik nog niet eens achtenveertig uur in Frankrijk was toen die vriendelijke politieagent van jullie voorkwam dat ik door een Franse bestelwagen vol Franse kippen werd overreden omdat ik bij het oversteken de verkeerde kant op keek. Wat aantoont hoe geslepen de Gestapo is. 'De persoon die ik onder de wielen van een wisse dood vandaan heb gehaald, verwachtte dat het verkeer aan de linkerkant van de weg reed. Ze moet derhalve Engels zijn en is waarschijnlijk door de geallieerden aan een parachute boven Frankrijk gedropt. Ik arresteer nu deze spion.'

Goed, ik heb dus geen richtinggevoel. Sommige mensen lijden aan deze ERNSTIGE TEKORTKOMING, en het heeft voor mij geen enkele zin om te proberen jullie 'De locaties van vliegbases waar dan ook' te wijzen. Niet zonder dat iemand me de coördinaten geeft. Om tijd te rekken zou ik er misschien een paar kunnen verzinnen, en ik zou het nog overtuigend doen ook, maar uiteindelijk zouden jullie me doorkrijgen.

'Operationele vliegtuigtypen' staat ook op de lijst van dingen waarover ik jullie moet vertellen. God, wat een grappig lijstje is dit. Als ik ook maar een jota om vliegtuigtypes gaf zou ik net als Maddie, de piloot die me heeft gedropt, voor de *Air Transport Auxiliary* vliegen, of als monteur werken, of als technicus. En niet lafhartig feiten en cijfers oplepelen voor de Gestapo. (Hierna zal ik het niet meer over mijn lafheid hebben, want ik begin er een onbetamelijk gevoel bij te krijgen. Bovendien wil ik niet dat jullie je gaan vervelen en me dit fraaie papier afpakken om me weer met mijn hoofd in een bak ijswater te houden tot ik flauwval.)

Nee, wacht, ik ken toch een paar vliegtuigtypes. Ik zal ze allemaal opnoemen, te beginnen met de Puss Moth. Dat was de eerste machine die mijn vriendin Maddie ooit vloog. Het was ook de eerste waarin ze meevloog, en zelfs de eerste die ze van dichtbij zag. En het verhaal van hoe ik hier beland ben, begint met Maddie. Ik zal wel nooit meer te weten komen hoe het kan dat ik in plaats van mijn eigen papieren *haar* identiteitskaart en vliegbrevet bij me had toen jullie me oppakten, maar als ik over Maddie vertel, zullen jullie begrijpen hoe het kwam dat we samen hiernaartoe vlogen.

VLIEGTUIGTYPES

Maddie heet voluit Margaret Brodatt. Jullie hebben haar identiteitskaart, jullie kennen haar naam. Brodatt is geen Noord-Engelse naam, ik geloof dat hij Russisch is, want haar grootvader kwam uit Rusland. Maar Maddie is op en top Stockport. Anders dan ik heeft ze een uitstekend richtinggevoel. Ze kan navigeren op de sterren en op gegist bestek, maar ik denk dat ze haar richtinggevoel al heeft leren gebruiken sinds haar grootvader haar voor haar zestiende verjaardag een motorfiets cadeau gaf. Daar scheurde Maddie Stockport uit, over de ruige paden door het hoogveen van het Penninisch Gebergte. In Stockport zie je de bergen overal, groen en kaal, met strepen wolk en zonlicht die eroverheen schieten als in een technicolorfilm. Ik weet dat omdat ik een keer met verlof een weekend

bij Maddie en haar grootouders gelogeerd heb en zij me op haar motorfiets meenam naar de Dark Peak – het was een van de mooiste middagen
van mijn leven. Het was winter en de zon liet zich maar vijf minuten zien,
en zelfs toen bleef de natte sneeuw vallen; juist omdat er zulk onvliegbaar
weer was voorspeld had ze die drie dagen vrij. Maar vijf minuten lang lag
Cheshire er sprankelend groen bij. Maddies grootvader heeft een rijwiel-
zaak, en speciaal voor mijn bezoek had hij op de zwarte markt benzine
voor haar gekocht. Ik schrijf dit op (hoewel het niets met vliegtuigtypes
te maken heeft) omdat het bewijst dat ik weet waar ik het over heb als ik
beschrijf hoe het voor Maddie was om helemaal alleen over de wereld uit
te kijken, doof van het gebulder van vier winden en twee cilinders, met
de vlakte van Cheshire en zijn groene velden en rode schoorstenen als
een geblokte picknickdeken aan haar voeten.

Maddie had een vriendin die Beryl heette en die van school was gegaan. In de zomer van 1938 werkte Beryl in de katoenfabriek in Ladderal,
en op zondag gingen ze vaak op Maddies motorfiets uit picknicken omdat dat de enige dag was waarop ze elkaar nog zagen. Beryl zat met haar
armen stevig om Maddies middel achterop, net als ik die keer. Geen mo-
torbril voor Beryl, of voor mij, al had Maddie er zelf wel een. Op die zondag in juni reden ze tussen de door Beryls ploeterende voorouders ge-
bouwde stapelmuurtjes door naar de top van Highdown Rise, met de
modderspatten op hun blote kuiten. Beryls rok werd die dag verpest, en
later moest ze van haar vader van haar eigen loon een nieuwe kopen.

'Ik ben dol op je opa,' schreeuwde Beryl in Maddies oor. 'Ik wou dat ie
de mijne was.' (Dat wilde ik ook wel.) 'Dat ie je zomaar een Silent Superb
voor je verjaardag geeft!'

'Zo *stil* is die Superb anders niet,' schreeuwde Maddie terug. 'Hij was
al niet nieuw toen ik hem kreeg, en nu is ie vijf jaar oud. Ik heb vorig jaar
de motor moeten reviseren.'

'Doet je opa dat dan niet voor je?'

'Hij wilde hem zelfs pas geven nadat ik de motor uit elkaar had gehaald. Ik moet het zelf doen, anders mag ik hem niet houden.'

'Toch ben ik dol op hem,' schreeuwde Beryl.

Ze sjeesden over de groene paden van Highdown Rise, door tractorsporen die hen bijna over de muurtjes tussen de brandnetels en de schapen in het slijk wipten. Ik herinner het me en ik weet hoe het geweest moet zijn. Hier en daar, voorbij een bocht of op de top van een heuvel, zie je hoe de kale groene bergketen zich sereen naar het westen uitstrekt, of hoe de fabriekspijpen van Zuid-Manchester met zwarte rook aan de blauwe hemel schrijven.

'En je leert een vak,' gilde Beryl.

'Een wat?'

'Een vak!'

'Motoren repareren!' brulde Maddie.

'Dat is toch een vak? Beter dan schietspoelen opwinden.'

'Jij wordt betaald om schietspoelen op te winden,' gilde Maddie terug. 'Ik verdien geen cent.' Voor hen was het pad bezaaid met kuilen vol regenwater. Het leken wel de Schotse meren in het klein. Maddie reed stapvoets verder en moest uiteindelijk stoppen. Met haar rok om haar bovenbenen geschort en het betrouwbare en vertrouwde snorren van de Superb nog in haar lijf zette ze haar voeten op vaste grond. 'Wie neemt er nou een meisje aan om motoren te repareren?' zei Maddie. 'Oma wil dat ik leer typen. Jij verdient tenminste.'

Ze moesten afstappen om de motorfiets langs de geulen in het pad te loodsen. Er kwam weer een heuvel, en daarna een boerenhek tussen twee muurtjes, en Maddie zette de motorfiets tegen een ervan zodat ze hun boterhammen konden opeten. Ze bekeken elkaar en lachten om de moddervegen.

'Wat zal je vader wel niet zeggen!' riep Maddie.

'En jouw oma dan!'

'Die is het wel gewend.'

Beryls woord voor picknicken was 'schoften', vertelde Maddie, en ze at dikke sneden grof tarwebrood dat haar tante elke woensdag voor drie gezinnen bakte, en inmaakuien zo groot als appels. Maddie at roggebrood van de bakker in Reddyke, waar haar grootmoeder haar elke vrijdag naartoe stuurde. De inmaakuien maakten een gesprek onmogelijk, want het kauwen veroorzaakte zo veel gekraak in hun hoofd dat ze elkaar niet konden verstaan, en ze moesten voorzichtig slikken om niet te stikken in een onverwachte stoot azijn. (Hauptsturmführer Von Linden zal de inmaakui misschien een nuttig pressiemiddel vinden. En de gevangenen krijgen meteen te eten ook.)

(Hier geeft Fräulein Engel me opdracht om speciaal voor kapitein Von Linden op te schrijven dat ik twintig minuten van de mij toegewezen tijd verspild heb. Ik moest namelijk zo om mijn eigen domme grap lachen dat ik de punt van mijn potlood brak. Vervolgens moesten we wachten tot iemand een mes kwam brengen om een nieuwe punt te slijpen, want juffrouw Engel mag mij niet alleen laten. En daarna verspilde ik nog eens vijf minuten met huilen omdat ik de nieuwe potloodpunt ook meteen weer afbrak, want juffrouw E. had hem heel dicht bij mijn gezicht geslepen terwijl ss-*Scharführer* Thibaut mijn hoofd stilhield, waardoor het schaafsel in mijn ogen sprong, en daar was ik heel zenuwachtig van geworden. Op dit moment lach of huil ik niet meer, en ik zal proberen in het vervolg minder hard op mijn potlood te duwen.)

Maar goed, denk dus aan Maddie vóór de oorlog, in vrijheid thuis met haar mond vol inmaakui: ze kon alleen maar wijzen en zich verslikken toen er boven hun hoofd een walmend vliegtuig verscheen, dat sputterend over het veld waar ze vanaf hun hek op uitkeken begon te cirkelen. Dat was een Puss Moth.

Ik kan wel wat over Puss Moths vertellen. Het zijn snelle, lichte eendekkers, met één paar vleugels dus; de Tiger Moth (nog een type dat me opeens te binnen schiet) is een dubbeldekker en heeft twee paar vleugels. De vleugels van de Puss Moth kunnen worden ingeklapt voor vervoer of opslag, vanuit de cockpit heb je een eersteklas uitzicht en behalve de vliegenier kunnen er ook twee passagiers in. Ik ben een paar keer passagier geweest. De verbeterde versie is volgens mij de Leopard Moth (nu heb ik in één alinea al drie vliegtuigen genoemd!).

De Puss Moth die boven dat veld op Highdown Rise cirkelde, de eerste Puss Moth die Maddie ooit zag, was bezig de moord te stikken. Het was net alsof ze in het circus op de eerste rij zaten, zei Maddie. Met het vliegtuig zo laag boven de grond konden zij en Beryl alle onderdelen van de machine precies zien: de kabels, de stutten onder de linnen vleugels, de houten propeller die nutteloos ronddraaide in de wind. Uit de uitlaat kwamen dikke wolken blauwe rook.

'Hij staat in de fik!' gilde Beryl in opgetogen paniek.

'Hij staat niet in de fik. Hij verbrandt olie,' zei Maddie, die er verstand van had. 'Als hij snugger is zet hij alles uit, dan houdt het wel op. En dan kan hij een glijvlucht maken.'

Ze keken toe. Maddies voorspelling kwam uit: de motor viel stil en de rook dreef weg, en nu was de vliegenier duidelijk van plan zijn beschadigde toestel pal voor hen in het veld aan de grond te zetten. Het was een weiland, niet geploegd, niet gemaaid, zonder vee erin. Heel even schoven de vleugels voor de zon als de deinende, klapperende zeilen van een schip. Bij de laatste overkomst van het vliegtuig werden de resten van hun lunch het weiland in geblazen; bruine korstjes en bruin papier, confetti van de duivel, dwarrelend in de blauwe rook.

Op een vliegveld was het een goede landing geweest, zegt Maddie. In het weiland hobbelde de gewonde vliegmachine nog een heel stuk ongelukkig over het ongemaaide gras. Vervolgens viel hij sierlijk voorover op zijn neus.

Maddie begon zonder nadenken te klappen. Beryl pakte haar handen beet en gaf er een klap op.

'Onnozele griet! Misschien is ie wel gewond! O, wat moeten we doen!'

Het was niet Maddies bedoeling geweest om te klappen. Ze had er niet bij nagedacht. Ik zie voor me hoe ze haar zwarte krullen uit haar ogen blies en haar onderlip naar voren stak voor ze van het hek sprong en over de groene pollen naar het vliegtuig holde.

Er was geen brand. Maddie klom tegen de neus van de Puss Moth op om bij de cockpit te komen en stak een van haar spijkerschoenen door de stof van de fuselage (zo noem je de romp van een vliegtuig, geloof ik), en ik wil wedden dat ze even in elkaar kromp; ook dat was niet haar bedoeling geweest. Uiteindelijk maakte ze met een hoofd als een boei de deur open, want ze verwachtte een enorme preek van de eigenaar van het vliegtuig, en tot haar schande voelde ze grote opluchting toen ze de vliegenier ondersteboven en duidelijk buiten westen in de halflosse gordels zag hangen. Maddie keek vlug op het vreemde instrumentenpaneel. Geen oliedruk (dit vertelde ze me allemaal). Gashendel dicht. Uit. Goed, in elk geval. Maddie maakte de gordels los en liet de vliegenier zakken.

Beryl stond beneden om het dode gewicht op te vangen. Maddie had minder moeite om van het vliegtuig af te komen dan erop; een klein sprongetje en ze stond op de grond. Ze zette de helm en de bril van de vliegenier af. Beryl en zij hadden bij de padvinderij allebei Eerste Hulp bij Ongelukken gedaan, wat dat ook waard mocht wezen, en ze wisten nog net dat de gewonde lucht moest kunnen krijgen.

Beryl begon te giechelen.

'Wie is hier nou de onnozele griet!' riep Maddie.

'Het is een meisje!' lachte Beryl. 'Het is een meisje!'

Beryl bleef bij de bewusteloze vliegenierster terwijl Maddie op haar Silent Superb naar de dichtstbijzijnde boerderij reed om hulp te halen. Ze trof er twee grote, sterke jongens van haar leeftijd, bezig met koeienmest scheppen, en de boerin, die vroege aardappels aan het sorteren was en intussen op een troep meisjes schold die op de oude stenen keukenvloer een enorme legpuzzel zaten te maken (het was zondag, anders zouden ze de was hebben gedaan). Er werd een reddingsploeg op uit gestuurd. Maddie kreeg opdracht om naar de voet van de heuvel te rijden, waar een kroeg was en een telefooncel.

'Ze zal een ziekenwagen nodig hebben, kind,' zei de boerin tegen Maddie. 'Als ze in een vliegtuig vloog moet ze naar het ziekenhuis.'

De hele weg naar de telefoon rammelden de woorden in Maddies hoofd. Niet 'als ze gewond is moet ze naar het ziekenhuis', maar 'als ze in een vliegtuig vloog moet ze naar het ziekenhuis'.

Een meisje dat vliegt! dacht Maddie. Een meisje dat een vliegtuig bestuurt!

Nee, verbeterde ze: een meisje dat *geen* vliegtuig bestuurt. Een meisje dat een vliegtuig in een schapenwei laat omvallen.

Maar daarvóór had ze het bestuurd. Ze moest het kunnen besturen om ermee te landen (of om ermee te verongelukken).

Het was een logische gedachtesprong voor Maddie.

Ik ben met mijn motorfiets nog nooit verongelukt, dacht ze. Ik zou best een vliegtuig kunnen besturen.

Ik ken nog wel een paar vliegtuigtypes, maar de ene die me nu te binnen schiet is de Lysander. Dat is het vliegtuig waarmee Maddie vloog toen ze me hier dropte. Het was eigenlijk de bedoeling dat ze zou landen, niet dat ze me er in de lucht uit zou gooien. Maar we werden beschoten en de staart stond een tijdje in de brand en ze had de machine niet meer goed onder controle, en ze wilde dat ik sprong voor ze probeerde te landen. Ik heb haar niet naar beneden zien komen. Maar jullie hebben me foto's laten zien die jullie ter plekke genomen hebben, dus ik weet dat *ook zij* inmiddels met een vliegtuig verongelukt is. Al kun je het de vliegenier moeilijk kwalijk nemen dat haar vliegtuig door luchtafweergeschut geraakt wordt.

ENIGE ENGELSE STEUN VOOR HET ANTISEMITISME

De Puss Moth verongelukte op zondag. De volgende dag ging Beryl weer naar haar werk in de fabriek in Ladderal. Bij de gedachte aan Beryl die in een industriële voorstad van Manchester schietspoelen opwindt en met een naar bier stinkende knul een stelletje snotneuzen opvoedt, kromp mijn hart ineen. Het verschrompelde van een jaloezie zo zwart en pijnlijk dat ik de helft van dit blad met tranen verpest had voor ik besefte dat ze uit mijn ogen liepen. Dat was natuurlijk in 1938 en sindsdien zijn ze allemaal kapotgebombardeerd, dus misschien zijn Beryl en haar kindjes allang dood, en in dat geval zijn mijn tranen van jaloezie erg zelfzuchtig. Het spijt me van het papier. Juffrouw E. kijkt over mijn schouder mee en zegt dat ik mijn verhaal niet meer met verontschuldigingen moet onderbreken.

In de week erna reconstrueerde Maddie aan de hand van een stortvloed aan krantenartikelen met de mentale onverzadigbaarheid van een Lady Macbeth het verhaal van de vliegenier. Ze heette Dympna Wythenshawe (dat herinner ik me omdat het zo'n rare naam is). Ze was de verwende jongste dochter van Sir weet-ik-veel Wythenshawe. Op vrijdag werd er in het avondblad nog wat verontwaardigd gemopperd omdat ze, zodra ze uit het ziekenhuis ontslagen was en terwijl de Puss Moth gerepareerd werd, alweer pleziervluchtjes had aangeboden met haar andere vliegtuig (een Dragon Rapide – knap van mij, hè?). Gezeten naast haar geliefde Silent Superb, waar een boel aan gesleuteld moest worden als ze hem voor de uitstapjes in het weekend fit wilde houden, worstelde Maddie in de schuur van haar grootvader met de krant. Pagina na pagina berichtte somber over de onmiddellijke dreiging van een oorlog tussen Japan en China en de groeiende dreiging van een oorlog in Europa. De voorovergevallen Puss Moth in het weiland op Highdown Rise was al bijna oud nieuws: op vrijdag stond er geen foto van het vliegtuig meer in de krant, alleen nog een kiekje van de grijnzende vliegenier zelf, blij en verwaaid en veel en veel mooier dan die achterlijke fascist van een Oswald Mosley, die Maddie met zijn laatdunkende kop van boven aan de pagina aankeek. Maddie verstopte hem onder haar mok chocolademelk en bedacht hoe ze het snelst op Catton Park kon komen. Het vliegveld was een eind weg, maar morgen was het weer zaterdag.

De volgende ochtend had Maddie er spijt van dat ze niet meer aandacht aan het verhaal over Oswald Mosley had besteed. Hij bleek in Stockport te zijn en een toespraak te houden voor de Mariakerk aan de rand van de zaterdagmarkt. Zijn achterlijke fascistische aanhangers trokken in optocht van het stadhuis naar de kerk om hem te horen spreken, waarbij ze het verkeer in de war schopten en de mensen ontregelden. Ze hadden hun antisemitisme inmiddels een beetje getemperd, en deze bijeenkomst was in naam van de 'vrede', geloof het of niet, bedoeld om mensen ervan te overtuigen dat het een goed idee zou zijn om de betrekkingen met de achterlijke fascisten in Duitsland hartelijk te houden. Mosley-aanhangers mochten hun smakeloze symbolische zwarte overhemden niet langer dragen, want er was nu een wet tegen demonstreren in politieke uniforms, vooral om te voorkomen dat die Mosley-lui opnieuw rellen zouden ontketenen zoals die in Londen, waar ze met z'n allen door joodse wijken waren getrokken. Maar ze kwamen Mosley evengoed toejuichen. Er was een opgetogen menigte die van hem hield en een boze menigte die hem haatte. Er waren vrouwen met manden die boodschappen probeerden te doen op de zaterdagmarkt. Er was politie. Er waren dieren: sommige agenten waren te paard, een kudde schapen werd naar de zaterdagmarkt gedreven en een melkboer met paard en wagen stond klem tussen de schapen. Er waren honden. En waarschijnlijk ook katten en konijnen en kippen en eenden.

Het lukte Maddie niet om Stockport Road over te steken. (Ik weet niet hoe de weg in het echt heet. Misschien inderdaad wel zo, want het is de hoofdweg die uit het zuiden komt. Ga maar liever niet op mijn aanwijzingen af.) Maddie stond eindeloos te wachten, speurend naar een opening in de kolkende massa. Na twintig minuten begon ze zich te ergeren. Er werd nu ook van achteren tegen haar aan geduwd. Ze probeerde haar motorfiets met twee handen aan het stuur te keren en botste tegen iemand op.

'Hé! Kijk een beetje uit met dat ding!'

'Sorry!' Maddie keek op.

Ze stond tegenover een groepje schurken in zwarte overhemden (waarvoor ze dus gearresteerd konden worden), het haar met brillantine achterover gekamd alsof ze vliegeniers waren. Ze bekeken Maddie lachend, want ze waren ervan overtuigd dat ze een makkelijk doelwit was.

'Mooie motorfiets.'

'Mooie benen!'

Een van hen grinnikte door zijn neus. 'Mooie…'

Hij gebruikte een lelijk, onuitsprekelijk woord, en ik doe geen moeite om het op te schrijven, want ik denk niet dat het Engelse woord jullie iets zegt, en ik ken het Franse of het Duitse woord al helemaal niet. Het schurkenjong gebruikte het als een prikstok en het werkte. Maddie duwde het voorwiel van de motorfiets langs degene die ze eerder geraakt had en raakte hem opnieuw, en hij klemde zijn grote vuisten tussen haar handen om het stuur.

Maddie liet niet los. Ze vochten een tijdje om de motorfiets. De jongen vertikte het om los te laten, zijn kameraden lachten.

'Wat moet zo'n grietje nou met zulk groot speelgoed? Waar heb je 'm vandaan?'

'Uit de winkel, wat dacht je anders!'

'Brodatt,' zei een van de anderen. Er was aan die kant van Stockport maar één zaak die motorfietsen verkocht.

'Die verkoopt aan joden, die vent.'

'Misschien is het dan wel een jodenfiets.'

Jullie weten dit waarschijnlijk niet, maar Manchester en zijn rokerige voorsteden hebben een vrij grote joodse gemeenschap, en dat vindt niemand erg. Dat wil zeggen, er zijn natuurlijk wat achterlijke fascisten die het wel erg vinden, maar jullie begrijpen wat ik bedoel. Ze kwamen in de negentiende eeuw uit Oost-Europa, eerst uit Rusland en Polen, later uit Roemenië en Oostenrijk. De winkel waarvan de klanten ter discussie stonden was toevallig de rijwielhandel die Maddies grootvader al dertig jaar bestierde. De zaken gingen goed, goed genoeg om de stand die Maddies deftige grootmoeder gewend is op te houden, en ze wonen in een groot oud huis in Grove Green aan de rand van de stad en ze hebben een tuinman en een dagmeisje voor het huishouden. Toen dat stelletje schooiers gif begon te spuien over de winkel van Maddies grootvader, ging Maddie dom genoeg het gevecht aan. 'Moeten jullie altijd met z'n drieën zijn om één gedachte te formuleren?' zei ze. 'Of kunnen jullie het ook alleen af, als jullie genoeg tijd krijgen om erover na te denken?'

Ze duwden de motorfiets om. Maddie ging mee naar de grond. Want intimideren is wat achterlijke fascisten het allerliefste doen.

Maar er zwol een lawaaig protest aan van andere mensen in de drukke straat, en het groepje schurken liep lachend weg. Maddie hoorde het opvallende nasale gehinnik van een van de drie nog toen hij allang in de menigte was opgegaan.

De groep mensen die haar te hulp schoot was groter dan het groepje dat haar op de grond had gegooid: een arbeider en een meisje met een kinderwagen en een klein jongetje en twee vrouwen met boodschappenmanden. Ze hadden niet gevochten of ingegrepen, maar ze hielpen Maddie overeind en klopten haar kleren af, en de arbeider liet zijn handen liefdevol over het spatbord van de Silent Superb gaan. 'Niks gebroken, meissie?'

'Mooie motorfiets!'

Dat was het kind. Zijn moeder zei snel: 'Hé, mondje dicht,' want het was een volmaakte echo van de woorden van de jongen die Maddie omver had geduwd.

'Maar mooi is ie,' zei de man.

'Hij wordt oud,' zei Maddie bescheiden, maar tevreden.

'Rottige vandalen.'

'Je moet wel even naar je knieën laten kijken, lieverd,' adviseerde een van de dames met mand.

En Maddie, denkend aan vliegtuigen, zei bij zichzelf: wachten jullie maar, stelletje achterlijke fascisten. Ik krijg nog veel groter speelgoed dan deze motorfiets.

Maddies vertrouwen in de mensheid was hersteld, en ze baande zich een weg door de menigte en verliet Stockport via zijn met kinderkopjes geplaveide achterafstraatjes. Hier waren alleen jochies die in krijsende kluitjes achter een voetbal aan renden en geplaagde grote zussen met hun haar in een stofdoek, die met plompe bewegingen vloerkleedjes uitsloegen en stoepjes schrobden terwijl hun moeders de boodschappen deden. Ik zweer dat ik ga huilen van jaloezie als ik nog langer aan hen denk, kapotgebombardeerd of niet.

Fräulein Engel heeft weer eens over mijn schouder mee staan kijken en vraagt of ik geen 'achterlijke fascisten' meer wil schrijven, want ze denkt dat Hauptsturmfüher Von Linden dat niet leuk zal vinden. Volgens mij is ze een beetje bang voor kapt. Von Linden (geef haar eens ongelijk), en Scharführer Thibaut is denk ik ook bang voor hem.

LOCATIE VAN ENGELSE VLIEGVELDEN

Ik vind het maar moeilijk te geloven dat ik jullie moet vertellen dat Catton Park in Ilsmere Port ligt, want het is al zo'n tien jaar ongeveer het drukste vliegveld in het noorden van Engeland. Ze bouwen er vliegtuigen. Vóór de oorlog zat er een chique burgervliegclub en het is jarenlang een luchtmachtbasis geweest. Het plaatselijke eskader vloog er al sinds 1936 met bommenwerpers. Jullie weten waarschijnlijk beter dan ik waar het nu voor gebruikt wordt (het is ongetwijfeld omgeven door sperballonnen en luchtafweergeschut). Toen Maddie er die zaterdagochtend aankwam, stond ze een tijdje onnozel te koekeloeren (haar woorden), eerst naar de parkeerplaats, met de grootste verzameling dure auto's die ze ooit gezien had, en daarna naar de lucht, met de grootste verzameling vliegtuigen. Ze leunde tegen het hek en keek toe. Na een paar minuten was ze erachter dat de vliegtuigen een soort patroon volgden, waarbij ze om de beurt landden en weer wegscheurden. Een halfuur later stond ze nog steeds te kijken en wist ze dat een van de piloten een beginneling was die zijn machine altijd eerst een eind de lucht in liet stuiteren voor hij hem goed aan de grond zette, en dat een ander volslagen krankzinnige acrobatische toeren aan het oefenen was, en dat weer een ander passagiers meenam – rondje rond het vliegveld, vijf minuten in de lucht, naar beneden, dat is dan twee shilling en geeft u die bril maar door aan de volgende klant.

Het was een overweldigende plek in die ongemakkelijke vredestijd, toen leger- en burgerpiloten nog om de beurt van de baan gebruikmaakten, maar Maddie was vastbesloten en volgde de bordjes naar de vliegclub. Ze vond de persoon die ze zocht bij toeval, met gemak eigenlijk, want Dympna Wythenshawe was de enige werkloze vliegenier op het vliegveld en zat in haar eentje te luieren in een lange rij verschoten ligstoelen voor het clubhuis. Maddie herkende de vliegenierster niet. Ze leek absoluut niet op het betoverende kiekje uit de krant of het bewusteloze slachtoffer dat Maddie de vorige zondag in dat weiland had achtergelaten. Dympna herkende Maddie ook niet, maar riep joviaal: 'Wilde je een stukje vliegen?'

Ze sprak met het beschaafde accent van geld en aanzien. Een beetje zoals het mijne, zonder de Schotse r. Minder aanzien waarschijnlijk, maar meer geld. Maddie voelde zich hoe dan ook meteen een dienstmeid.

'Ik zoek Dympna Wythenshawe,' zei Maddie. 'Ik wilde alleen weten hoe het met haar gaat na… na vorige week.'

'Het gaat best met haar.' De elegante vrouw glimlachte vriendelijk.

'Ik heb haar gevonden,' flapte Maddie eruit.

'Ze is zo fit als een hoentje.' Dympna stak een lui, lelieblank handje uit dat beslist nog nooit een oliefilter vervangen had (mijn lelieblanke handjes hebben dat wel, moeten jullie weten, maar alleen onder streng toezicht). 'Ze is zo fit als een hoentje. Ze is mij.'

Maddie gaf haar een hand.

'Ga toch zitten,' sprak Dympna lijzig (stelt u zich maar voor dat ze mij is, geboren in een kasteel en getogen op een Zwitserse kostschool, maar dan groter van stuk en niet zo'n huilebalk). Ze gebaarde naar de lege ligstoelen. 'Er is plek zat.'

Ze was gekleed alsof ze op safari ging en slaagde er nog in om het er charmant uit te laten zien ook. Behalve pleziervluchtjes verzorgde ze ook privéles. Ze was de enige vrouwelijke piloot op het vliegveld, en zeker de enige vrouwelijke instructeur.

'Als mijn geliefde Puss Moth gemaakt is, neem ik je mee naar boven,' zei ze tegen Maddie, en Maddie, die heel berekenend kan zijn, vroeg of ze het vliegtuig mocht zien.

Ze hadden het gedemonteerd en in onderdelen van Highdown Rise naar huis vervoerd, en nu was een ploeg van jongens en mannen in smerige overalls in een loods bezig het weer in elkaar te zetten. De verrukkelijke motor van de Puss Moth (dit zijn Maddies woorden; ze is een beetje gek) had maar HALF ZOVEEL VERMOGEN als Maddies motorfiets. Ze hadden hem uit elkaar gehaald en veegden met staalborstels de aarde eraf. In duizend glimmende stukjes lag hij op een lap zeildoek. Maddie wist meteen dat ze aan het juiste adres was.

'O, mag ik kijken?' vroeg ze. En Dympna, die nooit haar handen vuilmaakte, wist desondanks de naam van elke cilinder en elk ventiel dat op de grond lag en vond het goed dat Maddie wat van een kleverig spulletje dat naar inmaakuien rook op nieuwe textiel voor over de romp (de oude had ze immers kapotgetrapt) smeerde. Toen er een uur voorbij was en Maddie nog steeds vroeg waar al die onderdelen goed voor waren en hoe ze heetten, gaven de monteurs haar een staalborstel en mocht ze helpen.

Maddie zei dat ze zich daarna altijd heel veilig voelde als ze in Dympna's Puss Moth vloog, want ze had zelf geholpen de motor weer in elkaar te zetten.

'Wanneer kom je weer?' vroeg Dympna haar vier uur later bij een vettige kop thee.

'Het is te ver voor me om vaak langs te komen,' antwoordde Maddie verdrietig. 'Ik woon in Stockport. Door de week help ik mijn grootvader in zijn zaak. Hij betaalt mijn benzine, maar ik kan niet elk weekend komen.'

'Dan ben je nu de grootste bofkont van de hele wereld,' zei Dympna. 'Zodra de Puss Moth weer vliegt, verplaats ik allebei mijn vliegtuigen naar Oakway, dat nieuwe vliegveld. Vlak bij de fabriek in Ladderal, waar je vriendin Beryl werkt. Volgende week zaterdag is er een groot gala voor de officiële opening. Ik kom je wel ophalen, dan kun je alles vanaf de pilotentribune goed zien. Beryl mag ook mee.'

Nu heb ik jullie al twee vliegveldlocaties genoemd.

Ik begin een beetje draaierig te worden, want ik heb sinds gisteren niets meer te eten of te drinken gekregen en ik zit al negen uur te schrijven. Eens kijken of het helpt als ik dit potlood op tafel smijt en het op een brullen zet.

Deze pen wrkt niet. Sorry inktvlekken. Is dit test of strf ik wil mn potlood terug

[Memo aan ss-Hauptsturmführer Amadeus von Linden, vertaald uit het Duits.]

De Engelse kapitein heeft gelijk. De inkt die ze gekregen heeft is te oud/te dik en klonterde in het kroontje. Hij is inmiddels verdund en ik test hem hier om te controleren of er naar behoren mee geschreven kan worden.
Heil Hitler!
ss-Scharführer Etienne Thibaut

Domme collaborerende *rotzak* die je bent, ss-Scharführer Etienne Thibaut, IK BEN SCHOTS.
De komedianten Laurel en Hardy, ik bedoel Sergeant-Loopjongen Thibaut en Bewaakster-van-dienst Engel, hebben dankzij de inferieure inkt die Thibaut voor me gevonden had het grootste plezier om mij. Hij moest hem ook zo nodig met *petroleum* verdunnen. Hij ergerde zich toen ik me over de inkt beklaagde en leek me niet te geloven toen ik zei dat de pen verstopt zat, dus ik raakte *nogal over mijn toeren* toen hij wegliep en even later met een liter petroleum terugkwam. Ik wist meteen wat het was toen hij met het blik binnenkwam, en juffrouw E. moest een kan water in mijn gezicht gooien, zo hysterisch werd ik. Nu zit ze tegenover me aan tafel haar sigaret op te steken en nog eens op te steken en de luci-

fers mijn kant op te schieten om me aan het schrikken te maken, maar ze lacht er wel bij.

Gisteravond was ze zenuwachtig omdat ze vond dat ik die dag niet genoeg feiten had opgelepeld voor een echte judas. Nogmaals, ik denk dat ze bang was voor de reactie van Von Linden, want zij is degene die moet vertalen wat ik voor hem schrijf. Maar hij bleek het een 'interessant overzicht van de situatie in Groot-Brittannië gedurende langere tijd' te vinden, en een 'opvallend persoonlijk perspectief' (hij stelde mijn Duits een beetje op de proef toen we het erover hadden). En ik denk dat hij hoopt dat ik wat over Monsieur Laurel en Mademoiselle Hardy wil klikken. Hij vertrouwt Thibaut niet omdat Thibaut Frans is en hij vertrouwt Engel niet omdat Engel een vrouw is. In het vervolg behoor ik de hele dag door water te krijgen terwijl ik schrijf (om te drinken, en ook om hysterische aanvallen tegen te gaan), én een deken. Voor een deken in mijn koude kamertje, ss-Hauptsturmführer Amadeus von Linden, zou ik zonder spijt of aarzeling mijn heroïsche voorvader William Wallace, Hoeder van Schotland, verlinken.

Ik weet dat jullie andere gevangenen mij verachten. Thibaut nam me mee voor… Ik weet niet hoe jullie het noemen als ik moet toekijken, is het *onderricht*? Om me in te prenten hoeveel geluk ik heb, misschien? Na mijn driftbui van gisteren, nadat ik gestopt was met schrijven en voordat ik te eten kreeg, dwong Scharführer Thibaut me op weg terug naar mijn cel om toe te kijken hoe Jacques voor de zoveelste keer verhoord werd. (Ik weet niet wat zijn echte naam is, maar in *De geschiedenis van twee steden* noemen de Franse burgers elkaar allemaal *Jacques*, dus dat lijkt me passend.) Die jongen *haat* me. Het maakt niet uit dat ook ik met pianosnaren of wat dan ook aan mijn stoel vastgebonden zit, dat ik huil om wat hem wordt aangedaan en de hele tijd de andere kant op kijk behalve wanneer Thibaut mijn hoofd vasthoudt. Jacques weet, iedereen weet, dat ik de collaborateur ben, de enige lafaard in deze cellen. Niemand anders heeft ook maar één flintertje geheime code prijsgegeven, laat staan ELF HELE SETS. En dan heb ik het nog niet eens over een geschreven bekentenis. Hij spuugt naar me als ze hem naar buiten sleuren.

'Klein Schots ettertje.'

Het klinkt zo mooi in het Frans, *p'tit merdeux écossaise*. Ik heb eigenhandig de zevenhonderd jaar sterke *Auld Alliance* tussen Frankrijk en Schotland om zeep geholpen.

Een andere Jacques, een meisje, fluit 'Scotland the Brave', moedig Schotland, als we elkaar passeren (mijn cel is een voorvertrek van de suite die ze als verhoorkamer gebruiken), of een ander strijdlied dat met mijn erfgoed verbonden is, en zij spuugt ook. Ze walgen allemaal van me. Het is anders dan hun haat jegens overloper Thibaut, die een landgenoot van hen is en voor de vijand werkt. Ik ben ook jullie vijand, ik zou een van hen moeten zijn. Maar ik ben hun verachting niet waard. Een klein Schots ettertje, meer niet.

Denken jullie niet dat ze er sterker van worden als ze iemand hebben om te verfoeien? Ze zien mij huichelachtig grienen in de hoek en denken: '*Mon Dieu*. Als ik maar nooit word zoals *zij*.'

DE BURGERLUCHTVERDEDIGING (ENKELE CIJFERS)

Die kop ziet er geweldig officieel uit. Ik voel me meteen beter. Als een echte kleine judas.

Stel dat je een meisje bent in Stockport in 1938, opgevoed door liefhebbende en inschikkelijke grootouders en behoorlijk geobsedeerd door machines. Stel dat je besloot dat je wilde leren vliegen: echt *vliegen*. Dat je vliegtuigen wilde besturen.

Een cursus van drie jaar zou meer dan duizend pond hebben gekost. Ik weet niet wat Maddies grootvader in die jaren verdiende. Zijn zaak liep goed, zoals ik al zei, in de crisisjaren iets minder goed, maar toch, voor onze begrippen in die tijd verdiende hij heel aardig. Toch zou een jaar vlieglessen voor Maddie hem algauw zijn hele jaarverdienste hebben gekost. Haar eerste vlucht kreeg ze voor niets: een excursie van een uur in Dympna's gerepareerde Puss Moth, op een schitterende, heldere zomeravond met een verfrissende wind en lang licht. Voor het eerst zag ze het Penninisch Gebergte van bovenaf. Omdat ze net zo zeer bij Dympna's redding betrokken was geweest als Maddie mocht Beryl ook mee, maar

Beryl moest helemaal achterin zitten en kon niet zoveel zien en gaf over in haar handtas. Ze bedankte Dympna, maar ze is nooit meer meegevlogen.

En dat was natuurlijk een pleziervlucht, geen les. Lessen kon Maddie niet betalen. Maar vliegveld Oakway werd haar tweede thuis. Oakway ontstond tegelijk met Maddies liefde voor vliegtuigen. Ik wil groter speelgoed, had ze gedacht, en hopla, een week later was er Oakway. Het was maar vijftien minuten op de motorfiets. Het was zo gloednieuw dat de monteurs blij waren met een extra paar vaardige handen. Die zomer was Maddie elke zaterdag druk bezig met motoren oplappen en spanlak aanbrengen en vrienden maken. In oktober leverde haar volharding opeens, onverwacht resultaat op. Die maand begonnen we met de Burgerluchtverdediging.

Ik zeg *we* – ik bedoel Groot-Brittannië. Zo ongeveer elke vliegclub in het koninkrijk deed mee en er meldden zich zo veel duizenden mensen (gratis vlieges!) dat ze maar een tiende konden aannemen. En maar één op de twintig van hen was vrouw. Maar Maddie had alweer geluk, want alle technici en monteurs en instructeurs op Oakway kenden en mochten haar en schreven in jubelende aanbevelingsbrieven dat ze snel en toegewijd was en alles over oliepeilen wist. Ze was niet onmiddellijk beter dan andere piloten die op Oakway voor de Burgerluchtverdediging opgeleid werden, maar ze was ook niet slechter. In de eerste week van het nieuwe jaar maakte ze in een sneeuwbui haar eerste solovlucht.

Maar kijk eens naar de timing. Maddie begon eind oktober 1938 te vliegen... Hitler (het zal jullie opvallen dat ik mijn meer kleurrijke termen voor de Führer bij nader inzien toch maar weer zorgvuldig heb doorgestreept) viel op 1 september 1939 Polen binnen, en twee dagen later verklaarde Groot-Brittannië Duitsland de oorlog. Maddie vloog de praktijkexamenvlucht voor haar A-brevet, het basisvliegbrevet, zes maanden vóór alle burgervliegtuigen in augustus aan de grond werden gezet. Daarna werd het merendeel van die machines in overheidsdienst genomen. Dympna's machines werden door het ministerie van Luchtvaart gevorderd voor communicatiedoeleinden, en daar was ze spinnijdig over.

Dagen voordat Groot-Brittannië Duitsland de oorlog verklaarde, vloog Maddie in haar eentje naar de andere kant van Engeland, over de toppen van het Penninisch Gebergte en om de sperballons die als een zilveren bolwerk het luchtruim rond Newcastle bewaakten. Ze volgde de kustlijn in noordelijke richting naar Bamburgh en Holy Island. Ik ken dat stuk van de Noordzee heel goed, want de trein van Edinburgh naar Londen rijdt erlangs, en toen ik nog op school zat reed ik het hele jaar op en neer. En toen mijn school vlak voor de oorlog dichtging, maakte ik hem niet ergens anders af, maar ging ik een beetje plotseling voor een semester naar de universiteit en moest ik ook weer met diezelfde trein. Ik voelde me heel volwassen in die tijd.

De kust van Northumbria is het mooiste stuk van de hele reis. In het noorden van Engeland gaat de zon in augustus heel laat onder, en Maddie vloog op haar linnen vleugels laag over de lange zandbanken rond Holy Island en zag er zeehonden liggen. Ze vloog over de machtige kastelen van Lindisfarne en Bamburgh en over de ruïnes van de twaalfde-eeuwse priorij, en over alle velden die zich geel en groen uitstrekten naar de Cheviot Hills in Schotland. Terug vloog Maddie langs de tweeduizend jaar oude drakenrug, de Muur van Hadrianus, naar Carlisle en vervolgens zuidwaarts over de Lakeland Fells, langs Lake Windermere. De bergen rezen rond haar op en de meren van de dichters glinsterden onder haar in de dalen van de herinnering – massa's gouden narcissen, *Het onbewoonde eiland*, Pieter Konijn. Om de mist van rook rond Manchester te vermijden vloog ze naar huis via Blackstone Edge en de oude Romeinse weg, en snikkend van pijn en liefde landde ze op Oakway; liefde voor haar eiland, dat ze binnen het bestek van een middag door een glazen lens van zomer en zonlicht van kust tot kust had zien liggen, teer en gaaf, maar met ingehouden adem. Op het punt om verzwolgen te worden in nachten van vuur en verduistering. Maddie landde voor zonsondergang op Oakway, zette de motor af en bleef in de cockpit zitten huilen.

Meer dan wat ook, denk ik, trok Maddie ten strijde namens de zeehonden van Holy Island.

Eindelijk klom ze uit Dympna's Puss Moth. De late, lage zon bescheen de andere vliegtuigen in de hangar die Dympna gebruikte, dure speeltjes die algauw hun beste tijden zouden beleven. (Binnen een jaar zou diezelfde Puss Moth, bestuurd door iemand anders, donorbloed overvliegen voor het zieltogende Britse Expeditieleger in Frankrijk.) Maddie voerde alle controles uit die ze normaal na een vlucht uitvoerde, en begon toen nog eens overnieuw met de controles die ze altijd vóór een vlucht uitvoerde. Dympna trof haar een halfuur later aan terwijl ze in het gouden licht nog steeds muggen van de voorruit stond te poetsen.

'Dat hoeft niet.'

'Iemand moet het doen. Ik zal er niet meer in vliegen. Niet na morgen. Het is het enige wat ik *kan* doen, olie controleren, insecten wegpoetsen.'

Dympna stond kalm te roken in de avondzon en sloeg Maddie een tijdje gade. Toen zei ze: 'In deze oorlog zal er ook vliegwerk zijn voor meisjes. Wacht maar af. Ze zullen alle piloten die ze maar kunnen krijgen nodig hebben voor de luchtmacht. Dat worden de jongemannen, sommigen met minder opleiding dan jij nu hebt, Maddie. En dan blijven de oude mannen en de vrouwen over om nieuwe kisten af te leveren en berichten en piloten heen en weer te vliegen. Dat gaan wij doen.'

'Denk je echt?'

'Er wordt een nieuwe organisatie opgericht, voor burgerpiloten die willen helpen met de oorlogsinspanning. De ATA, de Air Transport Auxiliary. Er mogen mannen en vrouwen bij. Het kan nu elke dag gebeuren. Mijn naam staat op de lijst; Pauline Gower is hoofd van de vrouwenafdeling.' Pauline was een vliegeniersvriendin van Dympna, die haar had aangemoedigd in de pleziervliegerij te gaan. 'Jij hebt er de bevoegdheid niet voor, maar ik zal je niet vergeten, Maddie. Zodra ze weer meisjes gaan opleiden, stuur ik je een telegram. Dan ben je de eerste.'

Maddie wreef over de voorruit en wreef in haar ogen, te ongelukkig om antwoord te geven.

'En als je klaar bent met sloven, zet ik de lekkerste kop vettige Oakwaythee voor je die er bestaat, en morgenochtend lever ik je af bij het dichtstbijzijnde wervingsbureau van de WAAF.'

De WAAF is de *Women's Auxiliary Air Force*, de vrouwenafdeling van de RAF, de *Royal Air Force*. Je *vliegt* niet in de WAAF, maar tegenwoordig kun je verder bijna al het werk doen dat mannen ook doen: je kunt elektricien worden, ingenieur, monteur, sperballontechnicus, chauffeur, kok, kapper… Je zou denken dat onze Maddie een technisch beroep zou hebben gekozen, hè? Maar zo vroeg in de oorlog hadden ze die banen nog niet opengesteld voor vrouwen. Het deed er niet toe dat Maddie al veel meer ervaring had dan een heleboel jongens; er was geen plaats voor haar. Maar als onderdeel van de opleiding voor haar A-brevet had ze ook al morse en het een en ander over radiotechniek geleerd. In augustus 1939 stond het ministerie van Luchtvaart, in paniek toen het besefte hoeveel mannen er nodig zouden zijn om te vliegen, te springen om vrouwen die het radiowerk konden doen. Maddie ging bij de WAAF en werd uiteindelijk radiobediende.

ENIGE WAAF-BEROEPEN

Het was net als op school. Ik weet niet of Maddie dat ook vond; ze had niet op een Zwitserse kostschool gezeten, maar op een middelbare school in Manchester, en het is beslist nooit bij haar opgekomen om naar de universiteit te gaan. Toen ze op school zat, ging ze gewoon elke middag naar huis, en ze hoefde nooit met twintig andere meisjes een kamer te delen, laat staan op een stromatras te slapen dat uit drie blokken bestond alsof het de kussens van een bank waren. We noemden ze 'koekjes'. Je was altijd zo moe dat het je niets kon schelen, nu zou ik mijn linkerhand ervoor afhakken. Die pietepeuterige inspectie van je uitrusting, waarbij je al je aardse bezittingen willekeurig maar precies op je opgevouwen deken moest uitspreiden, als de stukjes van een legpuzzel, en als er ook maar iets een fractie scheef lag, gingen er punten van je totaal af – dat was net als op school. En ook het jargon, de discipline, het saaie eten en de uniforms, hoewel Maddies groep in het begin nog geen echte uniforms kreeg. Ze droegen allemaal hetzelfde blauwe vestje, net als padvindsters (padvindsters dragen geen blauwe vestjes, maar jullie begrijpen wel wat ik bedoel).

In het begin was Maddie gestationeerd op Oakway, handig dicht bij huis. Dit was eind 1939, begin 1940. De schemeroorlog. Er gebeurde niet veel.

In Groot-Brittannie niet, in elk geval. We beten op onze nagels, we oefenden.

We wachtten.

TELEFONISTE

'Jij! Dat meisje met dat blauwe vestje!'

Vijf meisjes met hoofdtelefoons op keken om van hun schakelbord, wezen naar hun borst en zeiden geluidloos *Ik?*

'Ja, jij! *Aircraftwoman* Brodatt! Wat doe je hier? Je bent bevoegd radiobediende!'

Maddie wees naar haar hoofdtelefoon en het koord dat ze net wilde aansluiten.

'Zet dat stomme ding af en geef antwoord.'

Maddie draaide zich kalm om naar haar paneel en stak onbewogen de stop in de klink. Ze drukte tegen de betreffende sleutel en sprak duidelijk in de microfoon. 'Ik heb hier de afdelingsleider voor u, meneer. Gaat uw gang.' Ze zette de hoofdtelefoon af en draaide zich om naar de trol die op antwoord stond te wachten. Het was de hoogste vlieginstructeur van Oakways RAF-eskader, de man die haar bijna een jaar geleden het praktijkexamen had afgenomen.

'Neem me niet kwalijk, sir. Hier ben ik gestationeerd, sir.' (Ik zei toch dat het net school was.)

'Gestationeerd! Jullie zijn niet eens in uniform!'

Vijf plichtsgetrouwe *aircraftwomen* eerste klasse trokken hun blauwe vestje recht.

'Wij hebben nog geen volledig tenue gekregen, sir.'

'Gestationeerd!' zei de officier nog een keer. 'Morgen begin je in de radiokamer, Brodatt. De tweede radiobediende is door griep geveld.' En hij pakte de hoofdtelefoon van het paneel en zette hem met onhandige bewegingen op zijn eigen grote hoofd. 'Verbind me met de WAAF-leiding,' zei hij. 'Ik wil je sectiehoofd spreken.'

Maddie sloot het koord aan en drukte tegen de sleutel, en hij regelde door haar eigen telefoon haar overplaatsing.

RADIOBEDIENDE

'Cadet grond, cadet grond,' kwam de oproep van het lesvliegtuig. 'Positie onduidelijk, zit recht boven driehoekige watervlakte ten oosten van vliegroute.'

'Grond cadet,' antwoordde Maddie. 'Is het een meer of een spaarbekken?'

'Herhalen?'

'Meer of spaarbekken? Je driehoekige watervlakte.'

Na een korte stilte zei Maddie behulpzaam: 'Een waterbekken heeft een dam aan één kant.'

'Cadet grond. *Affirm* spaarbekken.'

'Is het Ladyswell? Sperballonnen van Manchester op tien uur en Macclesfield op acht?'

'Cadet grond, affirm. Positie bepaald. Recht boven Ladyswell op terugweg naar Oakway.'

Maddie zuchtte. 'Grond cadet, meld je als je recht voor de baan bent.'

'Wilco.'

Maddie schudde haar hoofd en vloekte ondamesachtig. 'Heidense goedheid! Onbeperkt zicht! Onbeperkt zicht tot aan die grote vieze stad in het noordwesten! Die grote vieze stad waar een paar honderd zilveren waterstofballonnen zo groot als stadsbussen omheen hangen! Hoe moet hij in vredesnaam *Berlijn* vinden als *Manchester* al te moeilijk voor hem is?'

Het bleef even stil in de radiokamer. Toen zei het hoofd van de radiokamer vriendelijk: 'Brodatt, je bent nog steeds in de lucht.'

'Brodatt, staan blijven.'

Maddie en de anderen hadden te horen gekregen dat ze naar huis mochten. Of terug naar hun barakken of logies in elk geval, voor een

37

middag rust. Het was zulk smerig hondenweer dat de straatlantaarns zouden zijn aangestoken als niet het risico bestond dat vijandelijke vliegers die zouden zien – niet dat vijandelijke vliegers in zulke mist wél konden vliegen. Maddie en de andere WAAF's in haar barak hadden nog steeds geen echt uniform, maar omdat het winter was, hadden ze RAF-overjassen gekregen. Mannenjassen. Warm en waterdicht, maar belachelijk. Alsof je een tent aanhad. Maddie hield haar jas dicht tegen zich aan gedrukt toen de officier haar toeriep en hoopte maar dat ze er verzorgder uitzag dan ze zich voelde. Ze bleef met rechte rug staan wachten op de loopplank die over de betonnen platforms was gelegd omdat er zo veel water stond dat het in je schoenen liep.

'Was jij dat, die mijn jongens in die Wellington vanochtend naar binnen praatte?' vroeg de officier.

Maddie slikte. Ze had het radioprotocol overboord gegooid om die jongens door een gat van tien minuten in de laaghangende bewolking te jagen, in de vurige hoop dat ze haar instructies zonder vragen te stellen zouden opvolgen, en dat ze hen niet recht op de met explosieven uitgeruste stalen kabels van de sperballonnen af stuurde, bedoeld om vijandelijke vliegtuigen af te schrikken. Nu herkende ze de officier: het was een van de eskadercommandanten.

'Ja, sir,' bekende ze schor, maar met haar kin in de lucht. Het was zo klam buiten dat haar haren op haar voorhoofd plakten. Met een ellendig gevoel wachtte ze af, ervan overtuigd dat hij haar voor de krijgsraad zou slepen.

'Die jongens hebben verdorie hun leven aan je te danken,' zei hij. 'Ze vliegen nog geen van allen op instrumenten en ze hadden geen kaart ook. We hadden ze vanochtend nooit moeten laten opstijgen.'

'Dank u, sir,' zei Maddie ademloos.

'Ze prezen je de hemel in, die knullen. Maar ik vroeg me wel af: heb je eigenlijk enig idee hoe de baan er van bovenaf uitziet?'

Maddie glimlachte zwakjes. 'Ik heb mijn A-brevet. Het is nog geldig. Al heb ik natuurlijk sinds augustus niet meer gevlogen.'

'Aha, op die manier!'

De RAF-commandant loodste Maddie mee naar de mess aan de rand van het vliegveld. Ze moest op een drafje lopen om hem bij te houden.

'En je hebt je brevet hier op Oakway gehaald? Burgerluchtverdediging?'

'Ja, sir.'

'Instructeursbevoegdheid?'

'Nee, sir. Maar ik heb wel in het donker gevlogen.'

'Maar dat is ongebruikelijk! En heb je de mistlijn gebruikt?'

Hij bedoelde de felle gaslampen die op regelmatige afstand van elkaar aan weerszijden van de baan staan, zodat je met slecht weer kunt landen.

'Twee of drie keer. Niet vaak, sir.'

'Dus je hebt de baan wel degelijk vanuit de lucht gezien. En in het donker nog wel! Tjonge…'

Maddie wachtte. Ze had echt geen idee wat deze man nu zou gaan zeggen.

'Als je dan toch mensen naar binnen praat, moet je verdikkeme wel weten hoe het er vanuit de cockpit van zo'n bommenwerper in landingsconfiguratie uitziet. Zin om in een Wellington te vliegen?'

'Ja graag, sir!'

(Zien jullie wel, het was net als op school.)

STILLE

Dit is geen WAAF-beroep. Zo noemen ze je als je voor de lol meevliegt zonder iets wezenlijks bij te dragen aan het welslagen van de vlucht. Maddie was misschien meer een stuurman aan wal dan een stille.

'Ik geloof niet dat je het gyrokompas opnieuw hebt ingesteld.'

'Koers 270, zei hij. Jij vliegt naar het oosten.'

'Opgepast, jongens, vliegtuig op drie uur, duizend voet onder ons.'

Op een keer weigerde het elektrische landingsgestel en moest ze haar steentje bijdragen door om en om met de mannen aan de handpomp te staan en te voorkomen dat ze een buiklanding moesten maken. Op een keer mocht ze mee in de geschutkoepel. Dat vond ze heerlijk, alsof ze een goudvis was, helemaal alleen in een lege lucht.

Op een keer moesten ze haar na de landing uit het toestel tillen omdat ze zo hevig trilde dat ze er niet zelf uit kon klimmen.

Maddies uitstapjes in de Wellington waren niet echt clandestien, maar helemaal zuiver waren ze ook niet. Als de jongens opstegen, was ze een van de s.o.b., de *Souls On Board*, maar ze was beslist niet bevoegd om de cadetten aan te sporen terwijl ze zich boven het hoogveen oefenden in laagvliegen. Dus toen Maddies RAF-kameraden haar in hun armen de landingsbaan af droegen, kwamen er vanuit de kantoren en het heren- en het damestheehuis verschillende bezorgde mensen aangerend, zonder jas en met witte gezichten.

Een WAAF-vriendin die Joan heette en de schuldige eskadercommandant waren als eersten bij haar.

'Wat is er? Wat is er gebeurd? Is ze gewond?'

Maddie was niet gewond. Ze siste zelfs al tegen de Wellington-bemanning dat ze haar moesten neerzetten. 'Laat dat, straks ziet iedereen het, mijn collega's houden er nooit meer over op…'

'*Wat is er gebeurd?*'

Maddie richtte zich bibberend op. 'We zijn beschoten,' zei ze zonder iemand aan te kijken, want ze schaamde zich rot omdat het haar zo had aangegrepen.

'*Beschoten!*' blafte de commandant. Dit was in het voorjaar van 1940: de oorlog speelde zich nog op het vasteland af. Het was vóór die rampzalige mei, toen de geallieerden werden teruggedrongen naar de Franse stranden, vóór de Slag om Engeland, vóór de Duitse bommen op Londen en de nachten vol vuur en lawaai. In het voorjaar van 1940 was ons luchtruim waakzaam, bewapend en nerveus, maar nog ongeschonden.

'Ja, *beschoten*,' papegaaide de piloot van de Wellington razend. Ook hij was zo wit als een doek. 'Door die idioten die de kanonnen bij de Cattercup-ballonnen bemannen. Door *onze eigen luchtafweer*. Wie leidt die jongens op? Het stelletje krankzinnige schietgrage sukkels! Een beetje munitie verspillen en iedereen de verdommese stuipen op het lijf jagen! De eerste de beste schooljongen ziet het verschil tussen een vliegende sigaar en een vliegend potlood!'

(Wij noemen onze prachtige Wellingtons 'vliegende sigaren' en jullie lelijke Dorniers 'vliegende potloden'. Veel plezier met vertalen, Fräulein E.)

De piloot was net zo bang geweest als Maddie, maar hij stond niet te bibberen.

Joan sloeg troostend een arm om Maddies schouders en adviseerde haar fluisterend om maar niet op de taal van de piloot te letten. Maddie stootte een onzeker en geforceerd lachje uit.

'Ik zat niet eens in de geschutkoepel,' prevelde ze. 'Godzijdank hoef *ik* niet naar Europa te vliegen.'

RDF

'Kapitein-vlieger Mottram prijst je de hemel in,' zei Maddies sectie-hoofd. 'Hij zegt dat je de scherpste ogen van heel Oakway hebt.' (Hier rolde het sectiehoofd zelf met haar ogen.) 'Vast wat overdreven, maar hij zegt dat jij in de lucht altijd als eerste andere vliegtuigen ziet aankomen. Wat denk je van verdere scholing?'

'Waarin?'

Het sectiehoofd kuchte verontschuldigend. 'Dat is een beetje geheim. Althans, heel geheim. Als je ja zegt, stuur ik je op cursus.'

'Ja,' zei Maddie.

Om terug te komen op een opmerking die iemand eerder maakte: ik be-ken dat ik alle eigennamen uit mijn duim zuig. Dachten jullie dat ik alle namen en rangen van iedereen met wie Maddie ooit gewerkt heeft, heb onthouden? Of elk vliegtuig waarin ze ooit gevlogen heeft? Volgens mij is het op deze manier alleen maar interessanter.

Dat is alles wat ik vandaag aan nuttigs te schrijven heb, al zou ik ook doorwauwelen over niets als ik dacht dat ik daarmee onder de volgende paar uur kruisverhoor uit kwam — Engel worstelend met mijn hand-schrift en Von Linden gaten schietend in alles wat ik gezegd heb. Het moet gebeuren… uitstellen heeft geen zin. Ik heb, hoop ik, een deken om naar uit te kijken en een lauw bord *kailkenny à la guerre* misschien, dat wil zeggen stamppot van aardappel en groenekool zonder aardappel en met maar een heel klein beetje groenekool. Maar dankzij Frankrijks onuitputtelijke groenekoolvoorraad heb ik elk geval nog geen scheurbuik. Hoera…

Ormaie 10-11-'43 J.B.-S.

RAF WAAF RDF

S.O.B. S.O.E.

kapt.

r-tel.

sp. mw.

m'aidez m'aidez mayday

KUSTVERDEDIGING

Ik durf dit eigenlijk niet op te schrijven.

Ik weet niet waarom ik denk dat het iets uitmaakt. De Slag om Engeland is voorbij. Hitlers voorgenomen invasie, Operatie Zeeleeuw, is drie jaar geleden mislukt. En straks vecht hij op twee fronten tegelijk een hopeloze oorlog uit, met de Amerikanen achter ons, de Russen vanuit het oosten op weg naar Berlijn en georganiseerd verzet in alle landen daartussen. Ik kan niet geloven dat zijn adviseurs niet allang weten wat er in de zomer van 1940 gebeurde in die bunkers van hout en beton die opeens langs de hele zuidoostkust van Engeland opdoken. In grote lijnen, in elk geval.

Ik wil alleen liever niet de geschiedenis in gaan als degene die de details uit de doeken deed.

RDF staat voor *Range and Direction Finding*. Om de vijand in verwarring te brengen dezelfde afkorting als *Radio Direction Finding*, maar niet helemaal dezelfde techniek. Zoals jullie weten. Goed. Tegenwoordig noemen ze het 'radar', een Amerikaans woord, acroniem van *Radio Detection and Ranging*, wat volgens mij niet per se makkelijker te onthouden is. In de zomer van 1940 was het nog zo nieuw dat niemand wist wat het was, en zo geheim dat

Krijg het rambam – dit kan ik niet.

Ik heb een vervelend halfuur lang met Fräulein Engel zitten kibbelen over het kroontje van mijn pen, dat ik de eerste keer echt niet expres verboog. Het is waar dat ik daardoor mooi een tijdje niet verder kon, maar dat die kenau het ding tegen mijn tanden rechtboog, terwijl ik het makkelijk zelf tegen de tafel had kunnen doen, bespoedigde de zaak ook niet. Het is ook waar dat het stom van me was om het zodra ik het van haar terugkreeg nog een keer te verbuigen, en nu expres. Daarna moest ze me zo nodig EEN PAAR KEER laten zien hoe de zuster bij haar op school vroeger altijd met een kroontjespen bloed afnam.

Ik weet niet waarom ik dat stomme ding nog een keer verboog. Juffrouw Engel is zo makkelijk op de kast te krijgen. Ze wint altijd, maar alleen omdat ik met mijn enkels aan mijn stoel vastgebonden zit.

Goed, en ook omdat ze me aan het eind van elke ruzie herinnert aan de afspraak die ik met een zekere officier van de Gestapo gemaakt heb, waarop ik dan weer bezwijk.

'Hauptsturmführer Von Linden heeft het druk, zoals je weet, en zal niet graag gestoord willen worden. Maar ik heb opdracht hem te laten halen als dat nodig is. Je hebt pen en papier gekregen omdat hij van oordeel is dat je bereid bent met hem samen te werken, en als je niet zoals afgesproken je bekentenis schrijft, heeft hij geen andere keus dan je verhoor te hervatten.'

HOU TOCH JE KOP, ANNA ENGEL. DAT WEET IK ZELF OOK WEL.

Ik ben tot alles bereid: ze hoeft zijn naam maar te laten vallen en ik weet het weer, ik ben tot alles, *alles*, bereid, als hij me maar niet opnieuw verhoort.

Dus. RDF. Kustverdediging. Krijg ik mijn dertig zilverlingen? Nee, alleen nog wat van dit hotelbriefpapier. Het schrijft heel fijn.

KUSTVERDEDIGING, DE ONVERKORTE VERSIE

We zagen het aankomen – iemand zag het aankomen. We waren jullie net een stapje voor, en jullie beseften het niet eens. Jullie beseften niet hoe geavanceerd het RDF-systeem al was of hoe snel we mensen opleidden om ermee te werken, of hoe ver we ermee konden kijken. Jullie beseften niet eens hoe snel we zelf nieuwe vliegtuigen bouwden. We waren in de minderheid, dat is waar, maar met RDF zagen we jullie aankomen. We zagen de zwermen *Luftwaffe*-machines al op het moment dat ze van hun bases in bezet Frankrijk opstegen, berekenden hoe hoog ze vlogen, telden hoeveel er aan de aanval meededen. En dat gaf ons de tijd om te hergroeperen. We konden jullie opwachten, tegenhouden, het landen onmogelijk maken, jullie bezighouden tot jullie brandstof opraakte en jullie op de vlucht sloegen, tot de volgende golf. Ons bestormde eiland, alleen aan de rand van Europa.

Maddie moest op haar ongeboren kinderen geheimhouding zweren. Het is allemaal zo geheim dat je niet eens een titel krijgt als je met radar te maken hebt; je wordt gewoon 'speciaal medewerker' genoemd. Sp. mw. in het kort, zoals r-tel. voor radiotelegrafist staat. Sp. mw., dat is waarschijnlijk de meest bruikbare en bezwarende informatie die ik jullie gegeven heb. Nu weten jullie het.

Maddie was zes weken bezig met de radaropleiding. Ze kreeg een mooie promotie en werd radarofficier. Vervolgens werd ze overgeplaatst naar Maidsend, een RAF-basis voor een eskader van nieuwe Spitfire-gevechtsvliegtuigen, niet ver van Canterbury, aan de Kentse kust. Zo ver was ze nog nooit van huis geweest. Maddie werd niet achter een scherm in een radarstation gezet, al hadden ze die wel op Maidsend. Ze bleef in de radiokamer. In het heetst van de zomer van 1940 zat Maddie in een toren van staal en beton over de radio posities aan te nemen. De andere RDF-meisjes deden het zoekwerk voor de glazen schermen met de knipperende groene lichtjes en gaven de gegevens per telefoon of telegraaf door aan de verkeersleiding; als de verkeersleiding het binnenkomende vliegtuig voor haar geïdentificeerd had, nam Maddie de radio-oproep aan terwijl de machine haperend op de thuishaven aanhobbelde. Of ook wel zegevierend op de thuishaven aanscheerde, of afgeleverd werd vanuit het onderhoudsdepot op Swi

SWINLEY

SWINLEY

Op *Swinley*. Thibaut dwong me de hele naam op te schrijven. Ik schaam me zo dat ik bijna moet overgeven.

Engel zegt ongeduldig dat de naam helemaal niet interessant is. Er zijn verschillende pogingen gedaan om de werkplaats plat te bombarderen en hij is dus niet echt geheim. Engel weet zeker dat onze Hauptsturmführer meer belangstelling zal hebben voor mijn illustratieve beschrijving van het vroege radarnetwerk. Nu is ze boos op T. vanwege de onderbreking.

Ik haat ze allebei. Ik haat ze allemaal.

IK HAAT ZE

KUSTVERDEDIGING, VERDOMME

Stomme HUILEBALK.

Goed. Goed, op het RDF-scherm zag je bijvoorbeeld een of twee groene stippen bewegen. Dat waren vliegtuigen. Misschien de onze. Je zag hoe er een gevecht ontstond en de stippen talrijker werden; terwijl het pulserende licht over het scherm schoof, kregen die eerste twee steeds meer gezelschap. Dan doofden sommige als de vonken van een groots vuurwerk. En elke groene flits die van het scherm verdween was het einde van een leven, van één man in geval van een gevechtsvliegtuig, van een hele bemanning in geval van een bommenwerper. *Uit, korte kaars, uit, uit.* (Dat is uit *Macbeth*. Die schijnt ook weer zo'n onmogelijke voorvader van me te zijn, hij hield in elk geval van tijd tot tijd hof op het landgoed van mijn familie. Als je zijn Schotse tijdgenoten mag geloven, was hij niet de onbetrouwbare rotzak die Shakespeare van hem gemaakt heeft. Zullen komende generaties zich mij herinneren om mijn koninklijke onderscheiding, verleend voor 'ridderlijkheid', of om mijn samenwerking met de Gestapo? Ik wil er niet over nadenken. Als je niet langer

ridderlijk bent, zullen ze je die onderscheiding ook wel weer kunnen afpakken.)

Als ze radio aan boord hadden, kon Maddie communiceren met de
vliegtuigen die de speciaal medewerkers op hun scherm zagen. Ze vertelde de piloten min of meer wat ze op Oakway ook verteld zou hebben, alleen wist ze veel minder van de herkenningspunten in Kent. Ze gaf rich-
tingspeilingen door, windsnelheid en of er die dag wel of geen gaten in de
baan zaten (soms werden we aangevallen). Of ze zei tegen andere vliegtuigen dat ze voorrang moesten geven aan die ene die zijn landingskleppen kwijt was, of aan die waarvan de piloot een granaatscherf in zijn
schouder had of iets dergelijks.

Op een middag zat Maddie na een gevecht, waarbij het eskader van
Maidsend zelf niet betrokken was geweest, naar de laatste binnenkomers
te luisteren. Ze viel bijna van haar stoel toen ze de radeloze oproep hoorde.

'Mayday… mayday…' Herkenbaar als Engels. Of misschien was het
Frans, '*M'aidez*', help me. De rest van het bericht was in het Duits.

De stem was die van een bange jongen. Elke oproep sloot hij af met
een snik. Maddie slikte. Ze had geen idee waar de angstige noodkreten
vandaan kwamen. 'Luister… luister!' riep ze. Ze zette de intercom aan,
zodat iedereen het kon horen, en pakte de telefoon.

'Met Brodatt in de toren. Mag ik Jenny in de radarkamer? Oké, Tessa
dan. Iemand met een scherm voor zijn neus. Ze moeten een oproep voor
me identificeren…'

De hele radiokamer dromde rond de telefoon en las over Maddies
schouder mee terwijl ze noteerde wat ze van het radarstation doorkreeg
– en snakte hoorbaar naar adem toen de betekenis van haar aantekeningen doordrong.

'Hij komt recht op Maidsend af!'

'Stel dat het een bommenwerper is?'

'*Stel dat hij nog geladen is?*'

'Misschien is het vals alarm.'

'Als het vals alarm was, zou hij wel Engels spreken!'

'Spreekt hier iemand Duits?' schreeuwde de officier die de leiding had
over de radiokamer. Stilte.

'Godsamme! Brodatt, blijf aan de lijn. Davenport, ren naar de seinkamer, misschien kan een van de meisjes daar helpen. Haal iemand die Duits spreekt! *Nu!*'

Met het hart in de keel en de telefoon tegen haar oor wachtte ze op verdere informatie van het meisje achter het radarscherm.

'Sst,' waarschuwde de officier, die zich over Maddies schouder boog en de telefoon van haar overnam, zodat ze haar rechterhand vrij had om aantekeningen te maken. 'Niets zeggen… laat hem niet weten wie er luistert…'

De deur van de radiokamer vloog open en daar was Davenport weer, met een van de telegrafistes van de waaf op zijn hielen. Maddie keek op.

Het meisje zag eruit om door een ringetje te halen. Er zat geen blauw draadje scheef aan haar, en het lange blonde haar zat in een wrong die precies volgens voorschrift drie vingers boven de kraag van haar uniform hing. Maddie herkende haar uit de mess en van de zeldzame gezelligheidsavondjes. Queenie noemden ze haar, al was ze officieel niet de Bijenkoningin (zo noemden we het hoofd van de waaf op de basis) en heette ze ook niet echt zo. Maddie kende haar echte naam niet. Queenie had de reputatie onbeschaamd en onverschrokken te zijn; ze gaf haar meerderen een grote mond zonder dat het gevolgen had, maar evengoed verliet ze bij luchtaanvallen pas het gebouw als ze zeker wist dat er niemand was achtergebleven. Als ver familielid van het koningshuis had ze zelf de rang van kapitein, meer het gevolg van haar bevoorrechte positie dan van ervaring, maar ze stond erom bekend dat ze net zo toegewijd achter haar telegraaf zat als een op eigen kracht opgeklommen winkelmeisje. Ze was knap, tenger en lichtvoetig, en als er zaterdagavond eens een bal was, was zij degene met wie de piloten het liefst dansten.

'Geef die hoofdtelefoon eens, Brodatt,' zei de officier. Maddie ontwarde de hoofdstukken en de microfoon en gaf het ding aan de mooie, blonde radiotelegrafiste, die het op haar hoofd zette.

Na een paar seconden zei Queenie: 'Hij zegt dat hij boven het Kanaal zit. Hij is op zoek naar Calais.'

'Maar volgens Tessa nadert hij de kust bij Whitstable!'

'Hij zit in een Heinkel-bommenwerper, zijn bemanning is omgekomen, hij is een motor kwijt en hij wil landen in Calais.'

Ze staarden de telegrafiste allemaal aan.

'Weet je zeker dat we het met z'n allen over dezelfde kist hebben?' vroeg de officier.

'Tessa,' zei Maddie in de telefoon, 'kan de Duitse machine boven het Kanaal zitten?'

Nu hield iedereen in de kamer zijn adem in, wachtend op de stem van de onzichtbare Tessa, die ergens onder aan de krijtrotsen naar de groene lichtjes op haar scherm zat te turen. Haar antwoord verscheen onder Maddies krabbelende potlood: *Vijandelijk toest., richting 187 graden, Maidsend 25 mijl, hoogte ± 8500 voet.*

'Waarom denkt hij in godsnaam dat hij boven het Kanaal zit?'

'O!' Maddie begreep het opeens en zwaaide naar de reusachtige kaart van Zuidoost-Engeland, Noordwest-Frankrijk en de Lage Landen, die achter haar radio de hele muur in beslag nam. 'Kijk, kijk… Hij komt van Suffolk vandaan. Daar heeft ie de kustbases gebombardeerd. Hij is op het breedste punt de monding van de Theems overgestoken, en nu denkt ie dat ie het Kanaal is overgestoken! Hij vliegt recht op Kent af, en hij denkt dat het Frankrijk is!'

De officier gaf de telegrafiste een bevel. 'Geef die piloot antwoord.'

'Ik ken de regels niet, sir.'

'Brodatt, vertel haar hoe het moet.'

Maddie slikte. Voor twijfel was eigenlijk geen tijd. 'Wat vliegt hij, zei hij?' vroeg ze. 'Wat is het voor toestel, die bommenwerper?'

De radiotelegrafiste noemde de naam eerst in het Duits, en ze keken haar allemaal uitdrukkingsloos aan. 'He-111?' vertaalde ze aarzelend.

'Heinkel He-111… Nog iets anders?'

'Een Heinkel He-111. Meer zei hij niet.'

'Herhaal zijn vliegtuigtype, Heinkel He-111. Dat is een open reactie. Voor je begint te praten druk je op deze knop, en je houdt hem ingedrukt terwijl je praat, anders hoort hij je niet. Laat los als je klaar bent, anders kan hij geen antwoord geven.'

De officier verduidelijkte: '"Heinkel He-111, dit is Marck de Calaisis,

Calais." Zeg hem dat we Marck de Calaisis zijn.'

Maddie luisterde terwijl de telegrafiste haar eerste radio-oproep deed, in het Duits, kalm en kordaat alsof ze haar hele leven niets anders gedaan had dan instructies geven aan bommenwerpers van de Luftwaffe. De jongen antwoordde met een dankbare zucht, bijna huilend van opluchting.

De telegrafiste keek naar Maddie. 'Hij wil landingsinformatie.'

'Zeg maar…' Maddie schreef getallen op haar blocnote. 'Noem eerst zijn naam, dan die van jou. "Heinkel He-111, dit is Calais." Dan de baan, windsnelheid, zicht…' Ze maakte verwoed aantekeningen. De telegrafiste keek naar de afkortingen en sprak met een zelfverzekerde rust in het Duits in de microfoon.

Ze stopte midden in een zin en wees met een keurig gemanicuurde nagel op het draaiboek dat Maddie haar gegeven had. R27?

'Baan twee zeven,' zei Maddie zacht. 'Zeg: "Geklaard om direct te landen, baan twee zeven." Zeg dat hij zijn bommen in zee moet dumpen als hij die nog heeft, dan kunnen ze bij de landing in elk geval niet afgaan.'

Het was doodstil in de radiokamer, zo gebiologeerd waren ze allemaal door de vlotte, duidelijk gearticuleerde maar onbegrijpelijke instructies die de elegante telegrafiste eruit gooide met het achteloze gezag van een hoofdonderwijzeres; de benauwde, al even onbegrijpelijke antwoorden van de jongen in het defecte vliegtuig en Maddie die maar aanwijzingen bleef schrijven op de steeds dunner wordende blocnote.

'Daar komt ie!' zei de officier, en iedereen behalve Maddie en de telegrafiste, die aan de telefoon en de radio vastzaten, rende naar het brede raam om te zien hoe de Heinkel aan kwam sputteren.

'Als hij zich weer meldt, geef je hem de windsnelheid,' zei Maddie. 'Acht knopen westzuidwest, windvlagen tot twaalf.'

'Zeg tegen hem dat de brandweer hem opwacht,' zei de officier. Hij gaf een van de andere radiobediendes een klap op zijn schouder. 'Laat de wagens uitrukken. En een ambulance.'

Het zwarte silhouet in de verte werd groter. Even later hoorden ze het toestel aankomen, pruttelend en jankend op zijn ene overwerkte motor.

'Jezus! Hij heeft zijn landingsgestel niet uit,' zei Davenport geschrokken. 'Straks valt ie te pletter.'

Maar dat deed hij niet. De Heinkel landde netjes op zijn buik in een regen van gras en aarde en kwam pal voor de verkeerstoren tot stilstand, terwijl de brandweerwagens en de ambulance met gillende sirenes aan kwamen scheuren.

De toeschouwers bij het raam renden de trap af naar de baan.

Maddie zette haar hoofdtelefoon weer op. De twee andere radiobediendes stonden bij het raam. Maddie luisterde ingespannen en hoorde alleen sirenes. Door het raam zag ze de hemel en de windzak aan het eind van de baan, maar ze had geen zicht op wat er recht onder haar gebeurde. Een dunne sliert zwarte rook zweefde voor het raam langs.

Aan de rand van de baan stond Queenie of hoe ze ook heette naar het wrak van de bommenwerper te kijken. Zo op zijn buik was hij net een enorme metalen walvis die rook spoot in plaats van zeewater. Door het verbrijzelde plexiglas van de cockpit zag de radiotelegrafiste hoe de jonge piloot wanhopige pogingen deed om zijn dode navigator van zijn gebarsten en bebloede helm te bevrijden. Ze keek toe terwijl een zwerm monteurs en brandweerlieden aan kwam rennen om de piloot en zijn levenloze bemanning uit het toestel te tillen. En ze zag de onbevangen opluchting van de piloot omslaan in vrees en verwarring toen hij meer en meer omringd werd door de blauwe uniforms en de strepen en insignes van de Royal Air Force.

De officier naast haar klakte zachtjes met zijn tong.

'Het arme moffenjong,' zei hij. 'Die keert niet als held huiswaarts! Hij moet wel een heel belabberd richtinggevoel hebben.' Hij legde zijn hand vriendelijk op de schouder van de Duitssprekende radiotelegrafiste. 'Als je er geen bezwaar tegen hebt…' zei hij op verontschuldigende toon, 'we kunnen bij zijn ondervraging ook wel wat hulp gebruiken.'

Tegen de tijd dat het ambulancepersoneel de Duitse piloot haastig wat had opgelapt en naar het kantoor op de begane grond van de verkeerstoren had gebracht, zat Maddies dienst erop. Ze ving een glimp op van de verdwaasde jongeman, die voorzichtig uit een dampende mok zat te drinken; een ordonnans stak een sigaret voor hem op. Ze hadden een deken om hem heen geslagen; het was augustus, maar toch zat hij te klappertanden. De knappe blonde telegrafiste zat op het puntje van een harde stoel aan de andere kant van de kamer, met haar hoofd beleefd van de ontredderde vijand afgewend. Ze rookte zelf ook en wachtte intussen op instructies. Ze leek net zo evenwichtig en kalm als toen ze in de radiokamer de hoofdtelefoon van Maddie had overgenomen, maar Maddie zag dat ze met een gemanicuurde wijsvinger rusteloos in de rugleuning van de stoel zat te boren.

Ik had nooit gekund wat zij net gedaan heeft, dacht Maddie. Zonder haar zou deze vangst aan onze neus voorbij zijn gegaan. Dat Duits is nog niet eens het belangrijkste; ik had nooit zo *toneel* kunnen spelen, zomaar voor de vuist weg, zonder oefening of wat dan ook. En ik weet ook niet of ik wel zou kunnen wat ze straks nog moet doen. Godzijdank spreek *ik* geen Duits.

Die nacht werd Maidsend opnieuw aangevallen. Het had niets met de gevangengenomen piloot te maken, het was een doodgewone luchtaanval, de Luftwaffe die haar uiterste best deed om door de Britse verdediging heen te breken. Er vloog een RAF-officiersbarak (zonder officiers erin) de lucht in en er werden een paar enorme gaten in de baan geslagen. De WAAF-officiers waren ondergebracht in het poortgebouw aan de rand van het landgoed waarop het vliegveld was aangelegd, en Maddie en haar slapies lagen zo diep te ronken dat ze het luchtalarm niet hoorden. Pas na de eerste explosie werden ze wakker. Ze renden in hun pyjama en met een helm op door de bosjes naar de dichtstbijzijnde schuilkelder, gasmasker en identiteitskaart in hun handen. Er was geen licht, behalve dat van het afweergeschut en de explosies, geen straatlantaarns, geen lichtstreepjes vanuit deuren of ramen, er gloeiden zelfs geen sigaretten. Het leek wel de hel, met al die schaduwen en springerige vlammen en de sterren aan de hemel.

Maddie had een paraplu meegegrist. Gasmasker, helm, rantsoenbonnen en een paraplu. Het vuur van de hel daalde vanuit de hemel op haar neer en ze verweerde zich met een plu. Niemand wist natuurlijk dat ze hem bij zich had, tot ze er in de deuropening van de schuilkelder mee stond te worstelen.

'Doe dicht… Doe dat klereding dicht. *Gooi weg!*'

'Ik gooi 'm niet weg!' riep Maddie, en ze wist zich met paraplu en al naar binnen te wurmen. Het meisje achter haar duwde en een van de meisjes voor haar pakte haar bij een arm en trok, en het volgende moment zaten ze met de deur dicht te bibberen in de donkere ondergrondse ruimte.

Sommigen waren zo bijdehand geweest om hun sigaretten mee te nemen. Die werden nu zuinigjes doorgegeven. Er was niet één man bij. De mannen waren helemaal aan de andere kant van het vliegveld ingekwartierd en gebruikten een andere schuilkelder, voor zover ze niet in een vliegtuig klommen om terug te vechten. Het meisje met de lucifers vond een kaars, en ze gingen er allemaal maar eens rustig voor zitten.

'Haal die kaarten 's tevoorschijn, mop, dan spelen we een potje rummy.'

'Rummy! Doe niet zo braaf, zeg. Poker. We spelen om saffies. Klap die plu verdorie nou 's in, Brodatt, ben je helemaal knetter geworden?'

'Nee,' zei Maddie doodkalm.

Ze zaten op hun knieën op de aarden vloer rond de speelkaarten en de gloeiende sigaretten. Het was knus zoals je het misschien knus zou hebben in de hel. Een laagvliegend gevaarte bestookte de baan met machinegeweervuur. Zelfs de stalen wanden van de schuilkelder, die er een heel eind van verwijderd lag, grotendeels onder de grond, schudden onder het geweld.

'Blij dat ik geen dienst heb!'

'Ik heb medelijden met de arme donders die nu moeten werken.'

'Mag ik erbij onder je paraplu?'

Maddie keek op. Naast haar, in het licht van de flikkerende kaars en de ene olielamp, zat de kleine Duitssprekende radiotelegrafiste. Zelfs in haar door de WAAF verstrekte mannenpyjama was ze een toonbeeld van vrouwelijke perfectie en heldenmoed. Haar blonde haar hing in een losse vlecht over een schouder. Ieder ander strooide zo ongeveer met haarspelden, maar die van Queenie zaten in slagorde op de zak van haar pyjama en zouden pas weer in haar haren terechtkomen als ze in bed lag. Met haar slanke vingers bood ze Maddie haar sigaret aan.

'Ik wou dat ik ook een plu meegenomen had,' zei ze met het beschaafde, licht geaffecteerde accent van de Oxbridge-scholen. 'Geweldig idee! Een draagbare illusie van beschutting en veiligheid. Heb je plaats voor twee?'

Maddie nam de sigaret aan, maar schoof niet onmiddellijk op. De grillige Queenie, wist ze, was gevoelig voor aanvallen van gekte, waarin ze bijvoorbeeld whisky uit de officiersmess stal, en Maddie was ervan overtuigd dat iemand die brutaal genoeg was om spontaan een vijandelijke radiobediende na te doen ook heel goed in staat was om de spot te drijven met iemand die in tranen uitbarstte zodra ze een geweer hoorde afgaan. Op een militair vliegveld. Terwijl het oorlog was.

Maar Queenie leek Maddie niet te plagen, integendeel juist. Maddie schoof een stukje op om plaats te maken onder de paraplu.

'Fantastisch!' riep Queenie opgetogen. 'Ik voel me net een schildpad. Ze zouden die dingen van staal moeten maken. Laat mij hem maar vasthouden…'

Ze wrikte de steel voorzichtig uit Maddies trillende hand en hield de bespottelijke paraplu midden in de bunker boven hun hoofd. Maddie nam een trek van de sigaret. Nadat ze een tijdje afwisselend op haar nagels had gebeten en van de geleende sigaret had gerookt, tot er nog maar een klein randje papier en as van over was, hielden haar handen op met trillen. 'Dank je,' zei Maddie schor.

'Geen dank,' zei Queenie. 'Waarom speel je niet een potje? Ik dek je.'

'Wat was jij in het gewone leven…' vroeg Maddie langs haar neus weg, 'actrice?'

De kleine telegrafiste barstte in lachen uit, maar hield de paraplu standvastig boven Maddies hoofd. 'Nee, ik vind het gewoon leuk om te doen alsof,' zei ze. 'Met onze eigen jongens doe ik hetzelfde, weet je. Flirten is een spelletje. Eigenlijk ben ik heel saai. Als het geen oorlog was geweest, had ik nu op de universiteit gezeten. Ik heb mijn eerste jaar nog niet helemaal af. Ik ben een jaar te vroeg en een semester te laat begonnen.'

'Wat studeer je dan?'

'Duits natuurlijk. Dat spraken ze – tenminste, een rare variant ervan –

in het dorp in Zwitserland waar ik op school zat. En ik vond het mooi.'

Maddie lachte. 'Je was fenomenaal vanmiddag. Briljant gewoon.'

'Als jij me niet verteld had wat ik moest doen, was het me nooit gelukt. Jij was ook briljant. Je was er *precies* als ik je nodig had, geen woord verkeerd of te veel. Jij nam de beslissingen. Ik hoefde alleen maar goed op te letten, en dat doe ik voor mijn werk ook al de hele dag: luisteren, luisteren en nog eens luisteren. Ik hoef nooit iets te doen. En vanmiddag hoefde ik alleen maar van het draaiboek te lezen dat jij me gaf.'

'Je moest het ook nog vertalen!'

'We hebben het samen gedaan,' zei haar vriendin.

Mensen zijn complex. Iedereen heeft zoveel meer in zich dan je je realiseert. Je ziet iemand elke dag op school of op het werk, in de mess, en je rookt samen een sigaret of drinkt een kop koffie en praat over het weer of de luchtaanval van gisteravond. Maar je hebt het niet gauw over het gemeenste wat je ooit tegen je moeder hebt gezegd, of dat je toen je dertien was een heel jaar lang gedaan hebt alsof je David Balfour was, de held uit *Ontvoerd* van Robert Louis Stevenson, of wat je zou doen met die piloot die eruitziet als een filmster, als je na een dansavondje alleen met hem in zijn barak was.

Niemand sliep de nacht of de dag na die luchtaanval. 's Ochtends moesten we de baan eigenhandig repareren. Daar waren we niet voor toegerust, we hadden de gereedschappen en materialen niet, en we waren geen bouwers, maar zonder een baan was Maidsend weerloos. En Groot-Brittannië ook, als je het in groter perspectief zag. Dus repareerden we de baan.

Iedereen hielp een handje, zelfs de Duitse piloot. Ik denk dat hij zich zorgen maakte om zijn lot als krijgsgevangene, en dat hij best nog een dag met ontbloot bovenlijf puin wilde scheppen met twintig andere piloten, voor hij naar een of ander officieel interneringskamp in het binnenland werd overgebracht. Ik herinner me dat we voor we aan het werk gingen een minuut stilte moesten houden voor zijn gestorven kameraden. Ik weet niet wat er naderhand van hem geworden is.

In de kantine lag Queenie met haar hoofd op tafel te slapen. Ze had natuurlijk eerst haar haar opnieuw opgestoken, voor ze na twee uur stenenrapen binnen was gekomen, maar ze was in slaap gevallen voor ze zelfs maar het lepeltje uit haar thee had kunnen halen. Maddie ging met twee verse koppen thee en een koffiebroodje tegenover haar zitten. Ik weet niet waar de glazuur op dat broodje vandaan kwam. Iemand moet suiker gehamsterd hebben voor het geval het vliegveld gebombardeerd zou worden en we met z'n allen moesten worden opgemonterd. Het was een hele opluchting voor Maddie om de onverstoorbare radiotelegrafiste nu eens niet strak in de plooi te zien. Ze zette de 'bak troost' vlak bij Queenies gezicht, om haar met de warmte ervan te wekken.

Met hun ellebogen op tafel en hun hoofd in hun handen zaten ze tegenover elkaar.

'Ben jij eigenlijk wel *ergens* bang voor?' vroeg Maddie.

'Voor zoveel!'

'Noem dan eens één ding.'

'Ik kan wel tien dingen noemen.'

'Doe dan.'

Queenie keek kritisch naar haar handen. 'Gebroken nagels,' zei ze. Na twee uur puin en verwrongen metaal ruimen kon ze wel een manicure gebruiken.

'Ik meen het,' zei Maddie zacht.

'Goed dan. Het donker.'

'Dat geloof ik niet.'

'Toch is het waar,' zei Queenie. 'Jouw beurt.'

'Kou,' antwoordde Maddie.

Queenie nam een slokje thee. 'In slaap vallen onder het werk.'

'Dat heb ik ook,' lachte Maddie. 'En bommen.'

'Ja, nogal logisch.'

'Oké.' Nu was het Maddies beurt om in de verdediging te gaan. Ze schudde haar warrige donkere krullen naar achteren; haar haar was maar net kort genoeg om in overeenstemming te zijn met de voorschriften, maar te kort om op te steken. 'Dat er bommen op mijn opa en oma vallen.'

Queenie knikte instemmend. 'Dat er bommen op mijn lievelingsbroer vallen. Jamie is de jongste, qua leeftijd zit hij het dichtst bij me. Hij is piloot.'

'Dat ik geen vak heb,' zei Maddie. 'Ik wil niet meteen moeten trouwen, alleen maar om niet in Ladderal in de fabriek terecht te komen.'

'Je maakt een grapje!'

'Als de oorlog voorbij is heb ik nog *steeds* geen vak. Ze staan straks vast niet te springen om radiobediendes.'

'Denk je dat de oorlog snel voorbij zal zijn?'

'Hoe langer hij duurt,' zei Maddie, terwijl ze het koffiebroodje voorzichtig met een blikken mesje in tweeën sneed, 'hoe ouder ik word.'

Queenie schaterde. 'Oud worden!' riep ze. 'Ik ben heel erg bang om oud te worden.'

Glimlachend gaf Maddie haar het halve broodje. 'Ik ook. Maar het is een beetje als bang zijn om dood te gaan. Je kunt er zo weinig aan doen.'

'Hoe ver ben ik?'

'Je hebt er vier gehad. Die nagels niet meegeteld. Nog zes.'

'Oké.' Queenie brak haar broodje zorgvuldig in zes gelijke stukjes en rangschikte die op de rand van haar schoteltje. Vervolgens doopte ze ze een voor een in haar thee, noemde een angst op en stak ze dan in haar mond.

'Nummer vijf, de portier van Newbury College. Jemig, wat een trol is dat. Ik was een jaar jonger dan de andere eerstejaars, en ik zou ook doodsbang voor hem zijn geweest als hij géén hekel aan me had gehad. Het kwam doordat ik Duits studeerde en hij ervan overtuigd was dat mijn professor spion was! Vijf gehad, hè? Nummer zes, hoogtevrees, doordat mijn grote broers me toen ik vijf was een keer op het dak van ons kasteel aan een regenpijp vastbonden en daarna de hele middag niet meer aan me dachten. Ze hebben er alle vijf een flink pak slaag voor gekregen. Zeven, geesten… Eén geest bedoel ik, niet zeven, één bepaalde geest. Daar hoef ik me hier geen zorgen om te maken. Die geest is waarschijnlijk ook de reden dat ik bang ben in het donker.'

Queenie spoelde deze onwaarschijnlijke bekentenissen weg met nog meer thee. Maddie bekeek haar met stijgende verwondering. Ze zaten nog steeds oog in oog, met hun kin in hun handen en hun ellebogen op tafel, en Queenie wekte niet de indruk dat ze het allemaal verzon. Ze nam haar merkwaardige opsomming bloedserieus.

'Nummer acht, betrapt worden op druiven stelen uit de kas in de moestuin. Staat ook een pak slaag op. Al zijn we inmiddels natuurlijk te groot voor een pak slaag, en ook voor druiven stelen. Nummer negen, iemand van het leven beroven. Per ongeluk of expres. Heb ik dat Duitse joch gisteren het leven gered, of heb ik zijn leven verwoest? Jij doet het ook: jij zegt tegen de jagers waar ze hen kunnen vinden. Je bent verantwoordelijk. Denk je daar wel eens over na?'

Maddie gaf geen antwoord. Daar dacht ze inderdaad wel eens over na.

'Misschien wordt het na de eerste keer makkelijker. Nummer tien, verdwalen.'

Queenie doopte verdwalen in haar thee en keek Maddie in de ogen. 'Ik zie dat je sceptisch bent en niet geneigd te geloven wat ik je vertel. En misschien ben ik ook wel niet echt bang voor geesten. Maar ik ben wel echt bang om te verdwalen. Ik vind het een verschrikking om op dit vliegveld mijn weg te moeten vinden. Al die nissenhutten lijken op elkaar. Goden, het zijn er wel veertig! En al die taxibanen en platforms lijken elke dag ergens anders te liggen. Ik probeer altijd vliegtuigen te gebruiken als herkenningspunt, maar die verplaatsen ze ook steeds.'

Maddie lachte. 'Ik had gisteren medelijden met die verdwaalde piloot,' zei ze. 'Ik weet dat het niet goed is. Maar ik heb zoveel van onze eigen jongens in de war zien raken op hun eerste vlucht. Het lijkt onmogelijk om Frankrijk en Engeland door elkaar te halen. Maar wie weet wat er in je hoofd omgaat als je kameraden aan flarden geschoten zijn en je machine kaduuk is. Misschien was het zijn eerste vlucht naar Engeland. Ik had vreselijk met hem te doen.'

'Ja, ik ook,' zei Queenie zacht. Ze dronk haar laatste slok thee alsof ze een glas whisky achteroversloeg.

'Was het heel erg akelig om hem te ondervragen?'

Queenie keek haar geheimzinnig aan. '"Loslippigheid kost mensenlevens." Ik heb gezworen er niets over te vertellen.'

'O!' Maddie werd rood. 'Natuurlijk. Het spijt me.'

De radiotelegrafiste ging rechtop zitten. Ze keek naar haar verpeste nagels, haalde haar schouders op en voelde of haar haar nog goed zat. Daarna stond ze op en rekte zich geeuwend uit. 'Dank je wel voor het delen van je broodje,' zei ze met een glimlach.

'Jij bedankt voor het delen van je angsten!'

'Ik krijg er ook nog een paar van jou.'

Het luchtalarm ging af.

GEEN ONDERDEEL VAN HET VERHAAL

Ik moet even verslag uitbrengen van de ondervraging van gisteravond. Het was namelijk om te gillen zo grappig.

Engel smeet mijn stapeltje beschreven hotelbriefpapier gefrustreerd op tafel en zei tegen Von Linden: 'Ze moet bevel krijgen om over de ontmoeting tussen haar en Brodatt te schrijven. Deze beschrijving van vroege radaroperaties is irrelevante onzin.'

Uit Von Lindens mond kwam een heel zacht pufje, alsof hij een kaars uitblies. Engel en ik staarden hem aan alsof er opeens hoorns uit zijn hoofd groeiden. (Hij lachte. Zijn mond vertrok er niet bij, volgens mij heeft hij een gezicht van gips, maar het was toch echt een lach.)

'Fräulein Engel, u bent geen literatuurkenner,' zei hij. 'De Engelse kapitein heeft zich verdiept in de kunst van de roman. Ze maakt gebruik van spanningsopbouw en vooruitverwijzingen.'

Tjonge, wat zette Engel een ogen op. Ik maakte natuurlijk van de gelegenheid gebruik om met mijn koppige Wallace-trots tussenbeide te komen: 'Ik ben niet Engels, domme Duitse rotzak, ik ben SCHOTSE.'

Engel gaf me plichtmatig een pets en zei: 'Ze is geen roman aan het schrijven. Ze stelt een rapport op.'

'Maar ze maakt gebruik van de literaire stijlmiddelen en technieken van de roman. En de ontmoeting waar u het over hebt, heeft al plaatsgevonden. U hebt er de afgelopen vijftien minuten uit voorgelezen.'

Engel begon manisch terug te bladeren in het stapeltje.

'Herkent u haar niet op deze bladzijden?' vroeg Von Linden. 'Ach, misschien ook niet, ze vleit zich met een competentie en een moed waarvan u nooit getuige bent geweest. Zij is de jonge vrouw die Queenie wordt genoemd, de radiotelegrafiste die het toestel van de Luftwaffe naar beneden praat. Onze Engelse kapitein…'

'*Schotse!*'

Pets.

'Onze *gevangene* heeft nog met geen woord gerept over haar eigen werk op vliegveld Maidsend.'

O, hij is goed. Ik zou in geen duizend jaar geraden hebben dat ss-Hauptsturmführer Amadeus von Linden een 'literatuurkenner' is. In geen duizend jaar.

Toen wilde hij weten waarom ik ervoor koos om in de derde persoon over mezelf te schrijven. Eerlijk gezegd had ik, tot hij dat vroeg, nog niet eens gemerkt dat ik het deed.

Het simpele antwoord is dat ik het verhaal vanuit Maddie vertel, en dat het onhandig zou zijn om op dit punt van perspectief te wisselen. Het is veel makkelijker om in de derde persoon over mezelf te schrijven dan het verhaal vanuit mezelf te vertellen. Zo kan ik al mijn gedachten en gevoelens van toen erbuiten laten. Het is een oppervlakkige manier om over mezelf te schrijven. Ik hoef mezelf niet serieus te nemen, of in elk geval niet serieuzer dan Maddie me neemt.

Maar zoals Von Linden al zei: ik heb niet eens mijn echte naam gebruikt, wat voor verwarring zorgde bij Engel.

Het echte antwoord is, denk ik, dat ik Queenie niet meer ben. Ik krijg zin om *mijn oude ik in het gezicht te meppen* als ik aan haar denk, met haar ijver en haar eigendunk en haar dik opgelegde heldenmoed. Dat hadden andere mensen vast ook.

Ik ben nu iemand anders.

Maar het klopt dat ze me Queenie noemden. Voor iedereen werd een flauwe bijnaam verzonnen (het was net als op school, weten jullie nog?). Soms was ik Scottie, maar vaker Queenie. Dat was omdat Maria i, koningin van Schotland, een van mijn vele illustere voorouders was. Ook zij kwam op gruwelijke wijze aan haar einde. Ze kwamen allemaal op gruwelijke wijze aan hun einde.

Vandaag kom ik zonder briefpapier te zitten. Ze hebben me een joods receptenboekje gegeven, dat ik mag gebruiken tot ze iets beters vinden. Ik wist niet dat zoiets bestond. Op de formuliertjes staat de naam van de arts, Benjamin Zylberberg, en een gele ster met de waarschuwing dat deze joodse arts alleen medicijnen mag voorschrijven aan andere joden. Vermoedelijk is hij niet meer aan het werk (vermoedelijk is hij afgevoerd naar een concentratiekamp waar hij rotsblokken in stukjes mag hakken) en is zijn blanco receptenboekje daarom in handen van de Gestapo gevallen.

RECEPTENBRIEFJES!

Nom: Anna Engel *Adresse:* Het verkeerde, als je niet Fräulein Engel tegen haar zegt maar Bewaakster-van-dienst Mein Führer SIR.	*Rendez-vous:* Heeft voor zover men weet nooit een afspraakje gehad. Heeft ze een vrijer? Een man? Ze draagt geen sieraden. (Von L. heeft een gouden zegelring met een saffiertje erin.)

Prescription:
Moet eens flink te grazen worden genomen. Ze mag zelf kiezen door wie:

> Maquisard-guerrillastrijders
> Gestapo
> Résistance
> Duitse leger
> Milice Française
> Burgerbevolking

Docteur: Sigmund Freud (geen dokter Zylberberg, maar joods genoeg)	*Rép.:* 's Avonds, 4 à 5 *fois*

Ik heb ook een aardige voor haar gemaakt.

Nom: Anna Engel *Adresse:*	*Rendez-vous:* Nog steeds op zoek

Prescription:
- ✓ 1 sigaret in ivoren houder
- ✓ 1 magnum champagne (een gewone fles is niet genoeg om haar te ontspannen)
- ✓ 1 cocktailjurk van Chanel… ROOD is Engels kleur
- ✓ 1 tafel in Hôtel Ritz Paris, als die nazi's er tenminste ooit opdonderen. Waarom vinden ze het zo leuk om prima hotels te verpesten?

Docteur:	*Rép.:* Indien nodig *fois*

Het was mijn bedoeling om haar een 'avondje uit' te bezorgen, maar als ik dit scenario voor me zie, denk ik aan Mata Hara op missie. Zou Engel gelukkiger zijn als spion, betoverend en levensgevaarlijk? Ik kan me haar eigenlijk niet in een andere rol voorstellen dan in die van Beestachtig Plichtsgetrouwe Beambte. Ik kan trouwens ook niet zeggen dat de deprimerende nasleep van een *mislukte* missie van een geheim agent nu zo'n enorme aanbeveling is.

Ik was van plan om ook een recept uit te schrijven voor William Wallace en Maria i en Adolf Hitler, maar ik kan niets verzinnen wat zo bijdehand is dat het opweegt tegen de represailles voor papierverspilling.

Boven aan mijn eigen recept zou koffie staan. Gevolgd door aspirine. Ik heb koorts. Tetanus zal het niet zijn, daar hebben ze ons tegen ingeënt, maar misschien is het sepsis; die kleermakersspelden waren volgens mij niet al te schoon. Toen ik ze uittrok zag ik er één over het hoofd, en daar doet het nu erg zeer (ik maak me ook een beetje zorgen om een paar brandwondjes, die steeds opengaan doordat mijn pols bij het schrijven over de tafel schuurt). Misschien sterf ik straks stilletjes aan bloedvergiftiging en ontkom ik zo aan de petroleumbehandeling.

Er bestaat geen effectieve methode om jezelf met een speld van kant te maken (koudvuur oplopen noem ik geen effectieve methode om jezelf van kant te maken). Omdat ze de spelden hadden laten zitten, heb ik er een tijdje op gepuzzeld, maar het is domweg onmogelijk. Wel kun je er handig sloten mee kraken. Ik heb zo genoten van de inbreeklessen die we tijdens de opleiding kregen – minder van de ontmoedigende nasleep van mijn mislukte poging om ze in praktijk te brengen. Sloten kraken is één ding, het gebouw uit komen iets heel anders. <u>Onze cellen zijn maar gewoon hotelkamers, maar we worden als vorsten bewaakt. Bovendien zijn er honden.</u> Na die geschiedenis met de spelden hebben ze een verwoede poging gedaan om ervoor te zorgen dat ik niet zou kunnen lopen, al wist ik te ontsnappen. Geen idee waar jullie de technieken oppikken om een mens kreupel te maken zonder daadwerkelijk haar benen te breken. De Nazischool voor Mishandeling en Geweldpleging? Zoals al het andere leverde ook dit geen blijvende schade op, deze week zijn er alleen nog wat blauwe plekken te zien, en ze controleren me nu zorgvuldig op achtergebleven stukjes metaal. Gisteren werd ik betrapt toen ik een pennenkroontje in mijn haar probeerde te verstoppen (ik had er geen plannen mee, maar je kunt nooit weten).

O, vaak vergeet ik dat ik dit niet voor mezelf schrijf, en dan is het te laat om het door te krassen. De boze Engel pakt me altijd al het papier af en slaat alarm als ze ziet dat ik er iets van terug probeer te krijgen. Gisteren wilde ik de onderste helft van een velletje afscheuren en opeten, maar ze was me te vlug af. (Dat was toen ik besefte dat ik gedachteloos de werkplaats op Swinley had genoemd. Soms is het verfrissend om met haar te vechten. Zij heeft het voordeel van de vrijheid, maar ik heb veel meer fantasie. Bovendien ben ik bereid mijn tanden te gebruiken, en daar is zij een beetje tuttig in.)

Waar was ik? Hauptsturmführer Von Linden heeft alles wat ik gisteren schreef meegenomen. Als ik in herhaling val, is het je eigen schuld, koude, zielloze Duitse rotzak die je bent.

Juffrouw Engel hielp me herinneren. 'Het luchtalarm ging af.' Ze heeft goed opgelet, die slimme tante.

Ik moet haar de blaadjes nu geven zodra ik ze volgeschreven heb. We hebben plezier gehad met de recepten. Raakt ze in de problemen als ik vermeld dat zij er deze keer *zelf* een paar verbrand heeft? Dat zal je leren om maatjes met me te willen zijn, Bewaakster-van-dienst Engel.

Ik heb haar al, zonder dat ik het wist, problemen bezorgd door over haar sigaretten te vertellen. Het schijnt dat Adolf Hitler een campagne tegen tabak voert. Hij vindt het smerig en walgelijk, en zijn militaire politie en al hun medewerkers mogen op het werk niet roken. Ik denk niet dat hier al te streng de hand in wordt gehouden, tenzij de zaak gerund wordt door een geobsedeerde tiran als Amadeus von Linden. Jammer voor hem eigenlijk, want een opgestoken sigaret is een heel handig hulpmiddel als het je werk is om informatie uit vijandelijke agenten te peuteren.

Zolang Engels misdaden zo onbetekenend blijven, zullen ze haar niet kwijt willen, want met al haar talenten is ze verdomd moeilijk te vervangen (een beetje zoals ik). Maar haar vergrijpen vallen wel consequent onder het kopje 'insubordinatie'.

LUCHTDOELSCHUTTER

Het luchtalarm ging af. De hele mess keek verstoord en uitgeput naar het bordkartonnen plafond, alsof je er dwars doorheen kon kijken. Een tel later schoot iedereen van zijn (van de kerk geleende) houten klapstoel om zich te melden voor het volgende gevecht.

Maddie stond tegenover haar nieuwe vriendin naast de tafel die ze net hadden vrijgemaakt, terwijl de mensen om haar heen in vliegende vaart in actie kwamen. Ze had het gevoel dat ze zich in het oog van een tropische storm bevond. In het roerloze midden van de draaiende wereld.

'Kom mee!' riep Queenie, precies zoals de Rode Koningin uit *Alice in Wonderland*, en ze trok Maddie aan haar arm mee naar buiten. 'Om één uur heb je weer dienst, je hebt dus…' ze keek op haar horloge, '… een uur? Snel een tukje in de schuilkelder voor ze je weer nodig hebben in de radiokamer. Jammer dat je je plu niet bij je hebt. Kom op, ik ga met je mee.'

De piloten renden al naar de Spitfires, en Maddie probeerde zich te concentreren op het praktische probleem van hoe op te stijgen van de nog maar half gerepareerde baan; taxiën zou het moeilijkst zijn, want langs de hoge neuzen van de kleine jachtvliegtuigjes kon je de gaten in de grond niet zien. Ze probeerde er niet aan te denken hoe het zou zijn om over een uur, onder vuur, dwars over het vliegveld naar de radiokamer te rennen.

Maar ze deed het. Want zo gaat dat. Het is ongelofelijk wat je allemaal doet omdat je weet dat het moet. Om ruim de tijd te hebben voor het ontwijken van bommen stonden de twee iets minder dan een uur later weer buiten, in het maanlandschap dat Maidsend geworden was.

Met Queenie voorop holden ze bijna dubbel gebogen dicht langs de gebouwen, over de open stukken ertussen zigzagden ze. Ze hadden gehoord hoe tijdens de terugtocht in Frankrijk de laagvliegende kisten van de Luftwaffe mensen op de grond puur voor de lol beschoten hadden met machinegeweren, en op dit moment bromden er twee of drie Duitse jagers laag over de baan, als wespen met de zon op hun vleugels, en boorden gaten in de ramen en geparkeerde vliegtuigen.

'Hier! Hierheen!' riep iemand wanhopig. 'Hé, jullie daar, kom 's helpen!'

Een paar seconden lang had Maddie, in koppig gevecht met haar eigen hel van rationele en irrationele angsten, niet eens in de gaten dat Queenie haar koers verlegd had in de richting van het hulpgeroep. Maar toen ze in een flits haar verstand terugkreeg, besefte ze dat Queenie haar meesleepte naar het dichtstbijzijnde geschutemplacement.

Of wat er van over was. Het grootste deel van de betonnen afscheiding en de zandzakken daaromheen was aan flarden geschoten, inclusief twee schutters, die heldhaftig geprobeerd hadden om de baan vrij te houden voor de Spitfires die er na het gevecht weer zouden moeten landen. Een van de doden was een heel stuk jonger dan Maddie. Een derde man stond nog overeind en zag eruit als een slager zonder schort, van zijn nek tot aan zijn bovenbenen doordrenkt met bloed. Hij draaide zich vermoeid om en zei: 'Bedankt voor de aflossing. Ik ben kapot.' Hij ging op het verwoeste platform zitten en deed zijn ogen dicht. Maddie hurkte met haar armen over haar hoofd naast hem en luisterde vol afschuw naar het gerochel van de schutter, die lucht in zijn met bloed gevulde longen probeerde te zuigen. Queenie gaf haar een klap in haar gezicht.

'Opstaan!' beval ze. 'Dit wil ik niet hebben. Ik ben je meerdere, en ik geef hier de bevelen. Opstaan, Brodatt. Als je bang bent, moet je *iets doen*. Kijk of je dit kanon aan de praat krijgt. Vooruit, actie!'

'Eerst moet de granaat geladen,' fluisterde de schutter, wijzend met één vinger. 'De premier is er niet voor dat meisjes kanonnen afschieten.'

'De premier kan de pot op!' riep Maddies meerdere. 'Laad die verrekte granaat, Brodatt.'

Maddie, die immers verstand had van machines en geleerd had om positief te reageren op bevelen van gezagsdragers, klom op het kanon.

'Zo'n jong grietje krijgt nooit beweging in die granaat,' zei de artillerist met schorre stem. 'Dat ding weegt bijna veertien kilo.'

Maddie luisterde niet. Ze overlegde bij zichzelf. Na een minuut logisch nadenken en met een kracht die ze later niet kon verklaren, laadde ze de granaat.

Queenie deed intussen dappere pogingen om de gaten in de borst en de buik van de gevallen schutter te dichten. Maddie keek niet. Na een tijdje nam Queenie haar bij de schouders en deed voor hoe ze moest richten.

'Je moet anticiperen. Het is net zoiets als op vogels schieten, je moet er een stukje vóór mikken…'

'Schiet jij veel op vogels dan?' vroeg Maddie, boos en bang en daardoor geïrriteerd over de kennelijk ontelbare gaven van de ander.

'Ik ben midden in een hoendergebied geboren, op de eerste dag van het jachtseizoen! Ik kon eerder schieten dan ik kon lezen! Maar dit pokkending is een ietsiepietsie groter dan een luchtbuks en ik weet niet hoe het werkt, dus we zullen het samen moeten doen. Net als gisteren, goed?' Ze slaakte een kreet en vroeg angstig: 'Dat is toch niet een van onze vliegtuigen, hè?'

'Zie je dat niet?'

'Niet echt.'

Maddie bedaarde. 'Het is een Messerschmitt 109.'

'Geef hem van katoen dan! Richt die kant op… En nu wachten tot hij terugkomt, hij weet niet dat deze post nog bemand is… Wachten…'

Maddie wachtte. Queenie had gelijk: iets doen, de concentratie nam de angst weg.

'Nu!'

De explosie verblindde hen allebei even. Ze zagen niet wat er gebeurde. Naderhand bezwoer Maddie dat het vliegtuig pas in een vuurbal naar beneden was gekomen nadat het nog minstens twee keer over de baan was gescheerd. Maar niemand anders beweerde die Me-109 (o, wat blijk ik toch veel vliegtuigen te kennen!) neergeschoten te hebben, en de hemel weet wat een competitief stelletje boekhouders gevechtspiloten zijn. Dus die vangst – ik neem aan dat de Luftwaffe het ook over 'vangst' heeft als iemand een vliegtuig heeft neergeschoten, net als bij een stuk wild – kwam op het conto van twee waaf-officiers die samenwerkten aan een onbemand kanon.

'Volgens mij was dat niet ons kanon,' zei Maddie tegen haar vriendin. Met een asgrauw gezicht keek ze naar de zwarte, vette rook boven het knollenveld waarin het vliegtuig was neergestort. 'Het moet een van onze jagers zijn geweest. En als het wel dit kanon was, dan ben jij het niet geweest.'

Het was erg genoeg dat Queenie nu waarschijnlijk naast haar stond omdat ze de schutter had moeten opgeven. Erg genoeg. Maar er had ook een piloot in die vuurbal gezeten, een levende jongeman die niet veel beter was opgeleid dan Maddie zelf.

'Blijf hier,' zei Queenie met verstikte stem. 'Kun je nog een granaat laden? Dan zoek ik intussen iemand die er verstand van heeft om het over te nemen. Ze zullen jou nu wel in de toren verwachten…' Ze zweeg even. 'Welke kant op naar de noordoostelijke schuilkelder?' vroeg ze toen gespannen. 'Ik raak zo in de war door al die rook.'

Maddie wees. 'Rechtdoor over het grasveld. Makkelijk zat, als je het lef hebt – net als naar Nooitgedachtland: "Bij de tweede ster rechts en dan rechtdoor totdat het ochtend is."'

'En jij? Heb jij het lef?'

'Ik red me wel. Nu ik iets te doen heb…'

Ze bukten allebei instinctief toen er aan de andere kant van de baan iets ontplofte. Queenie sloeg haar armen om Maddies middel en gaf haar snel een zoen op haar wang. '"Kus me, Hardy!" Waren dat niet admiraal Nelsons laatste woorden na de Slag bij Trafalgar? Niet huilen. We leven nog, en we vormen een *spectaculair* team.'

Ze stak haar haar op tot boven de voorgeschreven drie vingers van de kraag, veegde met de rug van haar hand haar eigen tranen en de smeer en het betonstof en het bloed van de schutter van haar wangen en zette het weer als de Rode Koningin op een hollen.

Je beste vriendin ontdekken is net zoiets als verliefd worden.

'Trek je regenjas aan,' zei Maddie, 'ik ga je leren navigeren.'

Queenie barstte in lachen uit. 'Onmogelijk!'

'Helemaal niet! Er zijn hier een paar piloten die na de invasie uit Polen gevlucht zijn. Ze hadden geen kaarten, geen *eten*, geen andere taal dan Pools. Als je ze ernaar vraagt zullen ze je er alles over vertellen, al is hun Engels wel een beetje lastig te verstaan. Maar goed, als een stel ontsnapte gevangenen heel Europa door weet te komen en piloot wordt bij de Britse luchtmacht, dan kun jij…'

'*Praat* jij met de piloten?' vroeg Queenie belangstellend.

'Je kunt ook nog andere dingen met ze doen behalve dansen.'

'Ja, maar *praten*! Wat fantasieloos.'

'Sommigen willen niet dansen, dus dan moet je wel praten. Die domineeszoon danst nooit. Moeilijk aan het praten te krijgen ook, maar ze kletsen allemaal maar al te graag over kaarten. Of het gebrek aan kaarten. Kom op, kaarten zijn helemaal niet nodig. We hebben de hele dag. Zolang we maar niet al te ver weg gaan, zodat ik op tijd terug kan zijn als het weer opknapt. Maar *kijk* nou eens…' Maddie wees naar het raam. De regen kwam met bakken uit de lucht en er stond een keiharde wind.

'Net als thuis,' zei Queenie opgewekt. 'In Zwitserland kennen ze geen echte Schotse stortbuien.'

Maddie snoof. Queenie was dol op achteloze namennoemerij en strooide zonder een greintje bescheidenheid of gêne met de details van haar bevoorrechte opvoeding. (Al begon Maddie na een poosje te beseffen dat ze dit alleen deed tegenover mensen die ze graag mocht en mensen aan wie ze een hekel had, dat wil zeggen: mensen die zich er niet aan stoorden en mensen die haar niets konden schelen. Met iedereen daartussen, en iedereen die er aanstoot aan zou kunnen nemen, was ze omzichtiger.)

'Ik heb fietsen,' zei Maddie. 'Ik mocht er een paar lenen van de monteurs. Die werken tenminste gewoon door als het regent.'

'En waar gaan we heen?'

'De Groene Man. Café onder aan de kliffen aan het strand van St. Catherine's Bay, laatste kans voor het volgende week dichtgaat. De kroegbaas is het zat om beschoten te worden. Niet door de Duitsers hoor; onze eigen jongens schieten gaten in het uithangbord, het laatste wat ze doen voor ze na een gevecht weer op huis aan gaan. Dat doen ze omdat het geluk brengt.'

'Ik durf te wedden dat ze het doen om van hun ongebruikte munitie af te komen.'

'Hoe dan ook, het is een herkenningspunt, en jij bent de navigator.

Vind de kust en ga dan naar het zuiden. Makkelijk zat! Je mag mijn kompas gebruiken. Als het je niet lukt, vrees ik dat het voor jou vanavond koude bonen uit blik wordt...'

'Dat is niet eerlijk. Ik heb om elf uur alweer dienst!'

Maddie rolde met haar ogen. 'Verdorie, dan hebben we dus maar vijftien uur de tijd! Maar ondertussen kan ik je wel mooi de rest van mijn angsten vertellen.' Maddie had haar grote mannenjas al aan en bond de panden rond haar enkels vast, om te voorkomen dat ze tussen de ketting kwamen.

Queenie sjorde nu ook haar jas vast. 'Ik hoop dat je een blikopener hebt,' zei ze veelbetekenend, 'en een lepel.'

Het was wonderbaarlijk, zo vredig als het verregende platteland van Kent er al na tien minuten fietsen van Maidsend bij lag. Goed, om de zo veel tijd kwam je langs een betonnen geschutemplacement of een wachttoren, maar meestal reed je tussen glooiende, krijtachtige velden, groen van de knollen en aardappelplanten en eindeloze boomgaarden.

'Je had je plu wel eens mee mogen nemen,' zei Queenie.

'Die bewaar ik voor de volgende luchtaanval.'

Ze kwamen bij een kruispunt. Er stond niet één bord langs de weg. De borden waren allemaal weggehaald of zwart gemaakt voor het geval Operatie Zeeleeuw zou slagen en het Duitse leger het land in zou stromen.

'Ik heb geen *idee* waar we zijn,' klaagde Queenie. De fiets was zo groot voor haar dat ze niet op het zadel kon zitten en op de pedalen moest blijven staan. Ze leek elk moment van het ding af te kunnen vallen, of anders door haar gigantische jas verzwolgen te zullen worden. Ze zag eruit als een kwaaie, doorweekte kat.

'Gebruik je kompas. Blijf richting oosten rijden tot je bij de zee komt. Doe maar alsof...' vervolgde Maddie bezield, '... doe maar alsof je een *Duitse spion* bent. Je bent hier aan een parachute gedropt. Je bent op zoek naar je contactpersoon, die in een legendarische smokkelaarskroeg aan zee zit, en als iemand je ziet...'

Vanonder haar druipende plastic regenhoedje, van het soort dat je in een klein kartonnen doosje met een bloem erop voor een halve penny kunt kopen, keek Queenie Maddie vreemd aan. Er school een uitdaging in die blik, en tegendraadsheid, en opwinding. Maar ook *inzicht*. Queenie boog zich over haar stuur en begon als een bezetene te trappen.

Boven aan een heuveltje sprong ze van haar fiets, en ze ging ervandoor als een ree die een Schotse *glen* in huppelt. Vóór Maddie besefte wat ze deed, zat ze halverwege een boom.

'Kom naar beneden, stomme idioot! Je wordt drijfnat! Je bent *in uniform!*'

'*Von hier aus kann ich das Meer sehen,*' zei Queenie, wat Duits is voor 'van hieruit kan ik de zee zien'. (O, domme ik. Dat weten jullie natuurlijk al.)

'Houd je mond! Gek!' riep Maddie kwaad. 'Wat *doe* je allemaal?'

'*Ich bin eine Agentin der Nazis. Zum Meer geht es da lang.*'

'Straks schieten ze ons allebei neer!'

Queenie dacht na. Ze keek naar de plenzende regen, de eindeloze, druipende appelboomgaard en de verlaten weg. Toen haalde ze haar schouders op en zei in het Engels: 'Dat lijkt me niet.'

'"Loslippigheid kost mensenlevens,"' citeerde Maddie.

Queenie moest zo hard lachen dat ze op onelegante en pijnlijke wijze op de tak onder haar gleed en bij het naar beneden komen haar jas scheurde. 'Houd nu maar je mond, Maddie Brodatt. Jij zei dat ik moest doen alsof ik een Duitse spion was en dat doe ik dus. Ik zorg ervoor dat je niet wordt neergeschoten.'

(Nu zou ik echt heel graag terug in de tijd willen om mezelf een klap voor mijn kop te geven.)

De routebepaling onderweg naar St. Catherine's Bay was creatief te noemen. Queenie sprong bij elk kruispunt – onveranderlijk nat, winderig en niet van andere te onderscheiden – van haar fiets en klom op een muur of een hek of in een boom om te zien waar ze was. Daarna volgde bij het opstappen altijd een hoop gedoe met de jas, en bijna-ongelukken met regenplassen.

'Weet je waar ik bang voor ben?' schreeuwde Maddie uit volle borst, want de regen en de oostenwind sloegen haar in het gezicht en ze moest flink trappen om de kleine radiotelegrafiste bij te houden. 'Koude bonen uit blik! Het is kwart voor twee. Dat café is dicht als we eindelijk aankomen.'

'Je zei dat het pas volgende week dicht zou gaan.'

'Voor de middag, onnozele halvegare! Ze gaan voor het avondeten weer open!'

'Wat verschrikkelijk oneerlijk van je, om mij daar de schuld van te geven,' zei Queenie. 'Het is jouw spelletje. Ik speel alleen maar mee.'

'Nog iets waar ik bang voor ben,' zei Maddie.

'Dat telt niet. En die bonen uit blik ook niet. Waar ben je het bangst voor, wat is voor jou angst nummer één?'

'De krijgsraad,' antwoordde Maddie bondig.

Queenie zweeg, wat niets voor haar was. En ze bleef nog een hele tijd zwijgen, zelfs terwijl ze haar volgende boomtopverkenningsmissie uitvoerde. Uiteindelijk vroeg ze: 'Waarom?'

Het was al een poosje geleden dat Maddie het antwoord gaf, maar Queenie hoefde haar niet aan het onderwerp te herinneren.

'Ik doe steeds van die *dingen*. Ik neem besluiten zonder na te denken. Jemig, een beetje zo'n overgehaald kanon afschieten, zonder enige vorm van bevel en terwijl er allemaal Messerschmitts overvliegen!'

'Die Messerschmitts waren de reden dat je dat kanon afschoot,' zei Queenie. 'En ik gaf je het bevel. Ik ben kapitein.'

'Je bent niet *mijn* kapitein en over de artillerie heb je niets te zeggen.'

'Wat nog meer?' vroeg Queenie.

'O, dat met die Duitse piloot die we laatst naar binnen gepraat hebben. Zoiets had ik al eens eerder gedaan, maar dan in het Engels.' Ze vertelde Queenie over die eerste keer met die jongens in de Wellington. 'Daar had ook niemand bevel voor gegeven. Ik heb er geen problemen mee gekregen, maar dat had wel gemoeten. Zo stom. Waarom deed ik dat?'

'Naastenliefde?'

'Maar het had hun allebei het leven kunnen kosten.'

'Zulke risico's *moet* je wel nemen. Het is oorlog. Zonder jouw hulp hadden ze het loodje kunnen leggen en in vlammen op kunnen gaan. Maar met jouw hulp zijn ze veilig op de grond terechtgekomen.' Queenie bleef even stil. Toen vroeg ze: 'Waarom ben je daar zo *verrekte goed* in?'

'Waarin?'

'Navigeren.'

'Ik ben piloot,' zei Maddie. Ze zei het zo nuchter, helemaal niet trots, helemaal niet verdedigend. Gewoon: *ik ben piloot.*

Queenie wist niet wat ze hoorde. 'En je zei dat je geen *vak* had geleerd, praatjesmaker die je bent!'

'Heb ik ook niet. Ik ben maar burgerpiloot. Ik heb in geen jaar gevlogen. Ik heb geen instructeursbevoegdheid. Wel veel vlieguren, waarschijnlijk meer dan veel van onze jongens in de Spitfires. Ik heb zelfs in het donker gevlogen, maar ik doe er niets mee. Als ze de ATA uitbreiden, wil ik proberen erbij te komen, als de WAAF me tenminste laat gaan. Dan moet ik een cursus doen. Op dit moment leiden ze geen vrouwen op.'

Kennelijk moest Queenie de implicaties hiervan even in stilte verwerken: Maddie Brodatt, met haar onbeschaafde stadse accent en haar praktische monteurskijk op problemen, was een piloot met meer ervaring dan het merendeel van de jonge RAF-piloten op Maidsend, die dag na dag zonder te slapen vuur en dood riskeerden in hun strijd tegen de Luftwaffe.

'Je bent wel heel erg stil,' zei Maddie.

'Ich habe einen Platten,' verkondigde Queenie.

'Praat Engels, gek!'

Queenie stopte en stapte van haar fiets. 'Ik heb een lekke band.'

Maddie slaakte een diepe zucht. Ze zette haar eigen fiets in de berm en hurkte in een plas om te kijken. Queenies voorband was bijna helemaal leeg. Het lek moest net ontstaan zijn, want ze hoorde de lucht nog uit de binnenband stromen.

'We kunnen beter teruggaan,' zei ze. 'Als we doorgaan, moeten we straks te ver lopen. Ik heb geen bandenplakset bij me.'

'O, jij weifelmoedige,' zei Queenie, wijzend naar een landweggetje dat even verderop begon. 'Dit is mijn plan om vóór ik mijn contactpersoon ontmoet een maaltje bij elkaar te sprokkelen.' Met haar neus in de wind snuffelde ze veelzeggend. 'Daar staat een boerderij, en ik ruik stoofvlees en vruchtentaart…' Ze nam haar fiets aan de hand en begon vastberaden het pad af te lopen. Een stel vrouwen van de Landhulp stond in het kolenveld ernaast te schoffelen; ook zij werkten in de regen gewoon door. Ze hadden met touw zakken om hun voeten gebonden en droegen stukken grondzeil met een gat in het midden bij wijze van regencape. Daarbij vergeleken waren Maddie en de vermomde Duitse spion goed toegerust met hun RAF-jassen.

Een meute honden begon woest te blaffen toen ze dichterbij kwamen. Maddie keek angstig om zich heen.

'Maak je geen zorgen, het is maar lawaai. Ze zijn vastgebonden, anders zouden ze die vrouwen op het land lastigvallen. Zie je het teken?'

'Welk teken?'

'Een pot lijsterbestakken op de vensterbank. Als er geen lijsterbes op de vensterbank staat, ben ik niet welkom.'

Maddie barstte in lachen uit. 'Je bent *echt* gek!'

'Staat hij er?'

Maddie was langer dan haar vriendin. Ze ging op haar tenen staan om over de muur rond het erf te kijken, en haar mond viel open. 'Inderdaad,' zei ze. Ze gaapte Queenie aan. 'Hoe…'

Queenie zette met een zelfvoldaan gezicht haar fiets tegen de muur. 'Je ziet de bomen over de muur heen staan. Ze zijn net gesnoeid. Het ziet er allemaal heel huisvrouwachtig keurig en leuk uit, maar ze zal haar geraniums uitgegraven hebben om piepers te planten voor de oorlogsinspanning. Als ze dus iets moois heeft om haar keuken mee op te vrolijken, zoals verse lijsterbestakken, dan zal ze dat niet laten, én…' Ze fatsoeneerde haar haar onder het plastic regenhoedje. '*En* ze is het soort vrouw dat ons te eten zal geven.'

Ze stapte brutaal de onbekende keuken binnen.

'Tis niet m'n bedoeling om te storen, mevrouw…' Haar beschaafde, ontwikkelde accent maakte opeens plaats voor een onweerstaanbare Schotse tongval. 'We zijn van Maidsend komen fietsen en ik heb een piepklein akkefietje met m'n voorband. Ik vroeg me af…'

'O, geen probleem hoor, liefje!' zei de boerin. 'Er logeren een paar meiden bij me die helpen op het land, en er heeft er vast wel eentje een plakset zij zich. Mavis en Grace zijn nu buiten bezig, maar als je even geduld hebt, kijk ik in de schuur… O, en kom in hemelsnaam eerst eens even binnen om op te warmen!'

Als bij toverslag diepte Queenie een blikje met vijfentwintig Players op uit haar jaszak. Maddie besefte opeens dat deze onuitputtelijke sigarettenvoorraad met beleid was aangelegd, dat ze Queenie nog maar zelden had zien roken, en dat haar vriendin sigaretten cadeau gaf of als betaalmiddel gebruikte in ruil voor informatie en pokerfiches en, nu, een bandenplakset en middageten.

Eén keer, herinnerde Maddie zich, had ze Queenie een sigaret zien roken die ze niet voor iemand anders had opgestoken. Eén keertje maar, toen ze had zitten wachten voor het verhoor van de Duitse piloot.

Queenie stak de sigaretten naar de boerin uit.

'Hemeltje nee, dat is *veel* te veel.'

'Och, neem ze toch aan, geef ze anders aan die meiden. Een cadeautje als dank. Maar mogen we voor we weer gaan misschien even ons blikkie bonen opwarmen op uw haard?'

De boerin lachte vrolijk. 'Ze sturen de WAAF-vrouwen wel als zigeuners de straat op, hè, als je al een pannetje water moet kopen voor een sigaret? Er staat daar nog aardappelschotel en appeltaart van ons middageten, neem maar gerust! Dan haal ik intussen een plakker voor je band...'

Even later vielen ze aan op een dampende warme maaltijd, zoals ze die de afgelopen drie maanden op Maidsend nog niet één keer gekregen hadden, inclusief verse room voor over de taart. Het enige ongemakkelijke was dat ze staand moesten eten vanwege het drukke verkeer in de keuken. Om opstoppingen van boerenknechten en Landhulpvrouwen en honden (geen kinderen, want die waren geëvacueerd) te voorkomen, waren de stoelen weggehaald.

'Ik krijg nog vier angsten van je,' zei Queenie.

Maddie dacht aan de angsten die Queenie haar bekend had: geesten, het donker, een pak slaag, de portier op de universiteit. Kinderlijke angsten bijna, gemakkelijk te beteugelen. Je kon ze een oplawaai geven, je kon erom lachen of ze negeren.

'Honden,' zei ze, bij de herinnering aan de kwijlende beesten buiten op het erf. 'En dat ik er niet netjes genoeg uitzie. Mijn haar is altijd te lang, je mag de jas niet vermaken, dus die is altijd te groot, dat soort dingen. En dat ze om mijn noordelijke accent lachen.'

'Nou!' zei Queenie instemmend. Het kon onmogelijk een probleem zijn waar zij ooit mee te maken kreeg, met haar keurige, aristocratische uitspraak, maar als Schotse had ze alle begrip voor argwaan jegens het zachte Engels van het zuiden. 'Nog één angst te gaan. Maak er iets moois van.'

Maddie moest diep graven. Ze vond een eerlijk antwoord, aarzelde even vanwege de naakte eenvoud van de bekentenis, maar zei toen toch: 'Dat ik tekortschiet.'

Haar vriendin luisterde zonder te lachen of met haar ogen te rollen. Ze knikte alleen en schepte de warme room door de appel. Ze keek Maddie niet aan.

'Dat ik mijn werk niet goed doe,' verduidelijkte Maddie. 'Mensen laat barsten.'

'En beetje zoals mijn angst om iemand van het leven te beroven,' zei Queenie, 'maar dan minder specifiek.'

'Iemand van het leven beroven kan er ook onder vallen,' zei Maddie.

'Dat kan.' Nu werd Queenie echt ernstig. 'Tenzij je iemand een dienst zou bewijzen door hem van het leven te beroven. Dan laat je hem barsten als je het niet doet. Als je het niet kan opbrengen. Mijn oudoom had afschuwelijke kankergezwellen in zijn keel en was al twee keer naar Amerika geweest om ze weg te laten halen, maar ze kwamen steeds terug, en uiteindelijk vroeg hij zijn vrouw om er een eind aan te maken, en dat deed ze. Ze is nergens voor aangeklaagd, het ging de boeken in als een jachtongeluk, geloof het of niet, maar ze was de zus van mijn grootmoeder en we weten allemaal hoe het zit.'

'Wat *verschrikkelijk*,' zei Maddie uit de grond van haar hart. 'Wat vreselijk voor haar! Maar... ja. Naderhand zou je met die zelfzuchtigheid moeten leven, als je het niet kon opbrengen. Ja, daar ben ik doodsbang voor.'

De boerin kwam de keuken weer in met een plakker en een emmer die ze met water konden vullen om het gaatje te zoeken, en Maddie trok gauw het verduisteringsgordijn voor haar helder verlichte en kwetsbare ziel en ging naar buiten om de band te plakken. In de keuken likte Queenie nadenkend de laatste druppels warme room van haar lepel.

Toen ze een halfuur later met de fietsen aan de hand over het modderige pad terugliepen naar de weg zei Queenie: 'God bewaar ons als de Duitsers een Schots accent opzetten. Ze heeft een kaartje voor me getekend. Nu vind ik dat café wel, denk ik.'

'Hier heb je je haarspeld terug,' zei Maddie. Ze stak het smalle stalen voorwerp de lucht in. 'De volgende keer dat je fietsbanden saboteert, kun je het bewijs beter verdonkeremanen.'

Queenie lachte haar vrolijke, aanstekelijke lach. '*Betrapt!* Ik stak hem er te ver in en kon hem er niet meer uit krijgen zonder dat jij het zag. Niet boos zijn. Het is een *spel*.'

'Jij bent er veel te goed in,' zei Maddie streng.

'Heb je er een warm maaltje aan overgehouden of niet? Kom mee, dat café is wel weer open tegen de tijd dat we er zijn, en we kunnen niet lang blijven. Ik moet om elf uur aan het werk en ik wil daarvoor nog even een dutje doen. Maar jij hebt eerst een whisky verdiend. Ik trakteer.'

'Ik denk niet dat Duitse spionnen whisky drinken.'

'Deze Duitse spion wel.'

Het regende nog steeds toen ze het steile landweggetje naar St. Catherine's Bay af reden. Het was glad en ze fietsten heel voorzichtig, met hun voet op de rem. De twee zielige, doornatte soldaten die beneden het geschut bemanden zwaaiden en schreeuwden toen de meisjes met piepende remmen het laatste stukje weg af kwamen scheuren. De Groene Man was open. In de erker zaten de broodmagere en vermoeid ogende eskadercommandant van Maidsend en een kippige, piekfijn geklede heer in een tweedpak. Alle andere gasten zaten rond de bar.

Queenie liep doelgericht naar het gezellige haardvuur en boog zich er handenwrijvend overheen.

Commandant Creighton uitte een begroeting die niet te negeren viel. 'Dat is ook toevallig! Kom er toch bij, dames.' Hij ging staan en bood de dames met een vormelijke buiging een stoel aan. Queenie, op haar gemak met aandacht van hogere officieren en er zelfs aan gewend, kwam overeind en liet zich uit haar jas helpen. Maddie bleef op de achtergrond.

'Deze klein uitgevallen en doorweekte jongedame,' zei de commandant tegen de man in burger, 'is de heldin over wie ik je vertelde, degene die Duits spreekt. De andere jongedame is assistent-sectiehoofd Brodatt, die de oproep beantwoordde en het vliegtuig binnenloodste. Kom erbij, dames, kom erbij!'

'Assistent-sectiehoofd Brodatt is piloot,' zei Queenie.

'Piloot!'

Maddie kromp ineen van schaamte. 'Op het moment niet,' zei ze blozend. 'Ik wil graag bij de ATA, als ze daar meer vrouwen gaan toelaten. Ik heb een vliegbrevet. Mijn instructeur is er in januari bij gegaan.'

'Verbluffend!' zei de bijziende heer. Hij keek Maddie aan door brillenglazen van wel een vinger dik. Hij was ouder dan de commandant, zo oud dat hij waarschijnlijk afgewezen zou zijn als hij in dienst had willen gaan. Queenie gaf hem een hand en zei ernstig: 'U moet mijn contactpersoon zijn.'

Zijn wenkbrauwen verdwenen onder zijn haar. 'O ja?'

'Let maar niet op haar,' flapte Maddie eruit. 'Ze is niet goed snik. Ze speelt al de hele ochtend flauwe spelletjes…'

Iedereen ging zitten.

'Haar idee,' zei Queenie. 'Die flauwe spelletjes.'

'Het was inderdaad mijn idee, maar alleen omdat zij zo'n *bedonderd* richtinggevoel heeft. Ik zei dat ze moest doen alsof ze een…'

'"Loslippigheid kost mensenlevens,"' zei Queenie snel.

'… spion was.' Maddie liet het gewraakte adjectief weg. 'Alsof ze aan een parachute gedropt was en dit café moest zien te vinden.'

'Dat is niet zomaar een spelletje,' riep de man met de dikke bril. 'Niet *zomaar* een spelletje, maar het Grote Spel! Heb je *Kim* gelezen? Hou je van Kipling?'

'Geen idee, stouterd, ik weet niet eens wat het betekent,' antwoordde Queenie koket. De man gniffelde verrukt. 'Natuurlijk, Kipling. Natuurlijk, *Kim*,' vervolgde Queenie nu zedig. 'Toen ik klein was. Nu houd ik meer van Orwell.'

'Gestudeerd?'

Ze stelden vast dat Queenie en de vrouw van de man op dezelfde universiteit hadden gezeten, zij het twintig jaar na elkaar, en wisselden in het

Duits literaire citaten uit. Ze waren duidelijk uit hetzelfde belezen, beschaafde, idiote hout gesneden.

'Wat mag het zijn?' vroeg de Kipling-liefhebber joviaal. 'Het water des levens? Bespeur ik daar een Schots acccent? Nog andere talen behalve Duits?'

'Alleen koffie graag, want ik moet straks nog werken, *aye* inderdaad, *et oui, je parle couramment le français aussi*. Mijn grootmoeder en mijn kinderjuffrouw kwamen uit Ormaie, bij Poitiers in de buurt. En ik geef een vrij aardige imitatie van Bargoens en plat Aberdeens, maar de inlanders trappen er niet in.'

'Bargoens en plat Aberdeens!' De arme kerel moest zo hard lachen dat hij zijn bril moest afzetten om met een gestippelde zijden zakdoek de glazen schoon te maken. Hij zette de bril weer op en tuurde naar Queenie. De glazen maakten zijn blauwgroene irissen schrikwekkend groot. 'En, hoe heb je dit café dan wel gevonden, lieve geheimagente?'

'Dat is Maddies verhaal,' zei de geheimagente ruimhartig. 'En ik ben haar een whisky schuldig.'

En dus vertelde Maddie aan een bewonderend publiek hoe zij Watson had gespeeld naast een wispelturige Sherlock Holmes, over de gesaboteerde fietsband bij het pad naar een goed voorziene boerderij en de aannames over de honden en het eten en de planten. 'En,' besloot Maddie triomfantelijk, 'de boerin heeft een *kaartje* voor haar getekend.'

De zogenaamde geheimagente keek Maddie streng aan. Commandant Creighton stak vragend zijn hand uit.

'Ik heb het verbrand,' zei Queenie zacht. 'Ik heb het toen we binnenkwamen in de openhaard gegooid. Ik zeg niet welke boerderij het was, dus vraag het ook maar niet.'

'Het zou me weinig moeite moeten kosten om daar zelf achter te komen,' zei de man in burger. 'Afgaand op de beschrijving van je vriendin.'

'Ik ben officier.' Ze praatte nog steeds heel zacht. 'Ik heb de vrouw naderhand een vorstelijke uitbrander gegeven, en ik denk niet dat ze nog een waarschuwing nodig heeft. Maar ik heb ook nooit tegen haar gelogen, en als ik dat wel had gedaan, zou ze vast wantrouwiger zijn geweest. Het zou ongepast zijn om iemand te straffen. Behalve mij natuurlijk.'

'Ik zou niet durven. Ik sta versteld van je ondernemingszin.'

De man wierp een blik op de zwijgende Creighton. 'Ik geloof dat u eerder de spijker op zijn kop sloeg,' zei hij, waarna hij schijnbaar vanuit het niets een regel citeerde die, dacht Maddie, misschien wel van Kipling was. '*Maar eens in de duizend jaar wordt er een paard geboren dat zo voor het spel geschikt is als dit jonge veulen.*'

Creighton zette zijn vingertoppen tegen elkaar en keek de man aan. 'Vergeet niet,' zei hij nuchter, 'dat deze twee uitzonderlijk goed samenwerken.'

sp. mw. & r-tel.

Rottige machiavellistische inlichtingenofficier die denkt dat hij God is.

Ik heb geen idee hoe hij heet. Creighton stelde hem voor bij een schuilnaam die de man wel vaker gebruikt. Bij mijn sollicitatiegesprek gaf hij zichzelf voor de grap een nummer, want dat doen de Britse spionnen in *Kim* ook (maar *wij* niet; wij krijgen in de opleiding te horen dat nummers veel te gevaarlijk zijn).

Begrijp me niet verkeerd, ik vond hem best leuk, met zijn prachtige ogen achter die gruwelijke bril en zijn soepele en sterke postuur onder dat intellectuele tweed. Het was *heerlijk* om met hem te flirten, al die scherpe literaire grappen en grollen, net als tussen Beatrice en Benedick in Shakespeares *Veel leven om niets*. Een spitsvondig duel, en ook een test. Maar hij speelde wel voor God. Ik merkte het, ik wist het en ik maalde er niet om. Het was zo spannend om een van de aartsengelen te zijn, een van de wrekers, de uitverkorenen.

Von Linden is ongeveer net zo oud als de inlichtingenofficier die mij rekruteerde. Heeft Von Linden ook een hoogopgeleide vrouw? (Hij draagt wel een ring.) Heeft de vrouw van Von Linden misschien samen met mijn Duitse professor op de universiteit gezeten?

Het klinkklare onversneden ongelooflijk stapelgekke van zo'n heel banale mogelijkheid maakt dat ik zin krijg om met mijn hoofd op deze koude tafel te gaan liggen janken.

Er klopt *nergens* meer iets van.

Ik heb geen papier meer.

O Maddie.

Ik weet het even niet meer. Ik ben de draad kwijt. Ik veroorloofde me de luxe van details alsof het wollen dekens of glazen sterkedrank waren en vluchtte zo veilig terug naar die dagen van vuur en water aan het begin van onze vriendschap. We vormden een *spectaculair* team.

Ik wist zo zeker dat ze veilig geland was.

Het is vier dagen geleden dat ik voor het laatst iets schreef en daar is een eenvoudige reden voor: geen papier. Toen ze me de eerste dag niet kwamen halen, had ik al zo'n vermoeden, en ik bleef de hele ochtend liggen slapen, net alsof ik vakantie had. De deken heeft mijn leven veranderd. Aan het eind van de tweede dag had ik grote honger en was ik het een beetje zat om in het pikkedonker te zitten. Toen kwamen ze met die foto's. De verwoeste cabine van Maddies Lysander hadden ze me al eerder laten zien, maar deze waren nieuw. Vergrotingen van de cockpit.

O Maddie

Maddie

Dat was het laatste vredige moment van mijn vakantie. Ook hebben ze die Française weer verhoord. Ik lag met mijn neus tegen de kier onder de deur – ik had gehuild, en alleen daar krijg ik nog een beetje lucht – en herkende haar voeten toen ze haar langs sleepten (ze heeft van die lieve voetjes, en ze draagt nooit schoenen).

Na die foto's zou ik toch niet meer lekker geslapen hebben, maar had ik al gezegd dat mijn kamer aan de suite grenst die ze voor gesprekken et cetera gebruiken? Je moet wel stokdoof zijn om daardoorheen te slapen, daar helpt geen zacht bedje aan.

De volgende ochtend werd ik door drie soldaten in de boeien (*in de boeien!*) geslagen en naar een kelder gesleept. Ik wist zeker dat ze me in mootjes gingen hakken. Maar nee, het bleek de keuken te zijn, letterlijk de *keuken* van dit geschonden hotel, waar ze die zalige grijze koolsoep voor ons klaarmaken. (Brood bakken ze er niet. Als we brood krijgen, zijn het schimmelige restjes die ergens anders vandaan komen.) Het schijnt dat de werkster die de pannen afwaste, het vieze zaagsel van de grond opveegde en er iets minder vies zaagsel voor in de plaats strooide, hout en steenkool haalde, de wc-emmers van de gevangenen leegde en schoonspoelde, de aardappels voor de soep van de Gestapo-officiers schilde (ik vind het leuk om me voor te stellen dat ze deze laatste twee dingen deed zonder tussendoor haar handen te wassen) et cetera, ontslagen is. Preciezer gezegd: ze is gearresteerd en naar de gevangenis gestuurd – niet naar deze, natuurlijk – omdat ze een paar groenekolen had gestolen. Maar goed, gisteren en eergisteren hadden ze dus iemand nodig die al deze veeleisende taken van haar overnam terwijl zij op zoek gingen naar een nieuw slaafje.

En wie is er voor zulk werk beter geschikt dan een WAAF-kapitein die toch niets beters te doen heeft? De boeien waren bedoeld om me eraan te herinneren dat ik een gevangene ben, geen werknemer. De kok en zijn knechtjes mochten dit vooral ook niet vergeten, denk ik, maar de kok was zo'n gore smeerlap dat ik ook als de Führer zelf verkleed had mogen komen, zolang hij maar aan mijn borsten kon voelen.

En... *ik liet hem begaan.* Voor iets te eten, zou je denken, maar nee! (Al was de ouwe bok wel zo gul om mij de schillen te geven toen ze klaar waren met piepers jassen. Zelf hoefde ik niets te jassen, want dan hadden ze me een mes moeten geven.) Nee, net als mijn ziel verkocht ik mijn lichaam voor *papier.*

De kelders van het Château de Bordeaux vormen een grillig doolhof. Best griezelig eigenlijk. Er zijn een paar ruimtes (met ijskasten en gasovens) die ze waarschijnlijk voor akelige experimenten gebruiken, maar de meeste kelderruimtes staan leeg, omdat ze niet goed bewaakt kunnen worden en het er in het algemeen ook gewoon te verdomde donker is om er iets zinnigs te kunnen doen. Alle keukenspullen van het hotel staan er nog: enorme koffiepotten, koperen pannen zo groot als badkuipen, melkkannen (leeg), overal lege wijnflessen en jampotten, en in een van de gangen hangt zelfs nog een rij stoffige blauwe schorten vol vlekken. Er zijn een paar dienstliften; etensliften waarin dienbladen omhoog kunnen worden gehesen en een grotere waar vanaf de straat kratten en andere dingen in gezet werden, en toen ik een van die kleinere bestudeerde (met het doel erin te ontsnappen als het zou passen), ontdekte ik het papier. Stapels en nog eens stapels ongebruikte receptenkaarten, slordig opgeborgen in een etenslift.

Ik moest denken aan Sara Crew in *Net een prinsesje*, die fantaseerde dat ze gevangenzat in de Bastille om haar leven als keukenmeid draaglijker te maken. En zal ik eens iets zeggen? Het lukte me gewoon niet. Waarom zou ik fantaseren dat ik in de Bastille zit? Ik heb de afgelopen twee dagen onder de grond in *boeien* lopen sloven voor een monster. Ariadne in het doolhof van de Minotaurus dan? (Ik wou dat ik dat eerder bedacht had. Maar ik had het toch te druk met sloven om wat dan ook te fantaseren.)

Dus ik mocht die receptenkaarten meenemen in ruil voor een nummertje voelen en slaagde erin de aanranding binnen de perken te houden door te laten doorschemeren dat ik Von Lindens eigen Schotse snoepje was en dat de Hauptsturmführer het niet leuk zou vinden als de kok me onteerde.

O Heer! Hoe moet een mens kiezen tussen de Gestapo-inquisiteur en de gevangeniskok?

Ik mocht het papier natuurlijk niet meenemen naar mijn cel (voor het geval ik het in reepjes zou scheuren en er een touw van zou vlechten om me mee op te hangen, denk ik), dus ik moest een tijdje in de grotere kamer wachten terwijl Von Linden met iemand anders bezig was. Zie hoe ik daar zit, in elkaar gedoken in een hoekje met mijn hand- en voetboeien en mijn armen vol blanco receptenkaarten, en heel erg mijn best doe om niet te zien wat ze met tangen en hete metalen staven allemaal met Jacques' vingers en tenen uitspoken.

Na een zwaar vermoeiend uur nam Von L. even pauze van het melodrama. Hij kwam op mij af gedrenteld voor een praatje. Ik zette mijn beste grootgrondbezittersaccent op en zei met ijskoude minachting dat het *Dritte Reich* wel een heel miezerig rijkje was als het niet eens papier voor dubbelhartige informanten zoals ik kon betalen, en ik vertelde er ook bij dat het smerige keukenbeest en zijn sloofjes enorm gedemoraliseerd zijn door het verloop van de oorlog (Italië is ingestort, Duitse steden en fabrieken worden platgebombardeerd, iedereen verwacht binnen een jaar een geallieerde invasie, wat immers de reden is dat de Jacques en ik hier zijn, betrapt toen we genoemde invasie probeerden te bespoedigen).

Von Linden wilde weten of ik Orwells *Aan de grond in Londen en Parijs* had gelezen.

Mijn mond viel open. Ik wou dat ik hem niet *alweer* dat plezier had gegund. O! Ik heb natuurlijk zelf laten vallen dat ik van Orwell hield. Hoe kon ik zo stom zijn?

En dus voerden we een hartelijk gesprek over Orwells socialisme. Hij (Von L.) is ertegen (Orwell heeft in 1937 in Spanje dan ook vijf maanden tegen de achterlijke fascisten gevochten), en ik (die het ook niet altijd met Orwell eens is, maar om andere redenen) zei dat ik niet vond dat mijn ervaringen als keukenknecht helemaal met die van Orwell vergeleken konden worden, als Von L. daar soms op doelde, al hadden we inderdaad in hetzelfde soort hotelkeuken in Frankrijk gewerkt, voor ongeveer hetzelfde salaris (dat van Orwell was iets hoger dan het mijne, want ik meen me te herinneren dat hij behalve rauwe aardappelschillen ook een paar flessen wijn kreeg). Uiteindelijk pakte Von Linden me mijn receptenkaarten af, mijn boeien werden afgedaan en ik werd weer in mijn cel gesmeten.

Het was een surrealistische avond.

Ik droomde dat ik weer terug was in die begintijd en dat ze helemaal opnieuw met me begonnen, een bijwerking van het gedwongen toekijken terwijl ze met iemand anders bezig waren. Het *vooruitzicht* van wat ze met je gaan doen is in een droom net zo misselijkmakend als in het echt.

In die week van verhoren (voor ze eindelijk besloten over te gaan op de verfijndere methodes van informatiewinning hadden ze me eerst bijna een maand lang in het donker laten verhongeren) keek Von Linden me niet één keer aan. Hij liep steeds te ijsberen, herinner ik me, maar het was alsof hij in zijn hoofd bezig was met een extreem moeilijke som. Een stel assistenten met handschoenen aan knapte het vuile werk op. Ik heb hem nooit horen *zeggen* wat ze moesten doen; ik denk dat hij alleen maar knikte of wees. Het leek alsof ik in een technisch project was veranderd. De verschrikking en de vernedering zaten hem er niet in dat je in je ondergoed langzaam gesloopt werd, maar dat het niemand een laars leek te kunnen schelen. Ze deden het niet voor de lol, ze deden het niet uit genotzucht of sadisme of wraak, ze pestten me niet zoals Engel doet, ze waren niet kwaad op me. Von Lindens jonge dienstkloppers deden gewoon hun werk, onverschillig en nauwgezet alsof ze een radio uit elkaar haalden, met Von Linden als hun hoofdtechnicus die zonder emotie aanwijzingen gaf en tests uitvoerde en de stroom eraf haalde.

Maar een radio rilt en huilt en vloekt niet; hij smeekt niet om water en hoeft niet over te geven en veegt zijn neus niet af aan zijn haar als er kortsluiting ontstaat, als zijn draden doorbranden of worden doorgeknipt en weer aan elkaar geknoopt. Hij staat gewoon stoïcijns een radio te wezen. Hij vindt het helemaal niet erg als je hem drie dagen lang in zijn eigen uitwasemingen op een stoel vastgebonden laat zitten, met een ijzeren staaf in zijn rug, zodat hij niet achterover kan leunen.

Toen Von Linden me gisteravond over Orwell uithoorde, was hij *niet menselijker* dan toen hij me twee weken geleden uithoorde over die verrekte codes. Ik ben nog steeds een radio voor hem. Maar ik ben nu wel een *speciale* radio, eentje waar hij in zijn vrije tijd graag een beetje aan prutst – eentje die hij stiekem op de bbc kan afstemmen.

Goed, er zijn vier dagen voorbij, waarvan drie mentaal en/of fysiek uitputtend, en ik ben de draad kwijt. Ik heb geen papieren om in te kijken, en zelfs Engel is er niet om me te vertellen waar ik was gebleven. Ze heeft zeker nog andere werkzaamheden naast mij, misschien krijgt ze af en toe zelfs wel eens een dagje vrij. Vandaag is dat mispunt van een Thibaut hier, samen met een andere man, vandaar dat ik als de duivel zit te schrijven. Alle onzin die in me opkomt is goed, als ik maar geen aandacht trek. Ik haat Thibaut. Ik ben niet echt bang voor hem, zoals ik bang ben voor de kok of de Hauptsturmführer, maar *christene zielen*, ik gruw van

Thibaut. Zoals hij waarschijnlijk van mij gruwt, misdadige overlopers die we zijn. Ik geloof dat hij wreder is dan Von Linden, er meer plezier aan beleeft, maar niet Von Lindens talent of overtuiging heeft. Zolang ik schrijf laat Thibaut me met rust. Ik wou dat hij die touwen niet zo beestachtig strak trok.

Ik ben vergeten waar ik naartoe op weg was en ik ben ook een beetje in paniek over de tijd. Ik ben nu negen dagen geleden begonnen en Von L. zei dat ik twee weken kreeg. Ik weet niet of deze vier verspilde dagen meetellen, maar in dit tempo haal ik het einde nooit (we weten denk ik allemaal wel dat ik echt niet meer op dat stomme lijstje ga kijken).

Vanavond ga ik hem, in het Duits, om een extra week smeken. Hij raakt in een beschaafde stemming als mensen formeel en beleefd tegen hem doen. De reden dat ik als een gevaarlijke gek behandeld word is vast niet alleen dat ik bij mijn arrestatie die agent beet, maar ook dat ik altijd zo'n grote mond en zo'n rothumeur heb. Ze hadden hier een keer een andere Britse officier, een Engelse vliegenier, een wel zeer dank u vriendelijk beleefde knaap, en hoewel hij natuurlijk bewaakt werd, mocht hij met zijn handen los rondlopen. (Ik wil wedden dat hij niet zoals ik bekendstond als amateurboeienkoning. En aan mijn rothumeur kan ik echt niets doen.)

Nee, ik kijk *toch* maar even op dat lijstje. Misschien geeft het me een idee waar ik het verhaal weer kan oppikken. En Thibaut en zijn maat zullen ernaar op zoek moeten, wat wel even vermakelijk zal zijn.

ZOMAAR WAT VLIEGTUIGEN

Puss Moth, Tiger Moth, Fox Moth
Lysander, Wellington, Spitfire
Heinkel He-111, Messerschmitt 109
AVRO ANSON!

LUCHTTAXI MET DE ATA

Hoe kon ik de Anson nu vergeten!

Ik weet niet hoe jullie ervoor zorgen dat de Luftwaffe altijd genoeg bruikbare vliegtuigen heeft. Bij ons vliegt de Air Transport Auxiliary machines en piloten heen en weer voor de RAF. Aan één stuk door worden er kapotte vliegtuigen naar werkplaatsen gebracht en nieuwe vanuit de fabrieken naar de luchtmachtbases gevlogen, allemaal door burgerpiloten, zonder navigatie-instrumenten, zonder radio, zonder boordgeschut. Ze navigeren op bomen en rivieren, spoorlijnen en de lange rechte littekens van Romeinse wegen. Na afloop liften ze terug naar hun basis voor de volgende opdracht.

Dympna Wythenshawe (weten jullie nog?) was zo'n taxipiloot. Op een stormachtige herfstmiddag, toen de hectische dagen van de Slag om Engeland overgingen in de explosieve nachten van de Blitz, landde Dympna in een tweemotorig transportvliegtuig op Maidsend, met aan boord drie piloten die defecte Spitfires weg moesten brengen. (Drie mannen. Vrouwen mochten toen nog niet op jagers vliegen, dat kwam pas later in de oorlog. Niet veel later.) Dympna ging naar de mess om een warme kop van het een of ander te halen, en daar zat Maddie.

Toen ze klaar waren met knuffelen en lachen en gillen (Dympna wist waar Maddie gestationeerd was, maar Maddie had Dympna niet verwacht), en allebei een kop Camp-koffie hadden gedronken (heet water met cichorei, blèh), zei Dympna: 'Vlieg jij die Anson maar, Maddie.'

'Wat?'

'Jij mag de piloot zijn. Ik wil zien of je nog kunt vliegen.'

'Ik heb nooit op een Anson gevlogen!'

'Maar wel tien keer op mijn Rapide. De Annie heeft ook twee motoren. Bijna hetzelfde. Nou ja… ze is ietsje groter. En een stuk krachtiger. Het is een eendekker, met een intrekbaar landingsgestel…'

Maddie begon ongelovig te lachen. 'Bijna hetzelfde!'

'… maar ik regel het landingsgestel wel. Het is een crime om dat ding in te trekken en weer te laten zakken, je moet het met de hand doen, honderdvijftig keer…'

'Dat heb ik in een Wellington al een keer gedaan,' zei Maddie verwaand.

'Zie je nou wel!' riep Dympna. 'Geen probleem dus. Kom mee, ik moet naar Branston om een andere taxipiloot af te zetten.'

Ze keek goedkeurend de mess rond. 'Wat *heerlijk* om op een vliegveld te landen waar je geroosterd brood met boter kunt krijgen. Op heel veel vliegvelden heb je alleen maar mannen, met hooguit een koude zitkamer voor de dames, meestal leeg. De hemel beware je als je niet vóór de verduistering van het vliegveld komt. Ik heb een keer achter in een Fox Moth moeten slapen. Ik was bijna doodgevroren.'

Maddie wendde haar blik af. Haar ogen vulden zich met tranen van jaloezie bij de gedachte aan een koude, eenzame nacht achter in een Fox Moth. Ze had sinds het begin van de oorlog geen vliegtuiginstrument meer aangeraakt. Ze had nog nooit in zo'n grote of ingewikkelde machine als de Avro Anson gevlogen.

Queenie kwam met haar eigen kop dampende zwarte motorolie op hen af. Dympna stond op.

'Ik moet gaan voor het licht me in de steek laat,' zei ze achteloos. 'Ga toch mee, Maddie. Op de terugweg zet ik je hier weer af. Het is maar twintig minuten heen en twintig minuten terug. Opstijgen, rechtdoor vliegen…'

'"Bij de tweede ster rechts en dan rechtdoor totdat het ochtend is,"' zei Queenie. 'Hallo! Jij moet Dympna Wythenshawe zijn.'

'En dan ben jij Maidsends ad-hocschutter!'

Queenie maakte een buiginkje. 'Alleen op dinsdagochtend. Op dit moment zit ik bij de afvalverwerking. Zie je?' Ze hield een half stuk droog geroosterd brood omhoog. 'Nu al geen boter meer.'

'Ik wilde je vriendin Maddie net meenemen voor een vlieglesje in een Anson,' zei Dympna. 'Een uurtje de basis af. Er is nog meer plaats, als je tijd hebt.'

Maddie zag geen spier vertrekken in het bleke gezicht, maar Queenie zette haar kop op tafel en zei kalm: 'Nee, bedankt.' Toen herhaalde ze al Maddies eigen bezwaren. 'Ze heeft nog nooit in dat type gevlogen. En ze heeft alleen een burgerbrevet.' Ze noemde precies hoe lang het geleden was dat Maddie een vliegtuig bestuurd had, een bekend feit immers. 'Een jaar. Méér dan een jaar.'

Haar eigen gezonde verstand had al uitvoerig op Maddie ingepraat. Achtereenvolgens had ze gedacht: ik hoor niet zomaar van de basis af te gaan, ik weet niet wat ik doe, het is waarschijnlijk tegen de wet, ik kom voor de krijgsraad et cetera. Maar nu nam ze een besluit. Nu ze eraan herinnerd werd hoe lang het geleden was dat ze voor het laatst zelf gevlogen had, nam Maddie een besluit. Het was veel te lang geleden.

'Inmiddels,' zei Maddie, 'draag ik luchtmachtblauw. Ik ben dit jaar in de lucht beschoten en heb zelf een vijandelijk toestel neergehaald, of zo goed als. En Dympna is mijn instructeur en ik ben piloot en *jij*…'

Queenie moest een beetje onder druk worden gezet. Ze stond nog steeds onaangedaan met haar stuk brood naast de tafel.

'Doe jij maar…' zei Maddie bezield, '… doe jij maar alsof je Jamie bent. Je lievelingsbroer, om wie je je altijd zo'n zorgen maakt, op een instructievlucht. Je barst van het zelfvertrouwen. Je hebt je solo gevlogen in een Tiger Moth, en nu ga je mee als stille, en het enige wat je hoeft te doen is het landingsgestel optrekken en neerlaten, zodat de instructeur zich volledig kan concentreren op de cadet…'

Opeens haperde ze. 'Je hebt toch niet echt hoogtevrees, hè?'

'Een Wallace en een Stuart, *hoogtevrees?*'

Maddie bedacht dat het moest zijn alsof je een klein knopje in je hoofd had, zoals de schakelaar van een lamp, en als je dat omzette, werd je meteen een heel nieuw mens. Queenies houding was op slag veranderd. Ze stond met haar voeten een beetje uit elkaar en haar schouders naar achteren. Misschien leek ze meer op een drilsergeant dan op haar aan Eton geschoolde broer, maar ze was beslist meer man dan welke andere WAAF-officier ook. Ze wipte haar blauwe baret schuin op haar hoofd.

'Hoog tijd dat ze de RAF in kilts staken,' zei ze, terwijl ze de zoom van haar uniformrok optilde en weer liet vallen.

In het geheim bedankte Maddie Adolf Hitler omdat hij haar deze volslagen gestoorde kameleon als vriendin had bezorgd, waarna ze Queenie achter Dympna aan de deur uit duwde.

Het was een bewolkte, grijze, natte dag. 'Je krijgt een uur vliegtijd in je logboek, P1 onder toezicht,' zei Dympna onderweg naar de Anson. 'Taxiën, opstijgen en kruisvlucht naar RAF-Branston. Daar begeleid ik je bij de landing, en als we terugkomen op Maidsend mag je het zelf proberen.'

Een jongen (een echte) was bezig het vliegtuig aan een haastige inspectie te onderwerpen en kletste intussen wat met het grondpersoneel. Hij bleek Dympna's andere passagier te zijn, de taxipiloot die een lift nodig had naar Branston. Hij keek om toen ze aankwamen, begon te lachen en riep met een vet Amerikaans accent: 'Wie hebben we daar! Drie prachtige Engelse dames om mee te vliegen!'

'Stomme yankee,' schold de jeugdige bommenwerperpiloot in zijn blauwe kilt. 'Ik ben een *Schot*.'

Maddie klom als eerste in het vliegtuig. Ze liep gebukt door de cabine (ex-passagiersvliegtuig, net als Dympna's Puss Moth gevorderd door de luchtmacht) en ging in de cockpit in de linkerstoel zitten, de stoel van de piloot. Ze liet haar blik over de meters en instrumenten gaan. Het verbaasde haar hoeveel daarvan het vriendelijke, vertrouwde gezicht toonden van wijzers die ze kende: tachometer, luchtsnelheidsmeter, hoogtemeter. Toen ze haar hand op de stuurknuppel legde en voelde hoe de rolroeren en het hoogteroer prompt op haar bewegingen reageerden, dacht ze even dat ze echt zou gaan huilen. Ze keek om en zag haar passagiers binnenkomen. Dympna liet zich elegant in de stoel naast haar zakken, en Maddie vermande zich. Een plotselinge bui bestookte plaatsvervangend de voorruit van de cockpit met dikke regendruppels. Tien seconden later was hij ook alweer voorbij, als een salvo uit een machinegeweer.

Wat moet zo'n grietje nou met zulk groot speelgoed?

Maddie begon hardop te lachen en zei tegen Dympna: 'Loop even met me door de controles heen.'

'Wat is er zo grappig?'

'Dit is het grootste speelgoed van de wereld.'

'Over een tijdje krijgen we nog groter,' verzekerde Dympna haar.

Maddie voelde zich als op de laatste schooldag, alsof de zomervakantie voor de deur stond.

'Twee brandstoftanks per vleugel,' zei Dympna. 'Twee oliedrukmeters, twee gashendels. Maar één choke; die zet je voor de start op normaal. Het grondpersoneel zorgt voor de injectiepompen…' (Dit verzin ik. Het gaat om het idee.)

In haar fantasie had Maddie al zo vaak over dit vertrouwde vliegveld getaxied, was ze al zo vaak over de gehavende baan gescheurd, dat het voelde alsof ze het inderdaad eerder had gedaan – of alsof ze het nu juist droomde. De Anson wipte op in een vlaag tegenwind. Maddie worstelde even met de kist, trimde het richtingsroer, voelde de snelheid toenemen naarmate Dympna's inspannende gedraai aan het handwiel van het landingsgestel vruchten begon af te werpen en de extra weerstand wegviel. In de stormachtige wind gingen de vleugels op en neer als een bootje dat danst op de golven. Het was heerlijk om met lage vleugels te vliegen, want daardoor had je een onbelemmerd uitzicht op de onmetelijke hemel. Of, in dit geval, op de laaghangende bewolking.

'Hé, Scottie!' schreeuwde Dympna boven het gebulder van de motoren uit. 'Hou eens op met piepen en kom me helpen.'

De snotterende Schot kroop naar de cockpit, zo dicht mogelijk bij de grond om niet naar buiten te hoeven kijken. Maddie keek om en zag dat haar vriendin manmoedig strijd leverde met de een of andere demon.

'Als je bang bent, moet je iets *doen*,' schreeuwde Maddie, niet zonder spot.

De asgrauwe maar vastberaden Schot pakte het handwiel van het landingsgestel. 'Het is niet echt hoogtevrees,' hijgde Scottie, terwijl ze het wiel een keer helemaal ronddraaide, 'ik ben alleen bang…' nog een slinger, '… om misselijk te worden.'

'Het helpt meestal wel als je iets doet,' schreeuwde de yank, die achter hen van een heel ander uitzicht zat te genieten.

'Het helpt als je naar de horizon kijkt,' riep Maddie. Zelf keek ze ook naar die streep in de verte, waar het toegetakelde land en de roerige grijze wolken elkaar ontmoetten. Een gesprek was niet echt mogelijk. Maddie ging bijna helemaal op in het besturen van de schuddende Anson. Maar in een hoekje van haar geest vond ze het jammer dat de eerste vlucht van haar vriendin niet plaatsvond op een kalme zomeravond, met gouden licht boven groene heuvels.

Maddie zette de Anson met de neus in de wind met een stuitertje aan de grond. Dympna hield haar handen thuis en liet het haar helemaal zelf doen. De yank zei dat het een pittige landing was, wat hij als compliment bedoelde. Naderhand stond de Schot bibberend en tandenknarsend op de landingsbaan, terwijl het vliegtuig werd bijgetankt en het grondpersoneel van Branston met de taxipiloten kletste. Maddie stond vlak bij haar, niet zo dat ze haar aanraakte – zo kinderachtig nu ook weer niet. Maar vol stil medeleven.

Met achterlating van de Amerikaanse taxipiloot ging de bemanning van de Anson op weg terug naar Maidsend. Een onbestendig zonnetje, laag boven de horizon, scheen tussen de dikke wolken in het westen door, en Maddie, die er voor haar lijdende passagier dolgraag een mooiere ervaring van wilde maken, kon nog een beetje hoger klimmen, waar de wind minder vlagerig was. (Taxipiloten mogen niet hoger vliegen dan vijfduizend voet. Als jullie willen weten wat dat in meters is, moet Engel het maar even omrekenen. Sorry.)

Die stomme zijwind ook, mopperde Maddie bij zichzelf, want ze kropen naar huis terug.

'Nog steeds misselijk?' brulde Dympna naar de ongelukkige Schot. 'Kom maar voorin zitten.'

In verzwakte staat liet de Schot zich gemakkelijk commanderen (zoals jullie weten). Dympna klom uit haar stoel en Scottie ging erin zitten.

Maddie keek steels naar haar vriendin, grijnsde en pakte de hand die zich om de zijkant van de stoel klemde. Met enige moeite legde ze hem op de stuurknuppel.

'Hou vast,' schreeuwde ze. 'Zie je hoe scheef we staan ten opzichte van de zon? Er staat namelijk een joekel van een zijwind, dus we moeten tegen de wind op sturen. Net als bij zeilen. Je moet het vliegtuig in de wind hangen. Snap je?'

Scottie knikte. Ze zag bleek, ze klemde haar kaken op elkaar, maar haar ogen schitterden.

'Kijk eens?' Maddie stak haar handen in de lucht. 'Je vliegt. Je bestuurt het vliegtuig. De Vliegende Schot!'

De Vliegende Schot begon weer te piepen.

'Niet in knijpen, gewoon losjes vasthouden... O, goed zo.'

Ze keken elkaar een paar tellen stralend aan. Daarna keken ze weer voor zich.

'Dympna!' riep Maddie. 'Kijk, kijk eens naar de *zon*!'

De zon was groen.

Ongelooflijk maar waar: de rand van de ondergaande zon, alles wat ze ervan konden zien, was groen. Eronder hing een donkere mistbank en erboven een donkere wolkenbank, en boven de mist uit stak een vlammend groene schijf, de kleur van chartreuse met licht erachter. Maddie had nog nooit zoiets gezien.

'Mijn God…' Dympna prevelde iets van deze strekking, maar niemand hoorde haar. Ze legde haar handen op de schouders van de vriendinnen en kneep er hard in. 'Gewoon vliegen, Maddie,' zei ze schor, maar als een echte instructeur.

'Doe ik ook.'

Maddie vloog, maar tegelijk keek ze dertig prachtige, stormachtige seconden lang naar het groene randje van de zon. Een halve minuut duurde het, het groene licht achter de wolken aan de horizon. Toen zakte het weg in de mist, en de drie piloten bleven verblind achter in de matte schemering van een regenachtige herfstdag.

'Wat was dat? Dympna, wat was dat? Een test? Een nieuwe bom? Wat…'

Dympna's handen ontspanden zich op hun schouders.

'Dat heet een groene flits,' zei ze. 'Het is een luchtspiegeling, het komt door de breking van het licht. Heeft niets met de oorlog te maken.' Ze slaakte een verrukt kreetje. 'O! Mijn vader heeft het een keer gezien toen hij jaren geleden op de Kilimanjaro kampeerde. Aan het werk, Scottie, het landingsgestel moet uit. En ik moet die stoel terug, want ik moet zorgen dat Brodatt ons veilig aan de grond zet.'

Op de grond gooide Dympna de twee cadetten eruit, en zonder zelf voet op Maidsend gezet te hebben, steeg ze weer op, om voor donker of voordat het weer te slecht werd op haar eigen basis terug te zijn (ATA-piloten mogen hun eigen vluchten aftekenen).

Queenie, die weer zichzelf was, pakte Maddies hand en kneep er stevig in. Zonder los te laten liep ze het vliegveld over. Maddie deed haar ogen dicht en vloog weer in het hemelse groene licht. Ze wist dat ook dat haar nooit meer los zou laten.

Het spijt me. Dit heeft helemaal geen klap met de luchttaxi te maken.

Maar dankzij die vlucht wist Maddie zich de ATA in te wurmen. Ze werd door de WAAF overgeplaatst, niet gedetacheerd – een wat ongebruikelijke procedure in die tijd, hoewel het later in de oorlog vaker voorkwam, omdat de ATA een burgerorganisatie is en de WAAF een militaire. Maar Maddie stond al vanaf het begin op de wachtlijst van de ATA, en Dympna's aanbeveling gaf haar een voorsprong op andere gegadigden die misschien net zo geschikt waren. De vrouwen op de wachtlijst waren allemaal veel geschikter dan de mannen, want geschikte mannen hoefden niet te wachten. Bovendien was Maddie met haar nachtvluchten en mistlandingen op Oakway een beetje een speciaal geval (*nacht en mist*, brrrr, zelfs in een onschuldige zin en in mijn eigen taal bezorgen die woorden me de rillingen). Jongens met haar ervaring vlogen nu op bommenwerpers. De ATA had haar nodig.

ATA-piloten vliegen zonder radio of navigatie-instrumenten. Ze hebben wel kaarten, maar daarop mogen ze geen ballonnen of vliegvelden aangeven, voor het geval ze hun kaarten kwijtraken en jullie ze in handen krijgen. Meteen nadat ze was toegelaten, begin 1941, deed Maddie een cursus, en een van haar instructeurs zei een keer: 'Je hebt geen kaart nodig. Je vliegt deze koers gewoon zo lang als het duurt om twee sigaretten te roken. Dan draai je en vlieg je de volgende koers gedurende nog een sigaret.' Als het vliegtuig goed op koers ligt, kun je makkelijk met losse handen vliegen en intussen een saffie opsteken. PBS, Positiebepaling door Saffies.

In ongeveer dezelfde tijd dat Maddie bij de ATA ging, werd haar vriendin de radiotelegrafiste gedetacheerd bij de SOE, de Special Operations Executive, een geheime organisatie die aan het begin van de oorlog was opgericht. Maddie wist dit niet. Nadat Maddie van Maidsend vertrokken was, schreven ze elkaar een tijdje brieven, en opeens kwamen Queenies brieven van een geheim adres en waren hele stukken zwart gemaakt door de censuur, alsof ze van een soldaat in Noord-Afrika afkomstig waren. Vervolgens vroeg Queenie haar om de brieven naar haar huis te sturen, met het verbluffend simpele (en omkeerbare!) adres Craig Castle, Castle Craig (Aberdeenshire). Maar ze was niet thuis. Van daaruit werden de brieven alleen maar doorgestuurd. Dat jaar zagen ze elkaar dus bijna niet, behalve:

1) Toen Queenie tijdens een pauze in de bombardementen op Manchester onverwacht langskwam en ze drie natte en stormachtige dagen lang op Maddies Silent Superb en een tank vol zwartemarktbenzine door het Penninisch Gebergte scheurden;

2) Toen een van Queenies tien ergste angsten uitkwam en haar lievelingsbroer Jamie de bommenwerperpiloot (de echte Jamie) en zijn bemanning neergeschoten werden. Jamie dreef een nacht in de Noordzee en moest naderhand vier bevroren vingers en al zijn tenen laten amputeren. Maddie ging bij hem op bezoek in het ziekenhuis. Ze had hem nooit eerder ontmoet, en het was misschien niet het beste moment om kennis te maken, maar Queenie had haar een telegram gestuurd – het was pas de tweede keer in haar leven dat Maddie een telegram kreeg – waarin ze vroeg of Maddie met haar mee naar het ziekenhuis wilde, en dat deed Maddie. Het was trouwens ook niet het beste moment voor een ontmoeting met Queenie;

3) Toen Queenie naar Oakway werd gestuurd voor parachutetraining. En die keer mochten ze niet eens met elkaar praten.

Dat zou een aparte paragraaf moeten zijn: 'Parachutelandingen en de SOE'. Maar daar ben ik nog niet aan toe en Von Linden is net aangekomen. Ik zal zelf moeten vertalen wat ik vandaag voor hem geschreven heb, want Engel is er niet.

Ik ben alleen. O god. Ik heb geprobeerd Thibauts knopen los te peuteren, maar ik kan er niet met beide handen bij. Ik zat mijn schrijfsels voor Von Linden te vertalen, met mijn ellebogen op de tafel en mijn hoofd tussen mijn handen omdat ik hem niet durfde aan te kijken. Ik had al om meer tijd gevraagd, en hij had gezegd dat hij erover na zou denken als hij het materiaal van vandaag gehoord had. En ik weet dat ik vandaag niets geleverd heb. Niets behalve de gebeurtenissen van de afgelopen twee weken, die hij al kent, en de groene flits. Godallemachtig. Nadat ik het stuk over de kok die me betastte voorgelezen had (om je dood te schamen, maar als ik het had weggelaten en Von L. er later achter was gekomen, dan had ik er met mijn bloed voor moeten boeten), kwam hij naast me staan. Ik moest wel opkijken. Toen ik dat deed, pakte hij een handvol haar beet en hield het even losjes omhoog.

Hij kijkt nooit afkeurend of tevreden of *wat dan ook*. Ik voelde mijn gezicht gloeien. O, waarom moest ik dan ook zo ordinair en sarcastisch uit de hoek komen over de keus tussen de kok en de inquisiteur? Ik had geen idee wat hij dacht. Hij wreef mijn haar zachtjes tussen zijn vingers.

Toen zei hij één woord. Het klinkt hetzelfde in het Frans en in het Duits. *Petroleum.*

En daarna liet hij me hier achter een dichte deur zitten.

Voor ik in vlammen opga, wil ik graag iets heldhaftigs en bezielends schrijven, maar ik ben te dom en te bang om iets te verzinnen. Er willen me zelfs geen gedenkwaardige afscheidswoorden van anderen te binnen schieten. Wat zou William Wallace gezegd hebben toen ze hem aan de paarden bonden die hem zouden vierendelen? Ik kan alleen maar aan Nelson denken, met zijn 'Kus me, Hardy'.

Ze hebben MIJN HAAR GEWASSEN. Daar was die petroleum voor. VERREKTE HOOFDLUIS. Nu stink ik naar brandbare olie, maar ik heb geen neten meer.

Vlak nadat de Hauptsturmführer me gisteravond alleen had gelaten, was er een luchtaanval en holde iedereen zoals gewoonlijk naar de schuil-kelders. Net zoals in die week van verhoren zat ik huilend te wachten, en twee uur lang smeekte ik God en de RAF om die voltreffer die maar NOOIT KOMT. Toen het voorbij was, duurde het nog een uur voor er ie-mand kwam. DRIE UUR zonder dat iemand me kwam vertellen wat er aan de hand was. Ik denk dat Von L. hoopte dat ik in paniek en als laatste redmiddel iets nuttigs zou schrijven, maar ik zat zo te worstelen om mijn benen los te krijgen dat de stoel waaraan ik vastzat omviel. Onnodig te zeggen dat ik in die toestand niet kon schrijven (en er niet over piekerde om om hulp te roepen). Uiteindelijk vonden ze me terwijl ik als een dwaas een omgekeerde schildpad lag na te doen.

Het was me gelukt om met stoel en al naar de deur te schuiven en een hinderlaag te leggen, waardoor de eerste twee bewakers die binnenkwa-men over me struikelden en plat op hun snufferd vielen. Von Linden hoort me inmiddels goed genoeg te kennen om te beseffen dat ik me niet zonder slag of stoot laat executeren. Of met ook maar een greintje waar-digheid.

Toen ze me overeind hadden gehesen en weer achter de tafel gezet, kwam Von Linden binnen. Hij legde een wit pilletje voor me neer. Net als Alice vertrouwde ik het zaakje niet. Ik dacht namelijk nog steeds dat ze me zouden executeren.

'Cyaankali?' vroeg ik huilerig. Wat een genadige dood zou dat zijn.

Maar het was geen zelfmoordpil, zo bleek. Het was aspirine.

Hij let al net zo goed op als Engel.

Hij heeft me een week extra gegeven. Maar mijn werklast is verdubbeld. We hebben een afspraak gemaakt. De zoveelste. Nooit gedacht dat er nog iets van mijn ziel over was, maar het is ons toch weer gelukt om een over-eenkomst te sluiten. Hij heeft een tamme Amerikaanse radio-omroepster, die in het Engels nazipropaganda uitzendt gericht op de yanks. Ze werkt vanuit Parijs voor de omroep in Berlijn en zeurt de Gestapo in Ormaie al een tijdje aan het hoofd om een interview. Ze wil haar Amerikaanse pu-bliek op de oorlogsschepen van binnenuit een opgepoetst beeld van het bezette Frankrijk geven: hoe goed de gevangenen behandeld worden, hoe dom en gevaarlijk het is dat de geallieerden onschuldige meisjes zoals ik het vuile werk op laten knappen, bla bla bla. Ondanks de glanzende ge-loofsbrieven van de radio-omroepster voor het Derde Rijk staat Ormaie niet te trappelen om haar haar zin te geven, maar Von Linden denkt dat hij *mij kan gebruiken* om een goede indruk te maken. 'Als mijn eigen regering niet zo meedogenloos wreed was zou ik hier niet zijn,' zal ik namens hem tegen haar zeggen. 'Kijk aan de andere kant eens met hoeveel mededogen de Duitsers hun gevangengenomen agenten behandelen, kijk eens naar het vertaalwerk dat ik mag doen, hoe ik mezelf in afwachting van mijn proces op neutrale wijze bezig kan houden.' (Een grap; ik krijg geen proces.)

(Na mijn tweede ontsnappingspoging, toen we zaten te wachten tot Von Linden een vonnis zou komen vellen, heeft een stel van zijn achterlijke dienstkloppers, die niet wisten dat ik Duits spreek, er gedachteloos een he-leboel organisatorische geheimen uit geflapt. Ik weet dus veel meer van de plannen die ze met me hebben dan ik hoor te weten. Ik val onder een ziek-makend beleid dat *Nacht und Nebel* wordt genoemd: nacht en mist, wat betekent dat ze met mensen die 'een gevaar zijn voor de veiligheid' mogen doen wat ze willen, waarna ze hen laten verdwijnen. En dan bedoel ik ook echt verdwijnen. Ze executeren die mensen niet hier, maar voeren hen zon-der een spoor achter te laten af, de nacht en de mist in. O God, ik ben een nacht-en-mistgevangene. Het is zo geheim dat ze het niet eens uitschrij-ven; ze gebruiken alleen de beginletters, NN. Als dit manuscript mij overleeft, maken ze waarschijnlijk alles wat ik net geschreven heb zwart. Het is niet bepaald Nacht und Nebel om radio-interviews te geven, maar die Gestapo-lui zijn de grootste opportunisten die er bestaan. Ze kunnen me naderhand altijd nog in mootjes hakken en in de kelder begraven.)

Als ik meewerk aan die propaganda krijg ik meer tijd. Als ik de naakte waarheid vertel… dan niet. En dan laten ze de Amerikaanse omroepster waarschijnlijk ook verdwijnen en heb *ik* dat op mijn geweten.

De aspirine en de petroleum maken deel uit van Operatie Assepoester, een actie die bedoeld is om mij van een koortsige, van luizen vergeven en geestelijk labiele gevangenisrat terug te veranderen in een keurige en onverstoorbaar kalme kapitein die aan een radio-interviewer voorgesteld kan worden. Om ons verhaal geloofwaardiger te maken heb ik een soort vertaalbaantje gekregen, waarbij ik Hauptsturmführer Von Lindens eigen aantekeningen van het afgelopen jaar voor mijn neus krijg, inclusief namen (voor zover hij die weet) en data en, getver, gebruikte *methodes*, naast de gewonnen informatie. O, *mein* Hauptsturmführer, *wat ben je toch een smerige rotmof.* Er moet een afschrift gemaakt worden in het Duits voor zijn meerdere (hij heeft een meerdere!) en een vertaling in het Frans voor een andere officiële instantie. Ik maak de Franse vertaling. Fräulein Engel doet het afschrift (ze is er vandaag weer). We werken zij aan zij en maken al mijn gestolen receptenkaarten op. Daar hebben we allebei de smoor over in.

Het is een weerzinwekkend en tegelijk ontstellend saai baantje. En het is zo godsgruwelijk *educatief* dat ik zin krijg om de man met mijn pen de ogen uit te steken. Ik krijg een inkijkje in een methodisch hoekje van Von Lindens geest, geen persoonlijk hoekje, maar het hoekje *waarin hij werkt.* En ik zie hoe goed hij is in zijn werk… tenzij het natuurlijk allemaal op touw gezet is om mij te intimideren. Maar ik geloof niet dat hij daar genoeg fantasie voor heeft; in elk geval niet mijn soort fantasie, de vindingrijkheid om te doen alsof, om zes in kalfsleer gebonden notitieboeken vol te schrijven met tragische, maar verzonnen portretjes van honderdvijftig gedoemde spionnen en verzetsstrijders.

Maar hij is op zijn eigen vakkundige manier wel creatief. Hij is een technicus, een ingenieur, een analist. (Ik zou wel eens willen weten wat hij in het burgerleven doet.) Zijn overredingstechnieken worden nauwkeuriger op de persoon toegesneden naarmate hij diens karakter beter leert kennen. Die drie weken dat ik in het donker zat te verhongeren, wachtend op wat komen ging? Waarschijnlijk verloor hij me geen seconde uit het oog, maakte hij aantekeningen van al mijn stiltes, al mijn woedeaanvallen, al mijn ontelbare halfbakken pogingen om uit het bovenlichtje te klimmen, door de verwarmingsbuis of de luchtkoker te ontsnappen, het slot te forceren, de bewakers te knevelen en/of te ontmannen et cetera. Hij observeerde me terwijl ik huilend en smekend in een hoekje kroop als in de kamer naast me het geschreeuw begon. Observeerde me als iemand mijn deur opendeed en mijn handen onmiddellijk naar mijn haar vlogen. (Niet iedereen wordt in zijn ondergoed ondervraagd. Het is een speciale martelmethode, bestemd voor preutse tantes en ijdeltuiten. Ik val onder die laatste categorie.)

Het is een hele troost om te ontdekken dat ik toch niet de enige judas binnen deze geschonden hotelmuren ben. Met zo'n armzalig succespercentage zou Von Linden waarschijnlijk ontslagen worden. En nu vermoed ik toch ook dat hij me expres aan de koppige klanten blootstelt, aan de ene kant om mij te demoraliseren, aan de andere kant misschien om hen op hun meest kwetsbare moment te vernederen met een bewonderend, maar onwaardig publiek.

Ik ben nog steeds vrij toonbaar. Met mijn handen en mijn gezicht zijn ze altijd voorzichtig geweest, dus als ik helemaal aangekleed ben, zou je nooit zeggen dat ze me recentelijk aan het spit geregen en geroosterd hebben. Ze hebben hun gedeeltelijk gedemonteerde radio in een mooie, gladde behuizing verpakt. Misschien was het van meet af aan Von L.'s bedoeling om mij voor zijn propaganda-exercitie te gebruiken. En ik – ik speel natuurlijk *grif* mee. Hoe wist hij dat? Hoe kon hij dat van tevoren weten, zonder dat ik het hem gezegd had? Dat ik *altijd* grif meedoe, verslaafd als ik ben aan het Grote Spel?

O, mein Hauptsturmführer, smerige rotmof die je bent, ik ben zo blij met het donzen dekbed in plaats van die luizendeken. Ook al is het maar onderdeel van het plan om mij tijdelijk in mijn waardigheid te herstellen, het is zalig. De halve vulling ligt eruit en het ruikt naar aardappelkelder, maar toch, een *dekbed*, een *donzen dekbed*! Er staat C̲d̲B̲ in geborduurd, het moet dus een herinnering zijn aan het vorige leven van dit gebouw, als het Château de Bordeaux. Ik vraag me wel eens af wat er met het hotelmeubilair gebeurd is. Iemand moet er veel werk aan hebben gehad om al die kasten en bedden en toilettafels uit de kamers te slepen en spijlen voor de luiken te schroeven. Waar hebben ze het allemaal gelaten, de tapijten, de gordijnen, de lampen, de peertjes? In mijn kleine kamertje is er in elk geval van Franse charme geen sprake meer, of het moest de mooie parketvloer zijn, die ik meestal niet eens kan zien (zoals in alle gevangeniscellen is ook mijn raam dichtgetimmerd) en die heel koud en hard is om op te slapen.

Ik kan maar beter aan het werk gaan. Hoewel ik er een week bij gekocht heb, heb ik nu per dag nog maar half zoveel tijd om te schrijven. En mijn dag is nog langer ook.

Ik begin moe te worden.

Ik weet het, ik weet het. soe. Schrijven…

ATA-PILOOT

Maddie ging terug naar Oakway. Daar zat nu een ploeg van de ATA, en Oakway was inmiddels het grootste parachutetrainingscentrum in Groot-Brittannië. Als ATA-piloot ging Maddie terug in rang en was ze weer burger, maar ze kon gewoon thuis wonen, *en* ze kreeg benzine voor haar motorfiets, zodat ze naar de basis heen en weer kon rijden, *en* ze kreeg per dag een 60-grams reep melkchocola voor de voltooide vliegorder.

Maddie was eindelijk in haar element. Het maakte niet uit dat er iets veranderd was in de lucht (het was een hindernisbaan vol ballonkabels en verbodsbepalingen en legervliegtuigen en, vaak, hondenweer), Maddie was in haar element, en haar element was lucht.

Ze laten je wat stunts uitvoeren die je nooit zult gebruiken, je moet ergens in opstijgen en landen, en *voilà*, je bent bevoegd om op klasse 3 (lichte tweemotorige vliegtuigen) en klasse 2 (zware eenmotorige vliegtuigen) te vliegen, ook al heb je de meeste van die toestellen nog nooit gezien. Maddie vertelde dat de nieuwelingen dertig lange oefenvluchten hoorden te maken om het hele land in hun geheugen te prenten en uiteindelijk zonder kaarten te kunnen vliegen, maar zij kreeg haar bevoegd-heid al na twaalf uur, want het goede weer liet te lang op zich wachten en ze wilden dat ze aan het werk ging. Elke week komt er een ATA-piloot om. Ze worden niet door de vijand neergeschoten. Ze vliegen zonder radio of navigatiehulpmiddelen, in weer dat bommenwerper- en gevechtspiloten 'onvliegbaar' noemen.

Dus Maddie stapt op haar eerste werkdag de loods in die de ATA-pilo-ten van Oakway schertsend hun 'mess' noemen.

'Hier hebben we een Lysander met jouw naam erop,' zegt de vlucht-coördinator, wijzend naar het schoolbord met de lijst weg te brengen vliegtuigen.

'Echt *waar*?'

Iedereen begint te lachen. Maar niet gemeen.

'Nog nooit op gevlogen, zeker,' zegt een Nederlander, een voormalige KLM-piloot die vanaf de opening met passagiersvliegtuigen op Oakway heeft gevlogen en Noord-Engeland bijna net zo goed kent als Maddie.

'Tja,' zegt de coördinator, 'John en Jim brengen de Whitleys naar Newcastle. En Jack neemt de Hurricane. Blijven de Anson en de Lysander over voor de dames. En Jane neemt de Anson.'

'Waar moet die Lysander heen?'

'Naar Elmtree, voor een reparatie. De trim van het hoogteroer is de-fect. Er valt mee te vliegen, maar je moet de stuurkolom goed naar voren houden.'

'Ik doe het wel,' zegt Maddie.

GEEN VEILIG BAANTJE

Ze gaven haar grondige navigatie-instructies, want het defect betekende dat ze haar handen niet vrij zou hebben om onderweg met kaarten te goochelen. Een uur lang bestudeerde ze de vliegeniersaanwijzingen (de gedetailleerde gebruiksaanwijzing voor legerpiloten die altijd maar op één type zullen vliegen), daarna raakte ze in paniek omdat het weer elk moment kon omslaan. Het was nu of nooit.

Het grondpersoneel was verbijsterd bij het idee dat een vrouw de kapotte Lysander zou vliegen.

'Ze is nooit sterk genoeg. Met de trim ingesteld voor opstijgen krijgt zo'n jong grietje de knuppel nooit ver genoeg naar voren om te landen. Ik weet niet eens of iemand anders het wel zou kunnen.'

'Iemand heeft hem hier ook aan de grond gezet,' zei Maddie. Ze had haar vliegorder al gekregen en wilde weg voor ze het Penninisch Gebergte niet meer zou kunnen zien. 'Kijk, ik zet hem voor ik instap gewoon even in de neutrale stand. Makkelijk zat…'

En ze duwde het hoogteroer op zijn plaats, deed een stap naar achteren en veegde haar handen af aan haar broek (marineblauw, met een luchtmachtblauwe blouse en een marineblauw jasje en bijpassende baret).

De mecaniciens keken nog steeds bedenkelijk, maar ze schudden niet meer met hun hoofd.

'Het zal reuzelastig vliegen zijn,' zei Maddie. 'Maar ik houd het uitklimmen en de landing gewoon mooi lang en vlak. Als ik maar hard genoeg binnenkom, vijfentachtig knopen, blijven de landingskleppen omhoog. Er staat niet te veel wind. Het moet lukken.'

Uiteindelijk begon een van de jongens traag, nog een beetje weifelend te knikken.

'Je krijgt het best voor elkaar,' zei hij. 'Volgens mij krijg jij het best voor elkaar.'

Die eerste ATA-vlucht was hard werken voor Maddie. Het was niet eng, alleen hard werken. In het begin was het moeilijk om niet naar de vizierbevestiging en de platen voor de boordcamera te kijken, naar de rijen hendels voor bommen die ze niet aan boord had en de seinsleutel voor de radio die niet was aangesloten.

Gewoon vliegen, Maddie.

De zes vriendelijke, vertrouwde gezichten van het instrumentenbord glimlachten naar haar vanachter de stuurkolom. Een van de mecaniciens maakte haar zenuwachtig duidelijk waar ze de afwerphendel voor de lichtkogel kon vinden.

Het weer werkte mee, maar de Lysander bood bijna twee uur lang verzet. Toen ze op Elmtree probeerde te landen, schatte ze de hoeveelheid landingsbaan die ze nodig zou hebben verkeerd in. Met handen en polsen die zeer deden van de inspanning die het kostte om de stuurkolom ver genoeg naar voren te houden, steeg ze zonder de grond geraakt te hebben weer op. Ze moest de landingsbaan nog twee keer aanvliegen voor het goed ging, maar uiteindelijk maakte ze een veilige landing.

Ik klink alsof ik er verstand van heb! Dat zal het effect van de aspirine zijn. Stel je voor wat er gebeurt als jullie me amfetamine geven. (En ik snak nog steeds naar koffie.)

Maddie, die ook naar koffie snakte, ging op zoek naar een boterham in de mess en zag een andere ATA-piloot zitten: lang, met een hoekig gezicht en donkerbruin haar dat nog korter was dan dat van Maddie zelf, en op de schouder van het blauwe uniformjasje de twee gouden strepen van de kapitein-vlieger. Maddie was even de kluts kwijt en dacht dat ze, net als Queenie, geesten zag.

'*Lyons!*' riep ze uit.

De piloot keek verbaasd op en antwoordde voorzichtig: 'Brodatt?'

Toen pas zag Maddie dat het niet de domineeszoon was die in september boven de South Downs was neergeschoten en in de kerosinevlammen was omgekomen, maar iemand die alleen maar zijn tweelingzus kon zijn. Of op zijn minst een gewone zus. Ze keken elkaar even in verwarring aan. Ze hadden elkaar nooit eerder gezien.

De ander stelde de vraag als eerste. 'Maar hoe weet je hoe ik heet?'

'Je lijkt als twee druppels water op je broer! Ik was een WAAF op Maidsend toen hij daar ook vloog. We hadden het altijd over kaarten. Hij wilde nooit dansen!'

'Typisch Kim,' zei het meisje glimlachend.

'Ik mocht hem graag. Ik vind het heel erg.'

'Ik ben Theo.' Theo gaf Maddie een hand. 'Taxipiloot op Stratfield.'

'Hoe weet jij hoe *ik* heet?' vroeg Maddie.

'Staat op het takenbord in de radiokamer,' antwoordde kapitein-vlieger Lyons. 'Wij zijn vandaag de enige ATA-piloten. Ze geven de Lysanders meestal aan de vrouwen, de jongens willen allemaal iets snellers. Neem een hap. Je ziet eruit alsof je eraan toe bent.'

'Ik had nog nooit op een Lysander gevlogen,' zei Maddie, 'en ik wou dat het ook nooit meer hoefde. Dat ding werd bijna mijn dood.'

'O, jij hebt die defecte staart hierheen gebracht! Vreselijk onsportief van ze om je de eerste keer een kapotte Lizzie mee te geven. Je moet *meteen* weer instappen, maar dan wel in eentje die het doet.'

Maddie nam de halve boterham (met blikjesvlees, zoals gewoonlijk) van Theo aan. 'Ik heb weinig keus,' zei ze. 'Ik moet er vanmiddag een hiervandaan naar zijn thuisbasis brengen. Geen topprioriteit, maar er staat wel zo'n v op de vliegorder: vertrouwelijk, rapport verplicht. En het is mijn eerste dag ook nog.'

'Bofkont, dat is zo'n *Special Duties*-kist!'

'Een wat?'

'Ik weet er het fijne ook niet van. Er bestaat een soort geheime eenheid op de gewone RAF-basis waar jij naartoe moet, maar als je er een keer of drie geland bent, begin je het door te krijgen: een kleine vloot Lysanders, zwart en donkergroen gecamoufleerd, allemaal uitgerust met brandstof-tanks voor lange afstanden, een baan met elektrische lampen. Nachtlan-dingen in kleine veldjes…'

Ze liet de woorden tussen hen in hangen. Frankrijk, België, verzets-strijders, vluchtelingen, radiozenders en explosieven voor het bezette Europa… Je durfde er niet over te praten. Dat deed je gewoon niet.

'Het is geweldig leuk om met een Lizzie te landen in hun oefenveldje. Voor overdag hebben ze er van die gele vlaggetjes in plaats van lampen; je kunt spelen dat je een RAF-piloot bent met een geheime opdracht. Ly-sanders zijn keien in korte landingen. Die krijg je in de tuin van je oma nog aan de grond.'

Dat kon Maddie maar moeilijk geloven, aangezien ze zojuist elke duim van de baan nodig had gehad om haar eerste Lizzie neer te zetten.

Theo brak haar broodkorst in drie stukjes en legde ze in de vorm van een omgekeerde L, om er brandende lampen in een donker Frans wei-land mee aan te duiden. 'Dit is wat je moet doen…' Ze keek vlug even over beide schouders om te zien of er niet iemand meeluisterde. 'Ze staan altijd raar te kijken als er naderhand een meisje uit de cockpit springt.'

'Ze stonden ook raar te kijken toen ik vanmorgen instapte!'

'Ben je goed in navigeren? Je mag dat vliegveld niet op je kaart aangeven. Je moet er even goed op studeren voor je vertrekt, want je moet het op eigen kracht zien te vinden.'

'Dat kan ik wel,' zei Maddie zelfverzekerd, en naar waarheid, want eerder die dag had ze bijna precies hetzelfde gedaan.

'Het is hartstikke leuk,' herhaalde Theo bemoedigend. 'Je kunt je geen betere opleiding wensen, al gaven ze je een cursus! Op een en dezelfde dag eerst twee uur lang een kapotte kist besturen en dan een hele neerzetten op een klein veldje… Ze zouden je zo voor het echte werk kunnen inzetten!'

Goed, dat vliegveld dus, die Special Duties-basis. Dat is dezelfde als die waarvan Maddie en ik zes weken geleden vertrokken zijn. De piloten die er gebruik van maken vormen het Maaneskader: ze vliegen uitsluitend en alleen bij het licht van de maan. De locatie van hun vliegveld is een van onze best bewaarde geheimen en ik dank *God op mijn blote knieën* dat ik niet weet hoe het heet en ook geen flauw benul heb waar het ligt. Dat is de waarheid. Ik ben er minstens vijf keer geweest, maar ik ben er altijd van mijn eigen basis in de buurt van Oxford heen gevlogen, in het donker, soms via een ander vliegveld, en ik weet niet eens welke kant we op vlogen om er te komen. Dat deden ze expres zo.

De vliegtuigen van het Maaneskader vragen veel onderhoud, want ze worden nogal afgebeuld. De piloten bonken in het donker op het landingsgestel, en er worden door luchtafweerkanonnen hele stukken van de machines geschoten. Later vloog Maddie nog verschillende keren met beschadigde of gerepareerde vliegtuigen van en naar de grotere basis, die om de geheime Lysanders heen ligt en ze verbergt. Korter geleden was ze taxipiloot voor speciale RAF-passagiers. De paar handen vol gestoorde zelfmoordpiloten die op het verborgen vliegveld gestationeerd zijn, raakten vertrouwd met Maddies steeds scherpere kortebaanlandingen, en na verloop van tijd wisten ze nog voor ze uit het toestel stapte dat ze er weer was.

Mijn tijd is alweer op. Verdorie. Ik had het net zo naar mijn zin.

Engel denkt dat ik Von Lindens akelige aantekeningen zit te vertalen, maar ik smokkel er stiekem een paar eigen receptenkaarten tussendoor, want ik loop op haar voor.

Als ze goede zin heeft, is ze een fantastische bron van informatie. Doordat ze zo tegen me aan zat te kletsen terwijl ik hard doorwerkte, is zij nu achterop geraakt. Ze zegt dat ik, als ik geluk heb, naar 'Ravensbrück' gestuurd zal worden wanneer ze met me klaar zijn. Dat is een concentratiekamp alleen voor vrouwen, een werkkamp en gevangenis. Misschien is die werkster die groenekool gestolen had daar ook heen gestuurd. Eigenlijk komt het neer op de doodstraf: ze laten je min of meer verhongeren tot je te zwak bent om te werken, en als je niet meer in staat bent om stenen te slepen voor de door onze bommenwerpers opgeblazen wegen, hangen ze je op. (Met mijn ervaring op de startbaan van Maidsend ben ik een ideale stenensleper.) Als je niet in de steenhouwerij te werk wordt gesteld, mag je de lichamen van je gehangen lotgenoten in de verbrandingsoven stoppen.

Als ik *geen* geluk heb, met andere woorden: als ik niet binnen de mij toegewezen tijd een bruikbaar verslag produceer, ga ik naar een plek die Natzweiler-Struthof heet. Dit is een kleiner en meer gespecialiseerd concentratiekamp, het verdwijnpunt van Nacht und Nebel-gevangenen, meestal mannen. Vrouwen worden er soms heen gestuurd als proefkonijn voor medische experimenten. Ik ben geen man, maar ik ben wel als Nacht und Nebel bestempeld.

God.

Als ik *heel veel* geluk heb – als ik het handig aanpak, bedoel ik – word ik doodgeschoten. Hier, binnenkort. Dit heb ik niet van Engel, ik heb het zelf bedacht. De hoop dat de RAF dit gebouw platgooit, heb ik opgegeven.

Ik wil mijn lijst van 'Tien dingen waar ik bang voor ben' bijwerken.

1) Kou. (Ik heb mijn angst voor het donker vervangen door Maddies angst voor kou. Ik vind het nu niet meer eng in het donker, zeker niet als het stil is. Het wordt soms wel saai.)

2) Dat ik onder het werk in slaap val.

3) Dat er bommen vallen op mijn lievelingsbroer.

4) Petroleum. Als ik het woord alleen al *hoor* verander ik in een slappe pudding, wat iedereen weet en met groot succes tegen me gebruikt.

5) ss-Hauptsturmführer Amadeus von Linden. Hij hoort eigenlijk boven aan dit lijstje te staan, want de man jaagt me de stuipen op het lijf, maar ik heb de lijst in de oorspronkelijke volgorde overgenomen en hij is in de plaats gekomen van de portier van de universiteit.

6) Dat ik mijn trui kwijtraak. Dat valt misschien onder het kopje 'Kou'. Maar ik maak me er toch apart zorgen over.

7) Dat ik naar Natzweiler-Struthof word gestuurd.

8) Dat ik naar Engeland word teruggestuurd en een rapport moet schrijven over 'Mijn activiteiten in Frankrijk'.

9) Dat ik mijn verhaal niet afkrijg.

10) Dat ik mijn verhaal wel afkrijg.

Ik ben niet meer bang om oud te worden. Eerlijk gezegd kan ik er niet bij dat ik ooit zo stom was om dat te zeggen. Zo kinderachtig. Zo vervelend en *arrogant*.

Maar vooral zo ontzettend, ontzettend stom. Ik wil dolgraag oud worden.

Iedereen begint opgewonden te raken over het bezoek van de Amerikaanse radiodame. Mijn interview zal gehouden worden in Von Lindens werkkamer, kantoor, wat het ook is. Ze hebben het me vandaag laten zien, zodat ik voorbereid ben en straks niet waar de interviewster bij is van pure verbazing achteroversla (Nee, laten we doen alsof al mijn 'interviews' onder de kristallen kroonluchter in zijn gezellige gelambriseerde studeerkamer plaatsvinden. Laten we doen alsof ik elke middag aan zijn mooie ingelegde achttiende-eeuwse tafeltje zit te schrijven. Laten we doen alsof ik zijn *kaketoe* in zijn bamboekooi om raad vraag als ik ergens het Duitse woord niet voor ken.)

(Of misschien ook niet. Die behulpzame kaketoe is wel wat vergezocht.)

Ik zit nu niet daar te schrijven, maar in mijn gewone kale bezemkast, met mijn enkels aan mijn stoel gebonden achter de stalen tafel, terwijl ss-Scharführer Thibaut en zijn maat, wiens naam me nooit verteld is, me in mijn nek hijgen.

Ik ga over Schotland schrijven. Daar ben ik nooit met Maddie geweest, maar het voelt alsof het wel zo is.

Ik weet niet wat ze vloog, die avond dat ze vast kwam te zitten in Deeside, in de buurt van Aberdeen. Ze vloog niet alleen Lysanders heen en weer, en dat eerste jaar vervoerde ze ook nog niet veel passagiers, dus het was waarschijnlijk geen Anson. Laten we voor de grap zeggen dat het een Spitfire was, het meest aansprekende en geliefde gevechtsvliegtuig dat er bestaat. Zelfs bij de Luftwaffe laten ze met een tang hun kiezen uittrekken voor een uurtje in de cockpit van een Spitfire. Laten we zeggen dat Maddie eind november 1941 een Spitfire afleverde op een Schots vliegveld van waaraf de scheepvaart op de Noordzee verdedigd werd, of van waaraf machines opstegen om stiekem foto's van door de Luftwaffe bezette vliegvelden in Noorwegen te maken.

Onze verkenningsvliegtuigen worden prachtig zalmachtig mauve geschilderd, zodat ze mooi bij de wolken kleuren. Laten we dus zeggen dat Maddie op een roze Spitfire vloog, maar niet hoog in de onmetelijke blauwe lucht, zoals gevechtspiloten. Ze vloog voorzichtig langs de kust en door de *straths*, de brede Schotse dalen, want de wolken hingen laag. Ze zat op drieduizend voet, maar tussen de Tay en de Dee zijn de Cairngorm Mountains hoger. Maddie vloog alleen, geconcentreerd en gelukkig, laag over de met sneeuw bedekte Highlands, op die mooie spitse vleugels, met het gebulder van de Merlin-motor in haar oren en navigerend op gegist bestek.

In de *glens*, de smalle dalen, hing rijp en mist. De mist vormde kussens in de plooien van de heuvels, de verre bergtoppen lagen oogverblindend wit en roze onder de stralen van een lage zon, die de vleugels van de Spitfire niet bereikte. De *haar*, de koude zeemist, rukte steeds verder op. Het was zo koud dat de vochtige lucht kristalliseerde binnen de plexiglas kap, zodat het in de cockpit heel zachtjes leek te sneeuwen.

Vlak voor zonsondergang landde Maddie op Deeside. Maar de zonsondergang was niet te zien. Het was schemerig grijs en de lucht werd donkerblauw, en ze zou in een ongezellig, onopgemaakt logeerbed in de gastenkamer van het officierskwartier moeten slapen of een pension in Aberdeen moeten zoeken. Een andere mogelijkheid was dat ze de halve nacht in een onverwarmde en verduisterde trein ging zitten en misschien om twee uur in de ochtend weer in Manchester zou zijn. Omdat ze helemaal geen zin had in de eenzaamheid van de spartaanse vliegveldaccommodatie, en evenmin in een zure, onvermurwbare Aberdeense pensionhoudster die niet op haar gerekend had met het eten en haar rantsoenbonnen dus niet zou willen aannemen, koos Maddie voor de trein.

Ze liep naar het stationnetje naast Deeside. Aan de muren hingen geen trajectkaarten, alleen Wonderland-achtige aanplakbiljetten waarop stond: 'Als u weet waar u bent, vertel het anderen.' In de wachtruimte was geen licht, want dat zou te zien zijn als de deur openging. In het piep-kleine hokje van de kaartjesverkoper brandde een zwakke bibliotheek-lamp.

Maddie fatsoeneerde zich een beetje. De vrouwen van de ATA hadden in de kranten aardig wat publiciteit gekregen en werden geacht zich aan een bepaalde netheidsnorm te houden. Maar ze had gemerkt dat de mensen haar blauwe uniform met de gouden ATA-vleugels niet altijd her-kenden of begrepen, en Schotland was wat Maddie betrof net zo'n ver buitenland als Frankrijk.

'Komt er binnenkort een trein?' vroeg ze.

'*Aye*, zeker,' beaamde de kaartjesverkoper, al net zo cryptisch als de aanplakbiljetten op het perron.

'Wanneer dan?'

'Over tien minuten. *Aye*, tien minuten.'

'Naar Aberdeen?'

'Nee, niet naar Aberdeen. De volgende trein gaat naar Castle Craig.'

Voor het gemak vertaal ik hier het plat Aberdeens van de kaartjesver-koper. Maddie, die dat zelf niet vloeiend sprak, wist niet zeker of ze het wel goed verstaan had.

'*Craig Castle?*'

'Castle Craig,' herhaalde deze kwelgeest van een spoorwegbeambte la-coniek. 'Enkeltje naar Castle Craig, juf?'

'Nee… Nee!' antwoordde Maddie heel verstandig, om er in een aanval van gekte, ongetwijfeld veroorzaakt door eenzaamheid en honger en uit-putting, aan toe te voegen: 'Geen enkeltje, ik moet ook weer terug. Een retourtje, alstublieft. Een derdeklas retourtje naar Castle Craig.'

Een halfuur later. O, wat heb ik *nu weer* gedaan! dacht Maddie, terwijl het antieke en ijskoude boemeltje hortend en stotend langs aardedon-kere, anonieme stationnetjes hobbelde en Maddie steeds dieper en die-per de spookheuvels van de Schotse hooglanden in voerde.

In Maddies coupé gaf een blauw plafondlampje een klein beetje licht. De twee rijtuigen van het treintje waren niet verwarmd. Er zaten geen andere passagiers bij Maddie in de coupé.

'Wanneer gaat de volgende trein terug?' vroeg ze aan de conducteur.

'De laatste gaat over twee uur.'

'Gaat er daarvoor nog een?'

'*De laatste* gaat over twee uur,' herhaalde de conducteur stuurs.

(Sommige Schotten zijn nog steeds boos op de Engelsen vanwege de Slag bij Culloden, de laatste veldslag op Britse bodem, in 1746. Stel je voor hoe we over tweehonderd jaar over Adolf Hitler zullen denken.)

In Castle Craig stapte Maddie uit. Ze had geen andere bagage dan haar gasmasker en haar vliegenierstas, met daarin een rok die ze hoorde te dragen wanneer ze niet vloog, maar die ze nog nergens had kunnen aantrekken, en haar kaarten en vliegeniershandboek en ronde liniaal voor het berekenen van de windsnelheid. En een tandenborstel en de chocoladereep van haar laatste vlucht. Ze herinnerde zich dat ze zowat gehuild had van jaloezie bij Dympna's beschrijving van haar nacht achter in een Fox Moth, toen ze bijna doodgevroren was. Maddie begon een beetje bang te worden dat *zij* dood zou vriezen voor die trein over twee uur eindelijk terug zou gaan naar Deeside.

Op dit punt moet ik er nog eens op wijzen dat mijn familie al eeuwen in de hoogste echelons van de Britse aristocratie verkeert. Maddie, zullen jullie je herinneren, is de kleindochter van een geïmmigreerde winkelier. In vredestijd zouden zij en ik elkaar nooit ontmoet hebben. *Nooit*, tenzij ik op het idee zou zijn gekomen om in Stockport een motorfiets te gaan kopen, dan had Maddie me misschien geholpen. Maar als ze niet zo'n eersteklas radiobediende was geweest en niet zo snel gepromoveerd was, zouden we waarschijnlijk zelfs in oorlogstijd niet bevriend zijn geraakt, want Britse officiers mengen zich niet onder de manschappen.

(Ik geloof geen moment dat we niet op de een of andere manier vriendinnen zouden zijn geworden, dat er geen bom zou zijn ontploft en we niet samen in een krater waren beland of dat God zelf ons niet in een flits van groen zonlicht met de koppen tegen elkaar had geslagen. Maar *waarschijnlijk* zou het niet zijn geweest.)

Hoe dan ook, Maddies groeiende twijfels over deze slecht doordachte treinreis waren vooral gebaseerd op haar overtuiging dat ze *onmogelijk* zomaar op de deur van een kasteel kon kloppen en om onderdak of zelfs maar een kopje thee kon vragen terwijl ze op de trein terug wachtte. Ze was maar gewoon Maddie Brodatt, geen afstammeling van Macbeth of Maria I.

Maar ze had buiten de oorlog gerekend. Ik heb een flink aantal mensen horen zeggen dat de oorlog het onderscheid tussen de Britse klassen opheft. Opheffen is misschien een te groot woord, maar we worden zeker een beetje door elkaar gehusseld.

Maddie was de enige die bij Castle Craig uitstapte, en nadat ze vijf minuten op het perron had staan dubben, kwam de stationschef haar persoonlijk begroeten.

'U bent zekers een vriend van jongeheer Jamie van het Grote Huis, hè?'

Maddie was even te verbaasd om antwoord te geven.

'Hij zal wel blij wezen met wat verstandig gezelschap, zo allenig in dat kasteel met al die schoffies uit Glasgow.'

'Allenig?' vroeg Maddie schor.

'*Aye*, mevrouw is drie dagen in Aberdeen met de Vrijwillige Vrouwen, sokken en sigaretten inpakken voor onze jongens die vechten in de woestijn. Jongeheer Jamie zit allenig met die evacués. Mevrouw heeft d'r acht in huis genomen, de laatste die overbleven; niemand anders wou ze hebben, die vieze jochies met hun luizen en hun loopneuzen. De vaders zitten allemaal op zee, d'r vallen daar dag en nacht bommen, en die kinders zijn nooit geen dag buiten hun eigen buurtje geweest. Mevrouw zei dat ze zes eigen kinderen had grootgebracht, van wie vijf jongens, dus dat acht jongens van iemand anders niet zo'n probleem konden wezen. Maar nu is ze d'r niet en moet jongeheer Jamie met z'n arme verminkte handjes eten voor ze maken…'

Maddies hart stroomde vol bij de gedachte dat ze Jamie zou kunnen helpen met eten maken voor acht evacués uit Glasgow.

'Kan ik ernaartoe lopen?'

'Een stukkie langs de hoofdweg naar de poort, dan nog een stukkie oprijlaan.'

Maddie bedankte hem, en hij nam zijn pet voor haar af.

'Hoe wist u dat ik een vriend van Jamie was?' vroeg ze.

'Uw laarzen,' zei de stationschef. 'Jullie RAF-knapen dragen allemaal dezelfde laarzen. Jongeheer Jamie loopt d'r dag en nacht op. Ik wou dat ik zo'n paar had.'

Maddie ging door de winderige duisternis op weg naar Craig Castle, overlopend van plezier en opluchting en voorpret.

Ik ben een RAF-knaap! dacht ze, en ze lachte hardop in het donker.

Craig Castle is een klein kasteel, vergeleken bij Edinburgh of Stirling of Balmoral, waar de koning 's zomers woont, of Glamis, waar de familie van de koningin woont. Maar het is een echt kasteel, met delen die bijna zeshonderd jaar oud zijn, een eigen waterput in geval van een belegering, kelders die te gebruiken zijn als kerker of wijnopslag en vier verspringende wenteltrappen, waardoor niet alle kamers precies op elkaar aansluiten. Er is een verborgen kamer achter een muur (aan de buitenkant ontbreekt een raam, en er is een extra schoorsteen, dus we weten dat die kamer er is). Er zijn wapenkamers en een biljartkamer en een rookkamer, twee bibliotheken, ontelbare rustkamers en zitkamers et cetera. Op dit moment zit bijna alles onder stoflakens, want iedereen, inclusief het personeel, is ergens oorlogswerk aan het doen.

Toen Maddie aankwam zag het kasteel, dat natuurlijk verduisterd was, er verlaten uit, maar ze klopte stevig met de ijzeren klopper op de deur, en na een hele tijd werd er opengedaan door een uitermate groezelige evacué met een eiveeg van zijn linkermondhoek tot aan zijn linkeroor. In zijn hand had hij een tinnen kandelaar met een kaars erin.

'Jack-wees-handig,' zei Maddie, die aan het kinderrijmpje moest denken.

'Ik heet *Jock*,' antwoordde de evacué fel.

'Zaten jullie net te eten?'

Jock antwoordde met een waterval van opgewonden Schotse klanken. Hij had net zo goed Duits kunnen spreken, zo weinig verstond Maddie ervan.

Hij wilde haar gouden vleugels aanraken. Maddie begreep het pas toen hij ze aanwees.

Ze gaf hem zijn zin.

'Kom maar binnen,' zei hij beslist en met een grote grijns, alsof ze geslaagd was voor een examen. Hij deed de massief eikenhouten deur achter hen dicht, en Maddie liep achter hem aan het labyrint in waarin ik geboren ben.

Ze kwamen in de keuken beneden, die vier gootstenen telde, drie ovens en genoeg gaspitten om voor vijftig gasten eten op te koken, plus een grenen tafel waar al het personeel aan zou passen als het er was. Aan deze tafel zaten zeven jongetjes in de lagereschoolleeftijd (Jock was met ongeveer twaalf jaar de oudste), allemaal met spijkerschoenen, korte broek (goedkoper dan een lange broek) en een opgelapte, licht groezelige tot ontstellend smerige schooltrui, allemaal met hun gezicht onder het ei en allemaal met een berg soldaatjes voor hun neus die ze in schrikbaremd tempo wegwerkten. Achter het grote zwarte gasfornuis, boven een pruttelende ijzeren ketel, stond de hooggeboren jongste zoon van de Lord van Craig Castle, op en top de moderne held van de Highlands, met zijn verbleekte zwart-groene kilt, wollen kousen en wollen RAF-trui. Hij had precies dezelfde laarzen aan als Maddie.

'Drie minuten, wie is er aan de beurt?' Hij draaide een prachtige vergulde zandloper om en hield met een zilveren suikertang een gekookt ei omhoog.

Zijn verminkte handen, waarvan telkens twee vingers en een duim over waren, deden vaardig en vlug hun werk. Hij stak zijn neus in de lucht. 'Hé, Tam, draai dat brood 's om voor het verbrandt!' brulde hij, waarna hij zich omdraaide en Maddie zag staan.

Ze zou hem nooit als Jamie herkend hebben, want die avond zag hij eruit als een toonbeeld van blakende gezondheid, heel anders dan de grauwe, treurende invalide die ze in zichzelf gekeerd onderuitgezakt in een rolstoel had zien hangen. Maar dat hij de broer van haar beste vriendin was, daaraan bestond geen twijfel. Hetzelfde sluike blonde haar, hetzelfde kleine, slanke postuur, dezelfde beweeglijke, betoverende gelaatstrekken en dezelfde zweem van gekte in de heldere ogen.

Hij salueerde voor haar. Het had een onvoorstelbaar effect. De zeven jongetjes (plus Jock) schoven prompt hun stoelen naar achteren, sprongen op en volgden zijn voorbeeld.

'Tweede vliegenier Brodatt van de Air Transport Auxiliary,' zei Jamie. En de jongens dreunden als echte cadetten hun naam op: Hamish, Angus, Mungo, Rabbie, Tam, Wullie, Ross en Jock.

'De Partizanen van Craig Castle,' zei Jamie. 'Zin in een gekookt eitje, tweede vliegenier Brodatt?'

Maddies eirantsoen bedroeg één per week. Meestal gaf ze het aan haar oma, die ermee bakte of het gebruikte voor het zondagse ontbijt, dat Maddie ook al vaak moest missen.

'Het wemelt hier van de kippen,' vertelde Hamish toen ze met de jongens aan tafel ging zitten. 'We mogen alle eieren die we vinden opeten.'

'En dat zoeken houdt ze lekker bezig,' zei Jamie.

Maddie onthoofdde haar eitje met haar lepel. Het warme eigeel was net een zomers zonnetje dat door de wolken brak, de eerste narcis in de sneeuw, een gouden pondstuk in een witzijden zakdoek. Ze doopte haar lepel erin en likte hem af. Daarna liet ze haar blik langs de groezelige gezichtjes gaan en zei ze langzaam: 'Jullie zijn met z'n achten naar een sprookjeskasteel geëvacueerd.'

'Ja, *echt*, juf,' knikte Jock, die even haar rang vergat. Vervolgens begon hij in plat Schots te ratelen.

'*Langzaam* praten,' beval Jamie.

In plaats daarvan begon Jock harder te praten. Maar Maddie begreep wel ongeveer waar hij het over had. 'Boven aan de torentrap zit een spook. Als je per ongeluk door hem heen loopt, krijg je het ijskoud.'

'Ik heb hem *gezien*,' zei Angus trots.

'Nietes joh,' zei Wullie vol verachting. 'Jij slaapt nog met een teddybeer. Spoken bestaan geeneens.'

Nu barstte er een onbegrijpelijke discussie over het spook los. Jamie ging tegenover Maddie zitten, en ze keken elkaar lachend aan.

'Ik voel me zwaar in de minderheid,' zei Maddie.

'Ik ook,' zei Jamie.

Hij woonde min of meer in de keuken en de kleine bibliotheek. De partizanen woonden vooral buiten. Ze sliepen drie aan drie (en, in het geval van Ross en Jock, twee aan twee; Ross was Jocks kleine broertje) in onze voorouderlijke hemelbedden. De jongens vonden het fijn om met meer in één bed te slapen, want dat waren ze thuis ook zo gewend, en bovendien scheelde het lakens. Jamie liet ze, heel efficiënt, als in een kazerne (of op kostschool) twee aan twee voor de gootstenen in de keuken wassen en tandenpoetsen. Daarna marcheerde hij voor hen uit naar boven. Onderweg installeerde hij Maddie in zijn vossenhol van een bibliotheek, en twintig minuten later kwam hij terug met een dampende zilveren koffiepot.

'Het is echte koffie,' zei hij. 'Uit Jamaica. Moeder bewaart hem voor speciale gelegenheden, maar de smaak begint er een beetje af te gaan.' Met een zucht liet hij zich in een van de verweerde leren fauteuils voor de open haard zakken. 'Hoe ben je hier in hemelsnaam terechtgekomen, Maddie Brodatt?'

'Tweede ster rechts, en dan rechtdoor totdat het ochtend is,' antwoordde ze zonder nadenken – het leek daar inderdaad wel Nooitgedachtland.

'Jeetje, ben ik zo overduidelijk Peter Pan?'

Maddie lachte. 'De Verloren Jongens verraden je.'

Jamie bekeek zijn handen. 'Moeder laat al onze slaapkamerramen openstaan als we weg zijn, net als mevrouw Schat. Voor het geval we onverwacht naar huis komen vliegen.' Hij schonk Maddie een kop koffie in. 'Mijn raam zit nu dicht. Ik vlieg op het moment niet.'

Hij zei het zonder verbittering in zijn stem.

Maddie stelde hem een vraag die ze al had willen stellen toen ze hem voor het eerst zag, maar toen had ze er de moed niet voor gehad. 'Hoe is het je toch gelukt om je handen te redden?'

'Door mijn vingers in mijn mond te stoppen,' antwoordde Jamie bereidwillig. 'Ik wisselde ongeveer elke dertig seconden van hand. Ik kon er niet meer dan drie vingers tegelijk in krijgen, en het leek me dat ik me het beste kon concentreren op de vingers die ik het meest zou missen. Mijn broers en mijn zusje noemen me sinds kort "de Pobbel wiens tenen verdwenen", wat een nonsensgedicht is van Edward Lear.' Hij nam een slok koffie. 'Door me ergens op te concentreren heb ik waarschijnlijk meer gered dan alleen mijn handen. Mijn navigator gaf het gewoon op, nog maar een uur nadat we in het water beland waren. Liet het gewoon los allemaal. Ik wil er niet aan denken.'

'Ga je nog terug?'

Hij aarzelde even, maar toen hij verder sprak deed hij het met grote vastberadenheid, alsof hij een raadsel moest oplossen. 'De dokter zegt dat ze me vast niet meer op een bommenwerper willen hebben. Maar jullie hebben bij de ATA toch ook een piloot met maar één arm? Misschien nemen ze me daar wel. De Afgetakelde Tachtigjarige Aeronauten, zo noemen ze jullie toch?'

'Daar hoor ik niet bij,' zei Maddie. 'Ik ben een van de Altijd Trillende Aviatrices.'

Jamie lachte. 'Jij, trillen! M'n neus.'

'Ik hou niet van kanonnen,' zei Maddie. 'Op een dag word ik beschoten en stort ik brandend neer, gewoon omdat ik te verdraaide bang ben om te sturen.'

Nu lachte Jamie niet.

'Het moet iets vreselijks zijn,' zei Maddie zacht. 'Heb je nog gevlogen sinds…'

Hij schudde zijn hoofd. 'Al zou ik het best kunnen.'

Afgaand op wat ze die avond gezien had, dacht Maddie dat hij waarschijnlijk gelijk had.

'Hoeveel uren heb je?'

'Honderden,' zei hij. 'Meer dan de helft bij nacht. Op Blenheims vooral, die vloog ik aldoor.'

'Waar heb je les op gehad?' vroeg Maddie.

'Ansons. In het begin Lysanders.'

Hij keek haar over zijn koffie heen aandachtig aan, alsof ze een sollicitatiegesprek voerden en hij benieuwd was of hij de baan zou krijgen. Het waren haar zaken natuurlijk niet, en ze had geen enkele bevoegdheid. Maar ze had vaak genoeg Lysanders naar dat vreemde, verborgen RAF-veldje gevlogen, en zelfs een keer een nacht in de met klimop begroeide bungalow van het Maaneskader in een bosje aan de rand van het gewone vliegveld geslapen (ze hadden haar nergens anders kwijt gekund, en ze was zorgvuldig bij de andere bezoekers uit de buurt gehouden). Ze wist wel een klein beetje hoe moeilijk het voor Special Duties was om piloten te vinden en te houden. Honderden uren nachtvliegen vereist, en vloeiende beheersing van het Frans, en hoewel ze alleen vrijwilligers konden aannemen, was de eenheid zo geheim dat ze niet actief mochten werven.

Maddie hanteert een regel voor diensten en wederdiensten die ze het Lift-naar-een-vliegveldprincipe noemt. Het werkt heel simpel. Als iemand naar een vliegveld moet en jij kunt diegene daarheen brengen, per Anson of motorfiets of ponywagen of op je rug, dan moet je dat altijd doen. Want op een dag heb jij zelf ook weer een lift naar een vliegveld nodig. Dan zal iemand anders je moeten brengen, dus de gunst wordt doorgegeven in plaats van terugbetaald.

Nu ze zo met Jamie zat te praten, dacht Maddie aan alle kleine dingen die Dympna Wythenshawe voor haar gedaan of gezegd had, dingen die Dympna niets hadden gekost, maar wel Maddies leven veranderd hadden. Maddie wist dat ze nooit hetzelfde voor Dympna terug kon doen, maar volgens het Lift-naar-een-vliegveldprincipe had Maddie nu de kans om haar levensbepalende gunsten door te geven.

'Je moet je bevelhebber eens naar RAF-Special Duties vragen,' zei ze tegen Jamie. 'Volgens mij is de kans groot dat ze je nemen.'

'RAF-wat?' herhaalde Jamie, net zoals Maddie een paar maanden geleden tegen Theo Lyons had gedaan.

'Ze voeren ultrageheime vluchten uit,' zei Maddie. 'Kortebaanlandingen, nachtlandingen. Lysanders en soms ook Hudsons. Het is maar een klein eskader. Meld je als vrijwilliger aan, en als je een referentie nodig hebt, vraag je naar…'

De naam die ze opgaf, was de schuilnaam van de inlichtingenofficier die mij gerekruteerd heeft.

Het was waarschijnlijk het grootste waagstuk van haar leven. Maddie kon alleen maar raden wat voor iemand hij precies was. Maar ze had zijn naam onthouden, dat wil zeggen, de naam die hij gebruikte toen hij haar in de Groene Man op een whisky trakteerde, en ze had hem *meer dan eens* op het geheime vliegveld gezien (en hij maar denken dat hij slim is). Er kwamen en gingen genoeg burgers op dat vliegveld, maar Maddie zag er niet veel, en toen ze die ene die ze *wel* zag nog herkende ook, bleef dat als een wel heel merkwaardig toeval in haar hoofd hangen.

(Rottige machiavellistische inlichtingenofficier die denkt dat hij God is.)

Om hem niet meer te vergeten herhaalde Jamie de naam hardop, waarna hij zich vooroverboog en Maddie in het licht van de open haard eens wat nauwlettender bekeek.

'Hoe voor de duivel kom *jij* aan dat soort informatie?'

'"Loslippigheid kost mensenlevens,"' antwoordde Maddie streng, en de Pobbel wiens tenen verdwenen moest lachen omdat ze precies zo klonk als zijn kleine zusje. Zijn jongere zusje, bedoel ik. (Ik, bedoel ik.)

Wat zou ik graag de hele avond met hen in de kleine bibliotheek van Craig Castle blijven zitten. Later sliep Maddie in mijn bed (moeder maakt onze bedden altijd op, voor het geval dat). Het was koud met het raam open, maar net als moeder en mevrouw Schat liet Maddie het zoals het was, ook weer voor het geval dat. Ik wou dat ik de tijd had om langer over mijn slaapkamer uit te weiden, maar ik moet vandaag vroeg stoppen, zodat Von Linden me kan voorbereiden op het radio-interview van morgen. Mijn slaapkamer in Craig Castle, Castle Craig, heeft trouwens niets met de oorlog te maken.

Dat stomme radio-interview. Leugens, leugens en nog meer smerige rotleugens.

Het is de bedoeling dat ik deze tijd gebruik om zelf aantekeningen te maken over het interview van gisteren, als een soort voorzorgsmaatregel voor het geval de uitzending zelf straks niet overeenkomt met wat Von L. zich ervan herinnert. Ik zou er toch wel over geschreven hebben, maar CHRISTENE ZIELEN, WANNEER KAN IK MIJN GROTE DISSERTATIE VAN HET VERRAAD NU EINDELIJK EENS AFMAKEN?

Ze hadden echt hun best gedaan om me toonbaar te maken, alsof ik weer een debutante was die aan de Engelse koning zou worden voorgesteld. Er werd besloten (niet door mij) dat mijn geliefde trui me te mager en te bleek maakt en bovendien een beetje afgeleefd is, dus wasten en streken ze mijn blouse en kreeg ik tijdelijk mijn grijze zijden sjaal terug. Ik was stomverbaasd dat ze die bewaard hadden. Waarschijnlijk zit hij in mijn dossier en speuren ze nog steeds naar geheime boodschappen in het paisleymotief.

Ik mocht mijn haar opsteken, maar ze maakten een hoop drukte over hoe het vast te zetten, want niemand durft me haarspelden te geven. Uiteindelijk mocht ik POTLOODSTOMPJES gebruiken. GOD, wat een kinderachtig stelletje. Ook mocht ik het zelf doen, omdat a) Engel het niet goed vast kreeg en b) ze de stompjes niet zo handig wist te verbergen als ik. En zelfs nadat ze mijn vingers een uur in petroleum hadden laten weken (wie had gedacht dat petroleum bij zo veel dingen van pas komt?), konden ze de inktresten niet onder mijn nagels vandaan krijgen. Maar dat maakt het vertaalverhaal alleen maar geloofwaardiger, vind ik. Omdat mijn handen naderhand kolossaal naar petroleum stonken, mocht ik me wassen met een eigenaardig, maar heerlijk zijdezacht Amerikaans zeepje dat in het water bleef *drijven* als je het losliet. Waar komt *dat* in hemelsnaam vandaan? (En nu niet 'Amerika' zeggen.) Het zag eruit als hotelzeep, maar op de verpakking stond een Engelse tekst en het kon niet uit dit hotel zijn.

CdM, *le Château des Mystères*.

Engel deed mijn nagels. Dat lieten ze me niet zelf doen, uit vrees dat ik iemand neer zou steken met de vijl. Ze was zo ruw als mogelijk was zonder me echt te verwonden (ze kreeg me wel aan het huilen), maar verder was het een perfecte manicure. Ik weet bijna zeker dat er een modebewuste vrouw schuilgaat achter haar speciaal voor de Gestapo bedoelde vermomming van Teutoons *Mädchen*.

Ze installeerden me achter het ingelegde tafeltje, met wat onschuldige fopdocumenten en de opdracht om de beste aansluitingen tussen Franse treinen en bussen op te sporen en er in het Duits een lijst van te maken. Toen ze de interviewster binnenlieten, stond ik gemaakt glimlachend op en liep over het antieke Perzische tapijt naar haar toe om haar welkom te heten, met het gevoel dat ik op premièreavond de privésecretaris in Agatha Christies *Alibi* speelde.

De radiopresentatrice gaf me een hand. 'Georgia Penn,' zei ze. Ze is ongeveer anderhalve kop groter dan ik, trekt op een buitensporige manier met haar been en loopt met een stok. Net zo oud als Von Linden, groot en luidruchtig en heel vriendelijk… kortom, *Amerikaans*. Ze werkte als buitenlandse correspondente in Spanje tijdens de Burgeroorlog en is door de Republikeinen geweldig slecht behandeld, vandaar haar profascistische neigingen. Ze zit normaal gesproken in Parijs en presenteert een programma dat *Oost west, thuis best* heet, met veel jivemuziek en appeltaartrecepten en ontmoedigende zinspelingen die erop neerkomen dat als je gestationeerd bent op een oorlogsschip in de Middellandse Zee, je vriendinnetje thuis in de Verenigde Staten waarschijnlijk vreemdgaat. Deze rommel wordt aan één stuk door herhaald om de Amerikaanse soldaten heimwee te bezorgen. Het schijnt dat yanks *overal* naar luisteren, als er maar behoorlijke muziek bij wordt gedraaid. De BBC vinden ze te serieus.

Ik schudde de verraadster de hand en zei koel, *en français pour que l'Hauptsturmführer*, die geen Engels spreekt, *puisse nous comprendre*: 'Ik kan niet zeggen hoe ik heet, ben ik bang.'

Ze wierp een blik op Von Linden, die eerbiedig half achter haar stond. *'Pourquoi pas?'* informeerde ze. Ze is zelfs nog langer dan Von Linden, en ze spreekt Frans met een sterk Amerikaans accent. 'Waarom mag ik niet weten hoe ze heet?'

Daarna keek ze vanaf haar ongenadige hoogte weer op mij neer. Ik verschikte mijn sjaal en nam de achteloze houding aan van een heilige met een lichaam vol pijlen: mijn handen losjes op mijn rug, de ene voet naar buiten gedraaid voor de andere, de knieën ietsje gebogen en mijn hoofd schuin opzij.

'Het is voor mijn eigen veiligheid,' zei ik. 'Ik wil niet dat mijn naam bekendgemaakt wordt.'

Wat een LARIE. Ik *had* natuurlijk kunnen zeggen: 'Het is de bedoeling dat ik spoorloos in de Nacht en de Mist verdwijn…' Geen idee wat ze daarvan gedacht zou hebben. Ik mocht haar niet eens vertellen bij welk legeronderdeel ik dien.

Von Linden gaf me een stoel naast Miss Penn, maar niet aan de tafel waaraan ik had zitten werken. Engel bleef onderworpen op de achtergrond. Miss Penn bood Von Linden een sigaret aan, die hij afkerig wegwuifde.

'Mag ik?' vroeg ze, en toen hij beleefd zijn schouders ophaalde, nam ze er een en bood mij er ook een aan. Ik wil wedden dat Engel ernaar snakte.

Ik zei: *'Merci mille fois.'* Hij zei *niets*. O mein Hauptsturmführer! *Lafaard die je bent!*

Ze gaf zichzelf en mij vuur en verkondigde in haar kordate, onopgesmukte Frans: 'Ik heb geen tijd om naar propaganda luisteren. Het is mijn vak en ik weet hoe het werkt. Ik zal het je eerlijk zeggen: ik ben op zoek naar de waarheid. *Je cherche la vérité.'*

'Je accent is niet om aan te horen,' antwoordde ik, ook in het Frans. 'Kun je dat nog een keer in het Engels zeggen?'

Dat deed ze, zonder beledigd te zijn en doodernstig, door een wolk van rook.

'Ik ben op zoek naar Verity.'

Het is maar goed dat ik die verrekte sigaret had mogen opsteken, want ik weet niet hoe ik anders had moeten verbergen dat letterlijk iedereen hier zijn eigen PAK LEUGENS zat op te dissen.

'De waarheid,' zei ik eindelijk, in het Engels.

'De waarheid,' bevestigde zij.

Engel schoot me te hulp met een schoteltje (aangezien er geen asbakken waren). Zinnend op een antwoord had ik de hele sigaret in vijf of zes lange halen opgerookt.

'*La vérité*,' zei ik, en ik ademde alle nicotine en zuurstof die ik in me had tot op de laatste molecuul uit. Vervolgens, buiten adem: '"Waarheid is de dochter van tijd, niet van gezag."' En: '"Waarheid is de kreet van ieder, maar het spel van slechts weinigen."' Ik geef toe, ik zat een beetje te raaskallen. 'Waarheid! Ik ben de godin der Waarheid.' Ik begon zo onbedaarlijk te lachen dat de Hauptsturmführer me met een kuchje tot de orde moest roepen. 'Ik ben de godin der Waarheid,' zei ik nog een keer. '*Je suis Vérité.*'

Door de tabaksdamp gaf Georgia Penn me heel vriendelijk het restant van haar eigen sigaret aan.

'Nou, gelukkig maar,' zei ze op moederlijke toon. 'Dan kan ik er dus op vertrouwen dat je me eerlijk antwoord geeft…' Ze keek steels naar Von Linden. 'Weet je hoe ze het hier noemen?'

Ik haalde met opgetrokken wenkbrauwen mijn schouders op.

'*Le Château des Bourreaux*,' zei ze.

Ik lachte alweer te hard, sloeg mijn benen over elkaar en bestudeerde de binnenkant van mijn pols.

(Het is een woordspeling, snappen jullie wel. Château de Bordeaux, Château des Bourreaux: Kasteel Bordeaux, Kasteel van de Beulen.)

'Nee, die had ik nog niet gehoord,' zei ik. En dat is ook echt zo, misschien omdat ik meestal geen mens te zien krijg. Zo blijkt maar weer hoe gepreoccupeerd ik ben, dat ik dat zelf niet bedacht had. 'Nou, zoals je ziet: ik ben nog helemaal heel.'

Even bestudeerde ze me inderdaad oplettend – heel even maar. Ik trok mijn rok over mijn knieën. Toen pakte ze zakelijk een opschrijfboekje en een pen, terwijl een bleek Gestapo-knechtje dat eruitzag alsof hij twaalf jaar oud was voor ons drieën (voor ons DRIEËN: Von L., G.P. en MIJ, maar niet voor Engel) uit een kristallen karaf cognac (COGNAC!) in glazen schonk die zo groot waren als mijn hoofd.

Op dat punt aangekomen begon ik iedereen in de kamer zo diep te wantrouwen dat ik vergat wat ik ook alweer moest zeggen. *Alibi, alibi,* was het enige wat ik kon denken. Het loopt allemaal heel anders, ik begrijp niet wat er aan de hand is, hij probeert me in de val te lokken, het is een list. Worden we afgeluisterd, waarom hebben ze de haard aangestoken en niet de kroonluchter, en wat heeft de pratende kaketoe ermee te maken?

O, maar wacht! Wat kunnen ze verder nog uit me krijgen? Ik VERTEL DE GESTAPO ALLES WAT IK WEET. Daar ben ik al weken mee bezig. Kom op, meid, verman je, je bent een Wallace en een Stuart!

Op *dat* punt aangekomen drukte ik doelbewust mijn sigaret uit in mijn handpalm. Niemand zag het.

De waarheid kan de pest krijgen, dacht ik grimmig. *Ik wil een week extra.* Ik wil mijn week en die zal ik krijgen ook.

Ik vroeg of we voor het interview Engels mochten spreken; het was natuurlijker om Engels met de Amerikaanse te praten, en omdat Engel er was om te vertalen vond de Hauptsturmführer het best. Dus toen stond ik voor de taak om er een mooie voorstelling van te maken.

Hij wilde niet dat ik haar over de codes vertelde die ik hem verraden heb, en al helemaal niet over de… eh… *zware* omstandigheden waaronder ik doorgeslagen ben. Ook mocht ik niet zeggen dat de elf zenders in Maddies Lysander allemaal verbrand zijn toen ze neerstortte. (Tijdens mijn verhoor hebben ze me er foto's van laten zien. De vergrotingen van de cockpit kwamen later pas. Ik geloof dat ik ze al genoemd heb, maar ik ga ze niet beschrijven.) Ik kan de logica achter wat ik de Amerikaanse wel of niet mocht vertellen niet helemaal volgen, want als ze er echt benieuwd naar is, kan iedereen in Ormaie haar over die vernietigde zenders vertellen, maar misschien weet de Britse geheime dienst het nog niet en speelt de Gestapo het radiospel, het *Funkspiel*, en proberen ze mijn besmette codes en frequenties uit op een eerder buitgemaakte zender.

(Ik had natuurlijk over die foto's moeten schrijven, maar ik kon het niet. Ik kon het *letterlijk* niet, want het was in die dagen dat ik zonder papier zat. Nu begin ik er niet meer aan.)

Ik vertelde dat ik radiotelegrafiste was en hier in burgerkleding was gedropt zodat ik niet op zou vallen, en dat ik gepakt was omdat ik een culturele blunder had begaan. We babbelden een poosje over de moeilijkheden van een buitenlander die zich aan de dagelijkse gang van zaken in Frankrijk probeert aan te passen. Engel stond zwaarwichtig ja te knikken, niet terwijl ze naar mij luisterde, maar toen ze het voor Von Linden vertaalde.

O, wat een wonderlijke oorlog is dit, *mirabile dictu* – het kleine Schotse radiotoestelletje, ik bedoel telegrafistje, heeft nog steeds last van een paar akelige, verborgen storingen veroorzaakt tijdens haar onmenselijk wrede verhoor, en toch zit ze met een uitgestreken gezicht onder de kristallen kroonluchter met de Amerikaanse Penn en de Duitsers Engel en Von Linden bij een bel cognac over de Fransen te klagen!

Maar het maakte de juiste indruk, zo'n onderwerp waar we het met z'n allen over eens waren.

Vervolgens merkte Penn op dat het Engels van Engel uit het Amerikaanse Midwesten afkomstig was, waarna we allemaal een heel tijdje sprakeloos waren. Engel bekende dat ze een jaar aan de universiteit van Chicago gestudeerd had (waar ze werd opgeleid tot APOTHEKER. Ik geloof niet dat ik OOIT iemand met zo veel verspild talent heb ontmoet). Penn wilde het Ken-je-die-en-die-spel met haar spelen, maar de enige persoon die ze gemeen hadden was Henry Ford, die Engel op een liefdadigheidsdiner ontmoet had. Engels Amerikaanse kennissen waren allemaal keurig pro-Duits, die van Penn minder. Ze hebben niet tegelijk in Chicago gewoond; Penn zit al sinds het begin van de jaren dertig in Europa.

Fräulein Anna Engel, MdM, *Mädchen des Mystères*.

We bekeken mijn vertaalde dienstregeling en bewonderden Von L.'s Montblanc-vulpen, die ik gebruikt had. Penn vroeg of ik me zorgen maakte om mijn aanstaande 'proces'.

'Dat is een formaliteit.' Hier kon ik alleen maar een genadeloos antwoord op geven. 'Ik word gefusilleerd.' Ze had om eerlijkheid gevraagd, nietwaar? 'Ik ben een militaire afgezant die zich in vijandelijk gebied voordeed als burger. Ik word als spion beschouwd. De Geneefse Conventie beschermt mij niet.'

Ze bleef even stil.

'Het is oorlog,' bracht ik haar in herinnering.

'Ja.' Ze maakte wat aantekeningen in haar boekje. 'Maar goed. Ik vind je erg dapper.'

Allemaal LARIE!

'Kun je ook iets zeggen namens de andere gevangenen hier?'

'We zien elkaar weinig.' Die moest ik even ontwijken. 'We spreken elkaar in elk geval nooit.' Ik *zie* hen maar al te vaak. 'Heb je al een rondleiding gehad?'

Ze knikte. 'Het ziet er goed uit. Schoon beddengoed in alle kamers. Een tikje spartaans.'

'Goed verwarmd ook,' zei ik nijdig. 'Het was vroeger een hotel. Geen echte gevangeniskerkers, geen vocht, *niemand* met artritis.'

Ze moeten haar de kamers van de ordonnansen hebben laten zien. Misschien hebben ze er zelfs wel een paar in gezet als zogenaamde gevangenen. De Gestapo gebruikt de begane grond en twee tussenverdiepingen als woonvertrekken en kantoorruimte, en daar wordt alles keurig onderhouden. De echte gevangenen zitten op de bovenste drie verdiepingen. Het is lastig ontsnappen als je zo hoog boven de grond zit.

Penn leek tevreden. Ze glimlachte stijf naar Von Linden en zei: '*Ich danke Ihnen.*' Ik dank u, heel ernstig en heel formeel, waarna ze hem in het Frans vertelde hoe dankbaar ze wel was voor deze unieke en ongebruikelijke kans. Ze zal hem ook nog wel interviewen, los van mij.

Daarna boog ze zich naar mij toe en vroeg op vertrouwelijke toon: 'Heb je iets nodig? Kan ik je iets sturen, iets kleins? Verband?'

Ik zei dat ik gestopt was.

Dat is ook zo, en ze zouden het toch niet goed gevonden hebben. Of wel? Ik weet het eigenlijk niet. Volgens de Geneefse Conventie is het toegestaan om krijgsgevangenen nuttige dingen te sturen: sigaretten, een tandenborstel, een taart met een zaag erin. Maar zoals ik net al schreef, de Geneefse Conventie is op mij niet van toepassing. *Nacht und Nebel, nacht en mist.* Brrr. Voor zover Georgia Penn weet heb ik niet eens een naam. Aan wie zou ze het pakje adresseren?

'Ben je...' vroeg ze.

Het was best een vreemd gesprek als je erover nadenkt. We spraken allebei in code, niet in legercode of inlichtingencode of verzetscode, maar gewoon in vrouwencode.

'Ze hebben je toch niet...'

Engel zal de ontbrekende woorden wel hebben kunnen invullen:

- Kan ik je (maand)verband sturen?
- Nee, dank je, ik ben gestopt (met menstrueren).
- Ben je (zwanger)? Ze hebben je toch niet (verkracht)?

Verkracht. Wat had ze eraan willen doen als ik ja had gezegd?

Trouwens, technisch gezien ben ik niet verkracht.

Nee, ik ben gewoon gestopt.

Ik ben sinds mijn vertrek uit Engeland niet meer ongesteld geweest. Ik denk dat mijn lichaam zichzelf in die eerste drie weken gewoon uitgeschakeld heeft. Het voert alleen nog maar de functies uit die nodig zijn. Het weet donders goed dat het nooit meer voor voortplantingsdoeleinden zal worden aangesproken. Ik ben een radiotoestel.

Penn knikte en schokschouderde tegelijk, met een sceptisch trekje om haar mond en opgetrokken wenkbrauwen. Ze heeft precies de maniertjes die je je voorstelt bij een pioniersvrouw in het Wilde Westen. 'Je ziet er anders niet zo gezond uit,' zei ze.

Ik zie eruit alsof ik net uit een sanatorium kom en op het punt sta om in mijn lange strijd tegen tuberculose het onderspit te delven. Verhongering en slaaponthouding laten echt wel zichtbare sporen na, STELLETJE STOMKOPPEN.

'Ik heb al zes weken geen zon gezien,' zei ik. 'Maar dat heb je met het weer bij ons thuis soms ook.'

'Nou, maar het is wel goed,' zei ze lijzig. 'Het is goed om te zien dat ze de gevangenen hier zo netjes behandelen.'

Opeens klokte ze haar cognac – ze had haar glas niet aangeraakt – in één vloeiende beweging in mijn glas.

Vóór iemand het van me af kon pakken sloeg ik de hele sloot als een matroos achterover, waarna ik de rest van de middag moest overgeven.

130

Weten jullie wat hij gisteravond deed? Von Linden, bedoel ik? Na zijn werk kwam hij in mijn deuropening staan en vroeg of ik Goethe gelezen had. Hij had nagedacht over het feit dat ik tijd 'koop' in ruil voor stukjes van mijn ziel en vroeg zich af of ik mezelf met Faust vergeleek. Er gaat niets boven een diepzinnige literaire discussie met je tirannieke meester terwijl je op je executie zit te wachten.

Toen hij wegging zei ik: '*Je vous souhaite une bonne nuit,*' ik wens u een goede nacht, niet omdat ik hem een goede nacht wenste, maar omdat dit is wat de Duitse officier in *La silence de la mer* (dat traktaat over Gallische koppigheid, en de literaire verbeelding van de Franse *Résistance*) elke avond tegen zijn onverzettelijke, passief verzet plegende gastheren zegt. Ik kreeg het boek van een Française met wie ik in opleiding was, vlak nadat ze vorig jaar teruggehaald was uit het veld. Aangezien hij zo'n Ken-je-vijandtype is (en zo belezen) dacht ik dat Von Linden het misschien ook gelezen had, maar het citaat scheen hem niets te zeggen.

Engel heeft me verteld wat hij voor de oorlog deed. Hij was rector van een chique jongensschool in Berlijn.

Hoofdmeester!

En hij heeft een dochter.

Ze zit veilig op school in Zwitserland, neutraal Zwitserland, waar 's nachts geen geallieerde bommenwerpers door de lucht scheren. Ik kan met zekerheid verklaren dat ze niet op *mijn* school zit. Mijn school is vlak voor de oorlog dichtgegaan, nadat de meeste Engelse en Franse leerlingen er al af waren gehaald, wat ook de reden is dat ik een beetje vroeg naar de universiteit ging.

Von Linden heeft een dochter die maar een klein beetje jonger is dan ik. Nu snap ik waarom hij zo'n klinisch-afstandelijke houding tegenover zijn werk aanneemt.

Maar ik weet nog steeds niet zeker of hij wel een ziel heeft. Elke rotmof met een intact klokkenspel kan een dochter verwekken. En er zijn een heleboel sadistische hoofdmeesters op de wereld.

Godallemachtig, waarom doe ik dat toch altijd weer? IK HEB DE HERSENS VAN EEN ALPENSNEEUWHOEN. HIJ ZIET ALLES WAT IK OPSCHRIJF.

Engel, de lieverd, sloeg de laatste paar alinea's van wat ik geschreven had over, toen ze gisteravond voor Von Linden vertaalde. Al denk ik dat het meer zelfbehoud was dan een goede daad jegens mij. Uiteindelijk zal iemand erachter komen wat voor kletskous ze is, maar ze begint mijn pogingen om haar problemen te bezorgen door te krijgen. (Een poosje geleden wees ze Von Linden erop dat ik heel goed weet hoe je omrekent naar het metriek stelsel en alleen om haar te pesten doe alsof ik het niet kan. Maar het is wel waar dat zij er beter in is dan ik.)

Behalve een extra week heb ik ook een verse voorraad papier gekregen. Bladmuziek, vast ook gestolen buit uit het Château des Bourreaux: veel populaire liedjes van de afgelopen tien jaar en wat stukken van Franse componisten voor fluit en piano. De fluitpartij is maar aan één kant bedrukt, dus ik heb weer papier in overvloed. Ik werd een beetje moe van die lamme receptenkaarten. We gebruiken ze nog wel voor het andere werk.

ORGANISATORISCHE FORMALITEITEN IN OORLOGSTIJD

Ik ga een beetje samenvatten. Ik schrijf niet snel genoeg.

Maddie werd door de SOE klaargestoomd, lang voordat ze het zelf in de gaten had. Rond de tijd dat Jamie ergens in het zuiden van Engeland weer begon te vliegen, werd Maddie in Manchester op een cursus nachtvliegen gestuurd. Ze greep de kans met beide handen aan. Ze was er zo aan gewend om het enige meisje te zijn – in de ATA-Manchester zaten maar twee andere vrouwen – dat het niet bij haar opkwam dat er iets ongewoons aan de hand was.

De andere cursisten waren allemaal bommenwerperpiloot of navigator. Taxipiloten vliegen in het algemeen niet in het donker. Ook *Maddie* vloog nadat ze de cursus had afgesloten en het stempel in haar logboek was gezet een hele tijd niet meer in het donker, en ze raakte het alweer bijna verleerd omdat ze het zo weinig deed. Sinds 1940 zijn we niet meer teruggegaan naar wintertijd, en in de zomermaanden wordt de klok nog eens een uur extra vooruitgezet, wat betekent dat het een hele maand lang pas rond middernacht donker wordt. In de zomer van 1942 had Maddie toch niet in het donker kunnen vliegen, tenzij ze midden in de nacht de lucht in was gegaan, dus ze vroeg het zich verder niet af. Ze had het druk met telkens dertien dagen vliegen (wat voor weer het ook was) op maar twee dagen vrij, en de onzinnige organisatorische formaliteiten en blunders waren zo talrijk dat een enkele overbodige cursus nachtvliegen niet opviel.

Ze moest ook op parachutetraining, op het eerste gezicht een al even willekeurig en onzinnig besluit. Maddie werd niet opgeleid als *paratrooper*, maar leerde het vliegtuig besturen terwijl er mensen uit sprongen. Voor de training gebruikten ze Whitley-bommenwerpers, een type waarop Maddie nooit eerder gevlogen had, en ze vertrokken vanaf haar eigen basis. Er leek niets vreemds aan, totdat haar gevraagd werd om als tweede piloot mee te gaan toen ik boven de heuvels van Cheshire mijn eerste sprong zou maken (op dat moment had ik geen andere keus dan 'hoogtevrees' van mijn lijstje met angsten te schrappen). Maddie had *mij* nooit verwacht en was te slim om het als toeval te beschouwen. Ze herkende me meteen toen we aan boord stapten, ondanks het feit dat ik mijn haar geheel tegen mijn gewoonte in in een staart had, alsof ik een ponymeisje voor een wedstrijd was (anders had het niet in dat snoezige helmpje gepast, waarmee je eruitziet alsof je je hoofd in een kerststol hebt gestopt). Maddie was wel zo wijs om geen teken van verbazing of herkenning te geven. Ze had te horen gekregen wie deze groep was – of *niet* was, in elk geval. Vier mannen en twee vrouwen die voor het eerst uit een vliegtuig sprongen.

Wij mochten ook niet met de piloten praten. Ik maakte die week drie sprongen. De vrouwen maken één sprong minder dan de mannen, EN ze laten ons als eerste springen. Ik weet niet of dat is omdat ze ons als uitgekookter zien dan de mannen, of moediger, of veerkrachtiger, of omdat ze denken dat we een kleinere kans op overleven hebben en daarom al die brandstof en het inpakken van de parachutes niet waard zijn. Hoe dan ook, Maddie zag me twee keer en kon niet eens gedag zeggen.

Maar ik kon haar wel zien vliegen.

Zal ik eens wat zeggen? Ik was jaloers op haar. Ik was jaloers vanwege de eenvoud van haar werk, het rechtlijnige, de spirituele zuiverheid ervan: *gewoon vliegen, Maddie.* Meer hoefde ze niet te doen. Er was geen schuld, geen moreel dilemma, geen strijd of smart. Wel gevaar, maar ze wist altijd waar ze mee te maken had. En ik was jaloers omdat ze haar werk zelf gekozen had en deed wat ze wilde doen. Ik had geen idee wat ik 'wilde' en dus *werd* ik gekozen. Het is mooi en eervol om gekozen te worden, maar het laat weinig ruimte voor de vrije wil.

Dertien dagen vliegen en twee dagen vrij. Ze wist nooit waar ze weer iets te eten zou krijgen of die avond zou slapen. Ze had praktisch geen sociaal leven, maar ze kende wel zeldzame en onverwachte momenten van geluk, alleen in de lucht, kruisend op vierduizend voet boven de Cheviots of de Fens of de Marches, of met haar vleugels schuin saluerend voor een passerende formatie Spitfires.

Met Tom als haar copiloot (ze had honderd vlieguren meer dan hij) leverde ze een Hudson af bij RAF-Special Duties. Je moet een tweede piloot bij je hebben als je op een Hudson vliegt. Het Maaneskader gebruikt ze voor nachtelijke parachutedroppings, want Hudsons zijn groter dan Lizzies en minder geschikt voor kortebaanlandingen. Ze pikken er ook wel eens grotere groepen passagiers mee op. Maddie had op een paar andere tweemotorige bommenwerpers gevlogen (de Whitley bijvoorbeeld), maar nog nooit op een Hudson, en bij de landing kwam ze een beetje hard met de staart op de grond. Naderhand onderzocht ze het staartwiel uitvoerig op beschadigingen, samen met drie man grondpersoneel, die besloten dat er niets mis mee was. Toen zij en Tom eindelijk op kantoor hun vliegorders konden laten aftekenen, zei de radioman beleefd tegen

Maddie: 'Ze willen je even spreken in de verhoorkamer in De Bungalow, als je het niet erg vindt. Ze sturen een chauffeur. Je co kan beter hier wachten.'

Dat was omdat De Bungalow verboden terrein is, ook voor mensen die met een legitieme opdracht op het grote vliegveld landen. Maar Maddie zelf was er natuurlijk al eerder geweest.

Ze onderdrukte een angstige zucht. Krijgsraad? Nee, het was maar gewoon een harde landing geweest. Tom had haar loyaal gesteund toen ze er met het grondpersoneel over spraken, en op het ministerie van Luchtvaart zouden ze zich *krom lachen* als ze een ongevallenrapport probeerde in te dienen. Ze zouden haar voor de krijgsraad slepen omdat ze hun tijd verdeed. O, dacht ze, wat heb ik *nu weer* gedaan?

Het knappe en charmante meisje van het Vrouwenkorps dat voor het Maaneskader chauffeert stelde geen vragen. Ze is erop getraind haar passagiers geen vragen te stellen.

Geen enkel vertrek in De Bungalow is zo kaal en benauwend als de verhoorkamer (ik kan het weten). Vroeger (zo'n tweehonderd jaar geleden) was het de wasserij, geloof ik. Gewitte stenen muren en een grote afvoerput in het midden, en alleen een elektrisch kacheltje om het een beetje warm te maken. In dit hol van de leeuw werd Maddie opgewacht door onze goede vriend de Engelse inlichtingenofficier met de schuilnaam. Jullie zullen die schuilnaam misschien uit me willen peuren, maar dat heeft weinig zin, want hij kan alweer tien keer veranderd zijn. De inlichtingenofficier gebruikte hem al niet meer toen hij begin 1942 met Jamie sprak, laat staan toen hij Maddie strikte in de wasserij.

De bril is onmiskenbaar. Maddie herkende hem dan ook meteen en was onmiddellijk zo wantrouwig dat ze in de deuropening bleef staan. Hij leunde achteloos tegen de krakkemikkige houten tafel, het enige permanente meubelstuk in de kamer, en hield zijn knokige handen voor het elektrische kacheltje.

'Tweede vliegenier Brodatt!'

De man is een charmeur.

'Het spijt me immens dat ik je zo moet laten schrikken. Maar zulke gesprekken laten zich moeilijk van tevoren plannen.'

Maddie gaapte hem stomverbaasd aan. Ze voelde zich net Roodkapje die naar de wolf in het bed van haar grootmoeder staarde. *Wat heb je een grote ogen!*

'Kom binnen,' zei hij uitnodigend. 'Ga toch zitten.' Er stond een stoel, er stonden twee stoelen, voor het elektrische kacheltje geschoven. Maddie zag dat ze hun best hadden gedaan om het een beetje gezellig te maken in dat troosteloze kamertje. Ze slikte nog een keer en ging zitten, en vond eindelijk de tegenwoordigheid van geest om iets te zeggen.

'Zit ik in de problemen?'

Hij lachte niet. Hij ging naast haar zitten en leunde met zijn onderarmen op zijn knieën, een meevoelende rimpel in zijn voorhoofd. 'Nee,' zei hij nadrukkelijk, 'nee, geen sprake van. Ik heb een klus voor je.'

Maddie deinsde terug.

'Alleen als je ervoor voelt.'

'Ik ben niet...' Ze haalde diep adem. 'Ik deug niet voor dat soort werk.'

Nu lachte hij wel, een kort en hartelijk lachje. 'O, jawel hoor. Het is taxiwerk. Er is verder geen intrige.'

Ze keek hem met stille scepsis aan.

'Er verandert verder niets voor jou,' zei hij. 'Geen geheime missies naar het vasteland.'

Maddie glimlachte flauw.

'Je zult wat nachtlandingen moeten doen, en je moet op afroep beschikbaar zijn. Deze vluchten worden niet vooraf aangekondigd.'

'Waar *zijn* ze dan voor?' vroeg Maddie.

'Onze mensen hebben soms snel en efficiënt vervoer nodig. Ze moeten kunnen reizen als en wanneer dat nodig is, in één nacht uit en thuis, zonder gedoe met benzinebonnen of snelheidsbeperkingen op plattelandswegen of onhandige treinverbindingen. Zonder het risico om herkend te worden op een perron, of door een raampje van een auto voor een stoplicht. Kun je je dat voorstellen?'

Maddie knikte.

'Je bent een betrouwbare piloot, een uitmuntende navigator, buitengewoon intelligent en zeer discreet. Er zijn genoeg mannen en een flink aantal vrouwen beter gekwalificeerd dan jij, maar ik denk dat niemand anders zo geschikt is voor juist deze taxidienst. Je hebt mijn naam onthouden. Je bent je bewust van ons werk hier en je houdt je mond erover, tenzij je een rekruut voor ons hebt. Als je het wilt doen, krijg je je opdrachten heel simpel via je eigen ATA-afdeling. V-orders, vertrouwelijk, rapport verplicht. Je zult niets te horen krijgen over de mannen en vrouwen die je vervoert. De meeste vliegvelden ken je al.'

Hij is echt heel moeilijk te weerstaan. Of misschien kon Maddie gewoon nooit nee zeggen als het om vliegen ging.

'Ik doe het,' zei ze beslist. 'Ik doe het.'

'Zeg maar tegen je co dat je na je laatste vlucht je kledingbonnen hier had laten liggen en dat wij die voor je bewaard hadden…'

Hij bladerde in een map, hield iets met gestrekte arm voor zich, tuurde er over zijn bril heen naar en legde het met een zucht terug. 'Ik word oud,' zei hij verontschuldigend. 'Nu heb ik ook al een leesbril nodig! Dit moet het zijn.'

Hij bladerde weer in de papieren en *haalde Maddies kledingbonnen tevoorschijn*. Haar maag keerde zich om. Ze is er nooit achter gekomen hoe hij eraan kwam.

Hij gaf ze aan haar. 'Vertel je collega dat we je lieten komen om je deze terug te geven, en om tegen je te preken dat je beter op je spullen moet passen.'

'Ja, dat zal ik hierna zeker doen,' antwoordde ze fel.

God, wat een rommeltje, ik moet wachten tot ik uitgehuild ben, anders wordt het één grote onleesbare vlek

sorry sorry sorry

V-ORDERS (VERTROUWELIJK)

In het begin was het precies zoals hij gezegd had: er veranderde maar weinig in Maddies leven. Zes weken lang hoorde ze niets. Toen kreeg ze twee keer in één week een vliegorder met een 'v' erop, plus haar speciale codenaam, als het ware bedoeld om haar te waarschuwen dat ze 'operationeel' was. Maar het enige echte verschil met het normale taxiwerk was dat de mannen die ze oppikte niet overduidelijk piloot waren.

Daarna volgde er regelmatig, maar niet vaak, een speciale vlucht. Elke zes weken ongeveer. Altijd even alledaags en saai. Voor het taxiwerk kreeg Maddie weer lesvliegtuigjes en voormalige burgervliegtuigen toebedeeld, Tiger Moths met een open cockpit en een Puss Moth of twee. Behalve nu en dan een nachtlanding bood het vliegen zelf Maddie weinig uitdaging.

Eén vlucht met een Lysander was gedenkwaardig omdat de passagier met twee lijfwachten reisde. In een Lysander zit er tussen de piloot en zijn passagiers een gepantserde afscheiding. Je kunt hem door een luikje briefjes of koffie of kusjes geven, maar als hij wil, kan hij dat luikje ook dichtdoen, zodat je hem niet kunt doodschieten. Niet dat je ergens komt als je in een Lysander je piloot doodschiet, behalve met een klap op de grond; je kunt namelijk de stuurknuppel niet overnemen.

Maddie zat dus veilig gescheiden van haar moordenaar in de dop, als hij al een moordenaar was. Achteraf wist ze nooit of die passagier nu een gevangene met bewaking was of een belangrijk iemand met bescherming. Ze moeten hoe dan ook heel krap hebben gezeten, met drie volwassen mannen achter in die Lysander.

En toen kwam ik dan eindelijk.

Maddie werd gestoord bij een kop warme chocolademelk voor het slapengaan, gezellig thuis bij haar opa en oma in Stockport. Maddies groepsleider belde om te zeggen dat ze naar een bepaald vliegveld moest om iemand op te halen, waarna ze die iemand ergens anders moest afleveren, allemaal zo snel mogelijk. Op Oakway zou te horen krijgen waar ze precies heen moest, niet over de telefoon.

Dat was in september vorig jaar, in een prachtig mooie, heldere en windstille nacht, met het beste vliegweer dat Maddie ooit had meegemaakt. Ze hoefde de kleine Puss Moth amper te vliegen. Ze stuurde de machine in zuidelijke richting over de nachtelijke heuvels en dat was alles. Toen ze op het eerste vliegveld aanvloog, kwam er een mooie grote bommenwerpersmaan op, en Maddie landde vlak voordat het plaatselijke eskader opsteeg. Ze taxiede naar de administratieloods terwijl de gloednieuwe Lancasters vertrokken. De bescheiden Puss Moth huiverde in de wind die de bakbeesten veroorzaakten, als een waterhoentje tussen de blauwe reigers. Hun spanwijdte was drie keer zo groot, ze hadden vier keer zo veel motoren en gingen tot de nok toe vol met brandstof en springstof op weg om wraak en vernietiging te brengen naar de fabrieken en spoorwegen van Essen. Maddie taxiede haar vliegtuigje naar het platform voor de administratieloods en wachtte met draaiende motor. Ze had opdracht gekregen hem niet af te zetten.

De Lancasters raasden langs. Maddie keek met haar neus tegen de voorruit gedrukt toe en merkte niet meteen dat de deur van de cabine openging. Grondpersoneel, met de pet diep over de ogen en het gezicht verborgen in de schaduw van de vleugel, hielp de passagier instappen en maakte haar riemen vast. Op de onvermijdelijke tas met het gasmasker na was er geen bagage, en Maddie kreeg zoals gewoonlijk niet te horen hoe haar passagier heette. Ze zag het silhouet van een WAAF-baret en voelde dat de passagier gespannen was, zenuwachtig, maar het kwam geen moment bij haar op dat ze deze persoon misschien wel kende. Net als de chauffeuses van de SOE had ze geleerd geen vragen te stellen. Boven het gebrom van de motor uit gaf ze schreeuwend de instructies voor noodgevallen en de locatie van de EHBO-doos door.

Eenmaal in de lucht deed Maddie geen poging een gesprek te beginnen. Dat deed ze nooit met speciale passagiers. Evenmin wees ze op de pracht van het zwarte en nu en dan zilveren landschap onder hen in het maanlicht, want ze wist dat deze persoon juist 's nachts naar haar bestemming werd gevlogen omdat ze niet mocht weten waar ze heen gingen. De passagier hapte hoorbaar naar adem toen Maddie, een en al professionaliteit, de Very aan de zijkant van haar stoel losmaakte. 'Geen zorgen,' schreeuwde Maddie, 'het is maar een seinpistool! Ik heb geen radio. Met de lichtkogel laat ik weten dat we er zijn, als ze ons tenminste niet horen aankomen en meteen het licht voor ons aandoen.'

Maar Maddie hoefde haar vuurwerk niet af te steken, want nadat ze een minuut of twee rondgecirkeld had, sprongen de lampen langs de baan aan. Maddie deed haar landingslichten aan.

Het was een ongecompliceerde landing. Maar pas toen de machine helemaal stilstond en de motor af was, kreeg Maddie een kus op haar wang.

'Bedankt. Je bent geweldig!'

Het grondpersoneel had de deur van de cabine al opengemaakt.

'Had dan gezegd dat jij het was!' riep Maddie, terwijl haar vriendin zich opmaakte om in de nacht te verdwijnen.

'Ik wilde je niet in de lucht aan het schrikken maken!' Queenie voelde automatisch aan haar kapsel en sprong als een gazelle op de landingsbaan. 'Ik ben het niet gewend om te vliegen, en dit was voor het eerst dat ik 's nachts ergens heen moest. Sorry!' Ze boog zich nog even het vliegtuig in. (Maddie zag achter haar verschillende mensen gebaren en overleggen. Het was bijna twee uur in de ochtend.) 'Wens me succes,' zei ze. 'Het is mijn eerste opdracht.'

'Succes!'

'Ik zie je weer als ik klaar ben. Jij brengt me ook weer naar huis.'

Omringd door begeleiders liep Queenie weg over de betonnen baan.

Maddie kreeg haar eigen kamertje in De Bungalow, die ze steeds beter leerde kennen. Het was vreemd om niet te weten wat er aan de hand was.

Na een tijdje doezelde ze weg, maar ze werd bijna meteen weer wakker door de Lysanders die terugkeerden uit Frankrijk, met een buit bestaande uit neergehaalde Amerikaanse vliegeniers, vervolgde Franse geestelijken, een krat champagne en zestien flesjes Chanel No. 5.

Maddie zou niets van de parfum geweten hebben als niet iedereen de volgende ochtend zo geanimeerd was geweest, misschien als gevolg van het champagneontbijt. (Maddie, die zodra het licht was weer moest opstijgen, was zo verstandig om geen champagne te nemen.) Queenie straalde, tevreden als een kat op een tuinmuur. Ze keek alsof ze zojuist een gouden medaille had gewonnen op de Olympische Spelen. De eskadercommandant deelde flesjes Franse geurigheid uit aan alle vrouwen die toevallig op het vliegveld waren, inclusief het Landhulp-meisje dat op haar fiets drie dozijn niet-gedistribueerde eieren en drie liter melk voor het Vrijheidsontbijt kwam brengen.

Vrijheid, o vrijheid. Zelfs met alle tekorten, en de verduistering en de bommen en de regels en het dagelijks leven dat meestal zo kleurloos en saai is – als je het Kanaal oversteekt, ben je vrij. Wat simpel, en wat verbijsterend eigenlijk dat in Frankrijk niemand leeft zonder angst, zonder argwaan. Ik bedoel niet de naakte angst voor de vuurdood. Ik bedoel de geniepige, demoraliserende angst voor trouweloosheid, voor verraad, voor wreedheid, de angst om monddood gemaakt te worden. De angst dat je buurman of het meisje dat eieren komt brengen niet te vertrouwen is. Maar eenentwintig mijl van Dover. Wat zouden jullie liever hebben: een onuitputtelijke voorraad Chanel No. 5 of vrijheid?

Stomme vraag.

Ik ben op het punt in mijn verslag aanbeland waar ik het onvermijdelijk over mezelf vóór Ormaie moet gaan hebben. En ik wil het niet.

Ik wil veel liever doorvliegen bij het licht van de maan. In de vijf minuten, of hoe kort het ook was, dat er hiernaast even stilte heerste en ik zowaar in slaap viel, droomde ik dat ik met Maddie vloog. In mijn droom was de maan vol, maar ook groen, felgroen, en ik dacht: *we vliegen in de schijnwerpers!* Maar het licht van schijnwerpers is wit, niet groen; dit was het licht in chartreuse, net zoals dat van de groene flits, en ik vroeg me af hoe ik ontsnapt was. Ik kon me niet herinneren hoe ik uit Ormaie weggekomen was. Maar het maakte niet uit, ik was in Maddies Puss Moth op weg naar huis, ik was veilig, Maddie zat naast me vol vertrouwen aan het stuur en de prachtige groene maan stond vol aan de stille hemel.

God, wat ben ik moe. Ik heb mijn eigen glazen weer eens ingegooid. Ze laten me net zo lang doorwerken tot ze geen mensen meer hebben om op me te passen. Kan niet besluiten of dit goed nieuws is of slecht nieuws, want tegen de oneindige voorraad papier heb ik geen bezwaar, maar ik heb wel mijn koolsoep van vanavond verspeeld en ik heb de laatste paar nachten ook maar weinig geslapen. (Ik wou dat ze het eens OPGAVEN met dat arme Franse kind. Ze zal nooit *een woord* loslaten.)

Wat er gebeurde was dat die arme Fräulein Engel met haar rug naar de deur vlijtig mijn ontelbare receptenkaarten zat te nummeren toen ik vanmorgen binnen werd gebracht, en dat ik haar de stuipen op het lijf joeg door met de zware, doordringende stem van tucht en gezag 'Achtung, *Anna Engel! Heil Hitler!*' te balken. Ze vloog overeind en salueerde zo fanatiek dat haar schouder bijna uit de kom schoot. Ik heb haar nog nooit zo wit om de neus gezien. Ze herstelde zich vrijwel onmiddellijk en gaf me zo'n harde klap dat ik omviel. Nadat Thibaut me opgeraapt had, gaf ze me puur voor haar plezier nog een klap. Au au au, wat is mijn kaak beurs. Ik denk niet dat ze nog een fop-interview voor me in petto hebben.

Ik weet nooit of zulke dingen de moeite waard zijn. Het was een hilarisch moment, maar het enige wat ik ermee bereikt schijn te hebben, is dat Engel en Thibaut volkomen onverwacht aan het samenzweren zijn geslagen.

Noemde ik ze Laurel en Hardy? Ik bedoelde Romeo en Julia. Dit is flirten op Gestapo's wijze:

Zij: O, wat ben je toch sterk en manlijk, *m'sieur* Thibaut. Die knopen van je zitten zo vast.

Hij: Dat is nog niets. Kijk, ik trek ze zo strak dat je ze niet meer loskrijgt. Probeer maar.

Zij: Het is waar, het lukt niet! O, trek ze nog strakker!

Hij: *Chérie*, ik doe wat jij wilt.

Het zijn mijn enkels, niet de hare, die hij zo stevig en met zo veel manlijke charme vastbindt.

Zij: Ik zal je morgen weer moeten laten komen om dit klusje voor me te klaren.

Hij: Je legt de uiteinden zo over elkaar, en dan knoop je ze achter...

Ik: *Piep! Piep!*

Zij: Kop dicht en schrijven, vies vuil jammerend Schots stuk vreten.

Nee, goed, die woorden gebruikte ze niet. Maar jullie snappen wat ik bedoel.

Er is iets AAN DE HAND. Ze zijn de druk een beetje aan het opvoeren, niet alleen bij mij. Voor de verzetsmensen zijn ze *meedogenloos*. Staat er misschien een inspectie voor de deur? Een bezoekje van Von Lindens mysterieuze baas, de gevreesde ss-*Sturmbahnführer* Ferber (ik zie hoorns en een gevorkte staart voor me)? Misschien heeft hij een onderzoek ingesteld naar Von Lindens werk hier; dat zou verklaren waarom Von L. die aantekeningen van hem op orde probeert te krijgen. Hij wil een goede indruk maken.

Ik doe wanhopig mijn best om mijn gedachten in chronologische volgorde te dwingen. Ik ben heel moe en (zal ik er melodramatisch over doen?) 'flauw van de honger'. Eigenlijk weet ik niet of het door de honger komt dat ik flauw ben, maar ik *heb* grote honger en ik voel me erg licht in mijn hoofd (sinds het debacle met de cognac krijg ik geen aspirine meer). Misschien heeft Engel me een hersenschudding geslagen. Ik ga lijstjes maken, misschien dat ik zo door het volgende stuk heen kom.

	Datum	Vertrek	Bestemming	Terug
(nacht)	sept. '42	vliegveld Buscot, Oxford	? (Special Duties)	Buscot (volgende dag)
	sept.	Buscot	Branston	Buscot
	okt.	Buscot	? (noordoosten)	Newcastle, daarna trein naar Oxford
	okt.	idem	Ipswich	trein naar Oxford
	nov. '42	idem	? (noordoosten)	idem
(nacht)	jan. '43	idem	? (S.D.)	Buscot
	jan.	Oakway	Glasgow	Newcastle, daarna trein naar Manchester
	jan.	Oakway	Glasgow	trein naar Oxford

Het weer in Glasgow was die dag zo verschrikkelijk dat niemand kon opstijgen en iedereen daar vastzat. Ik nam de trein terug, maar Maddie moest wachten op een gat in de wolken. En dat verrekte Glasgow was nog niet klaar met me, dus ik moest er nog een keer heen in

	feb. '43	Oakway	Glasgow	Niet belangrijk

Maart – 5 vluchten, allemaal naar Zuid-Engeland, 2 's nachts
April –
O…

RAF-SPECIAL DUTIES, OVERZEESE VLUCHTEN

Ik nam ook wel eens de trein voor een opdracht, vaker eigenlijk dan dat ik vloog. En Maddie vervoerde behalve mij ook andere mensen, die naar alle waarschijnlijkheid niet hetzelfde werk deden als ik. Maar de vluchten die ik net heb opgesomd, zijn de *belangrijke* vluchten. Vijftien in zes maanden. Maddie nam de geheimhouding serieuzer dan ik. Ik wist nooit hoeveel ze vermoedde. (Niet veel, blijkt. Ze nam het gewoon echt serieus. Ze was haar carrière dan ook begonnen als sp. mw.)

Die nacht in april moesten we weer naar 'dat vliegveld', het geheime vliegveld, dat het Maaneskader gebruikt voor Frankrijk. Jamie was daar inmiddels gestationeerd. Maddie hoorde al een tijdje bij de ingewijden. Ze vertrouwden haar, accepteerden haar, nodigden haar die avond zelfs uit voor het diner. Dat gold helaas niet voor de arme Queenie, die meteen door de gebruikelijke menigte werd weggevoerd. (In het echt telde mijn ontvangstcomité maar drie mensen, onder wie mijn aanbidder de officier van de luchtmachtpolitie, die tegelijk veiligheidsbeambte en Hoofd Worstjesbakker voor De Bungalow is, maar als iedereen groter is dan jij en je geen idee hebt waar ze je naartoe brengen, voelt het algauw als een menigte.) Queenie had een klein reiskoffertje dat ze bij Maddie achterliet, en Maddie wist uit ervaring dat ze haar vriendin pas op zijn vroegst de volgende ochtend weer zou zien. Maddie ging eten met de piloten.

Dat was niet iets wat ze vaak deed, één keer per seizoen misschien, en deze keer was het bijzonder omdat Jamie er was. Hij zou diezelfde nacht nog passagiers wegbrengen en ophalen in een zogenaamde 'dubbele Lysander-operatie', waarbij twee piloten met twee machines naar dezelfde plek in Frankrijk vliegen. Tegelijk steeg er nog een derde vliegtuig op, gebruikmakend van de maan maar officieel niet bij de operatie betrokken: een nieuw lid van het eskader op zijn eerste oefenvlucht naar Frankrijk. Boven het Kanaal zou hij afscheid nemen van de anderen. Daarna zou hij op eigen houtje een stukje Frankrijk in vliegen en zonder te landen rechtsomkeert maken.

Deze jongeman – laten we hem Michael noemen (naar het jongste kind van het gezin Schat in *Peter Pan!*) – maakte zich grote zorgen om zijn navigeerkunst. Hij was net als Jamie bommenwerperpiloot geweest en had altijd een navigator naast zich gehad die zei waar hij naartoe moest, en verder had hij pas een maand geleden voor het eerst op een Lysander gevlogen. Zijn kameraden, die allemaal hetzelfde doorstaan hadden, voelden met hem mee. Maddie niet.

'Je oefent al een *maand* op Lizzies!' zei ze smalend. 'Jeetjemina, hoeveel tijd heb je *nodig*? Of je nu een duikbommenwerper of een gammele ouwe Tiger Moth vliegt, de instrumenten zijn allemaal hetzelfde en de kleppen werken automatisch! Makkelijk zat!'

Iedereen keek haar aan.

'Vlieg jij dan maar eens naar Frankrijk,' zei Michael.

'Als het mocht, zou ik het zo doen,' zei ze jaloers (en zonder aan luchtafweergeschut en nachtjagers te denken).

'Heee, ik heb een ideeee,' zei Jamie, de Pobbel wiens tenen verdwenen, met een overdreven lijzige Schotse tongval. 'Waarom neem je haar niet gewoon mee?'

Maddie had het gevoel dat ze door de bliksem getroffen was. Ze keek naar hem op en zag de vertrouwde gekte schitteren in zijn ogen. Ze was wel zo verstandig om zelf niets te zeggen. Óf de Pobbel zou namens haar een overwinning behalen, óf ze kon niet mee.

De anderen begonnen te lachen en overlegden kort. De Engelse soe-agent die die nacht afgezet zou worden, was het er niet mee eens. De piloten van het Maaneskader, noodzakelijkerwijs een stel onbesuisde idioten, stelden het aan hun commandant voor. Die stond duidelijk in dubio, maar vooral omdat Michael geacht werd solo te vliegen.

'Ze kan hem toch moeilijk helpen vliegen van achter in die Lysander, of wel soms?'

'Ze kan hem zeggen wat hij moet doen. Hem op koers houden als hij afwijkt.'

Jamie schoof zijn lege bord aan de kant, leunde met zijn handen in zijn nek achterover in zijn stoel en floot zachtjes.

'Poehee! Wou je beweren dat zij een betere piloot is dan onze eigenste Michael?'

Ze staarden allemaal naar de zwijgende Maddie, die er in haar burgeruniform, met haar gouden vleugels en gouden strepen (ze was inmiddels 'eerste vliegenier'), keurig verzorgd en officieel uitzag. De enige die ze durfde aan te kijken was de agent die die nacht zou worden afgezet. Hij zat afkeurend zijn hoofd te schudden, maar leek tegelijk te zeggen: *als je zo nodig moet, ík zwijg als het graf.*

'Ik twijfel er niet aan dat ze een betere piloot is,' zei de commandant.

'Waarom vliegt ze dan in vredesnaam aftandse Tiger Moths heen en weer? Bel die rottige machiavellistische inlichtingenofficier en vraag om toestemming,' opperde Jamie.

Michael zei opgewonden: 'Maar dan geldt het voor mij niet als een operationele overzeese vlucht. Ik kan nog wel wat oefening gebruiken.'

'Als het geen operationele vlucht is,' zei de commandant, 'hoeven we ook Inlichtingen niet te bellen. Ik neem de verantwoordelijkheid op me.'

Maddie had gewonnen. Ze kon het bijna niet geloven.

'Dit komt *niet* buiten deze muren,' zei de commandant, waarop ze hem allemaal uitdrukkingsloos aankeken en onschuldig-onverschillig hun schouders ophaalden. Maddie liep samen met de SOE-agent naar het wachtende toestel. Het grondpersoneel keek haar raar aan.

'Heeft Michael weer hulp nodig met navigeren?' vroeg een van hen vriendelijk, terwijl hij haar met een zetje de ladder op hielp.

Stiekem vond Maddie dat Michael bofte als een klein jongetje met een gezicht vol jam, met zijn kaart waarop elk luchtafweerkanon en elk oriëntatiepunt tot halverwege Frankrijk stond aangegeven.

Achter in het vliegtuig had ze zelf geen kaart, maar wel een fenomenaal uitzicht naar opzij en naar achteren, wat ze normaal natuurlijk niet had, en tijd genoeg om ervan te genieten. Ze had ook een taak: uitkijken naar nachtjagers. Na een klein stukje vliegen over verduisterde Zuid-Engelse dorpen waren ze bij de kust. Door de grote gouden maan waren de blauwe lichtjes op de vleugelpunten van de Lysanders vóór hen bijna niet van sterren te onderscheiden. Deinend en knipperend verdwenen ze telkens even uit haar gezichtveld, maar Maddie wist waar ze was. Die rivier, die kalksteengroeve, dat estuarium in het glinsterende licht – vertrouwde herkenningspunten. Dan de ongelooflijk heldere pracht van het Kanaal, een glanzende, grenzeloze lap blauwe zilverlamé. Maddie zag de zwarte silhouetten van een konvooi schepen onder zich. Hoe lang zou het duren voor de Luftwaffe ze in de gaten kreeg?

'Hé, Michael!' riep Maddie door de intercom. 'Je moet niet achter de anderen aan Frankrijk in! Het is toch de bedoeling dat je nu van koers verandert en in je eentje verder naar het zuiden vliegt?'

Ze hoorde een boel gevloek voor de piloot zich vermande en een nieuwe koers koos. Toen hoorde ze een schaapachtig: 'Bedankt, man.'

Bedankt, man. Maddie barstte bijna van trots en plezier. *Ik hoor erbij,* dacht ze. Ik ben op weg naar Frankrijk. Ik ben al zowat *operationeel.*

Diep in haar buik koesterde ze twee zeurende, knagende angsten: 1) dat ze beschoten zouden worden, en 2) dat ze naar de krijgsraad moesten. Maar ze wist dat Michaels route zorgvuldig zo was uitgestippeld dat ze geen geschut en vliegvelden tegen zouden komen, en dat het moment waarop ze het scheepskonvooi kruisten waarschijnlijk het gevaarlijkste was geweest. Als ze veilig thuiskwamen, zou de krijgsraad niet nodig zijn. Als ze *niet* veilig thuiskwamen, tja, dan was de krijgsraad ook geen probleem meer.

Ze zaten nu boven de spookachtige witte kliffen van Oost-Normandië. De lussen van de Seine lagen als afgewikkeld zilverdraad te glanzen onder de bakboordvleugel. Maddie hield haar adem in bij de achteloze schoonheid van de rivier, en opeens zat ze kinderlijke tranen te huilen, niet alleen om haar eigen belegerde eiland, maar om heel Europa. Hoe bestond het dat het allemaal zo griezelig en grondig de mist in was gegaan?

Er waren geen lichtjes te zien boven Frankrijk, het land was net zo verduisterd als Groot-Brittannië. De lampen van Europa waren gedoofd.

'*Wat is dat!*' hijgde ze in de intercom.

Michael zag het op hetzelfde moment en maakte een scherpe bocht. Hij begon te cirkelen, een tikje te steil in het begin, maar allengs beheerster. Onder en voor hen lag, als een huiveringwekkende kermis, een rechthoek van schel wit licht in het verder verduisterde landschap.

'Dat zou het laatste oriëntatiepunt moeten zijn!' zei Michael.

'Mooi oriëntatiepunt! Is het een vliegveld? Dan is het verdorie wel operationeel, zeg!'

'Nee,' zei de piloot langzaam. Hij vloog met een boog terug om nog een keer te kijken. 'Nee, volgens mij is het een gevangenenkamp. Kijk, de lampen staan rond het hek. Zo zien ze het als er iemand probeert te ontsnappen.'

'Zit je wel goed?' vroeg Maddie weifelend.

'Zeg jij het maar.' Maar het kwam er met vertrouwen uit. Hij propte zijn bewegwijzerde kaart door de opening in de afscheiding, samen met een zaklampje. 'Houd die bedekt,' zei hij. 'Twintig mijl verder naar het oosten ligt *wel* een vliegveld. Daar probeer ik uit de buurt te blijven. Ik heb helemaal geen behoefte aan een escorte.'

Onder een tent die ze maakte van haar uniformjasje bestudeerde Maddie de kaart. Voor zover ze kon zien, zat Michael in de goede richting. Het felverlichte gevangenishek lag vlak bij een spoorbrug over een rivier, die het keerpunt zou moeten zijn. Maddie deed de zaklamp uit en tuurde uit het raam, halfblind na haar poging om in het licht de kaart te lezen. Maar ze zag wel dat ze omgekeerd waren.

'Je had dus toch geen hulp nodig,' zei ze, en ze gaf hem zijn kaart en zaklamp terug.

'Als jij niet gezegd had dat ik van koers moest veranderen, was ik zomaar achter Jamie aan naar Parijs gevlogen.'

'Hij gaat toch niet naar Parijs?'

Michael antwoordde jaloers: 'Hij zal de Eiffeltoren geen zoentje kunnen geven, maar hij gaat wel een stel Parijse agenten oppikken. Hij moet een flink stuk buiten de stad landen.' Daarna voegde hij er op nuchterder toon aan toe: 'Toch ben ik reuzeblij dat je meegegaan bent. Ik schrok van dat kamp. Ik was er zo zeker van dat ik goed zat, en toen...'

'Je zat ook goed.'

'Ik ben reuzeblij dat je meegegaan bent,' herhaalde Michael.

Hij zei het nog een derde keer toen ze twee uur later in Engeland landden. De commandant grijnsde opgelucht en verwelkomde hen met een toegeeflijk knikje. 'Konden jullie het vinden?'

'Geen probleem, behalve op het eind, toen het oriëntatiepunt naast een verdomd grote gevangenis bleek te liggen!'

De commandant lachte. 'Je hebt het dus inderdaad gevonden, beste kerel. Dat kamp is de eerste keer altijd een verrassing. Maar het bewijst dat je er gekomen bent. Of had je hulp?'

'Hij heeft het helemaal alleen gevonden,' zei Maddie naar waarheid. 'Heel erg bedankt dat ik mee mocht.'

'Voorjaar in Parijs, hè?'

'Dat zou mooi zijn.' Maddie smachtte naar Parijs, ingesloten, onbereikbaar, ver Parijs.

'Dit jaar nog niet. Volgend jaar misschien!'

Michael ging fluitend naar bed. Maddie zocht haar weg door de verduisterde Bungalow met zijn liedje in haar hoofd. Even later herkende ze het als 'The last time I saw Paris'. De laatste keer dat ik in Parijs was.

EVALUATIE

Het was bijna vier uur in de ochtend toen Maddie, overlopend van vervoering, de kamer die ze met Queenie deelde in sloop. Ze controleerde de verduisteringsgordijnen en stak een kaars aan, want ze wilde Queenie niet wakker maken met het grote licht. Maar Queenies bed was leeg en nog opgemaakt, de sprei er strak en glad omheen. Queenies reiskoffertje stond ongeopend aan het voeteneind, waar Maddie het eerder zelf had neergezet. Waar Queenie ook voor gekomen was, ze was er nog steeds mee bezig.

Maddie trok haar pyjama aan en kroop onder de dekens, met een hoofd vol lucht en maan en zilveren Seine. Ze sliep niet.

Queenie kwam om halfzes. Ze vroeg zich niet af of ze Maddie wakker zou maken en keek niet eens of de gordijnen dicht waren. Ze knipte de grote lamp aan het plafond aan, hees haar koffertje op het kale bureau en haalde haar borstel en haar voorgeschreven WAAF-pyjama eruit. Daarna ging ze in de spiegel naar zichzelf zitten kijken.

Maddie keek met haar mee.

Queenie zag er anders uit. Haar haar zat zoals altijd opgestoken, maar niet in de kenmerkende Franse wrong waarmee ze gisteravond vertrokken was. Queenies haar was vanaf haar voorhoofd strak naar achteren getrokken en zat in een harde knot in haar nek. Het was geen flatteus kapsel. Het maakte haar alledaagser. Haar gezicht was opgemaakt met fletse kleuren – ook al niet flatteus. Om haar mond lag een harde trek die Maddie nooit eerder had gezien.

Maddie keek toe. Queenie legde de borstel neer en trok langzaam haar blauwe WAAF-jasje uit. Na een paar tellen besefte Maddie dat ze voorzichtig te werk ging, niet langzaam, alsof het pijn deed om haar schouders te bewegen. Ze trok haar blouse uit.

Haar ene arm zat onder de bloeduitstortingen, rood op weg naar paars, de onmiskenbare afdrukken van een grote, wrede hand die haar stevig had beetgepakt en een poosje niet meer los had gelaten. Rond haar hals en op haar schouders zaten dezelfde lelijke plekken. Iemand had een paar uur geleden geprobeerd haar te wurgen.

Ze voelde voorzichtig aan haar keel en strekte haar hals om in de spiegel op de toilettafel de schade op te nemen. Het was niet al te warm in de kamer, en na een minuut of twee begon Queenie met een zucht het katoenen jasje van haar mannenpyjama aan te trekken. Ze bewoog nog steeds heel voorzichtig. Toen stond ze onvoorzichtig op en rukte alle haarspelden uit haar strakke knot. Met een giftige haal veegde ze de beige lippenstift van haar mond. Plotseling zag ze er weer meer uit als zichzelf, maar dan een beetje verfomfaaid, alsof ze een masker had afgetrokken. Ze draaide zich om en zag Maddie kijken.

'Hallo,' zei Queenie met een scheve grijns. 'Ik wilde je niet wakker maken.'

'Deed je ook niet.' Maddie wachtte.

'Heb je het gezien?'

Maddie knikte.

'Het doet heus geen pijn,' zei Queenie verbeten. 'Niet zo erg. Alleen… het was hard werken vanavond. Ik moest wat meer improviseren dan anders, het wat scherper spelen…'

Ze graaide bruusk naar haar sigaretten in haar uniformjasje. Maddie keek zwijgend toe. Queenie ging op het voeteneind van Maddies bed zitten en stak een sigaret op. Haar handen trilden een beetje.

'Raad eens waar ik vanavond met de jongens heen ben geweest,' zei Maddie.

'Naar de kroeg?'

'Naar Frankrijk.'

Queenie draaide zich met een ruk naar haar om en zag de hemel en de maan weerkaatst in Maddies ogen.

'*Frankrijk!*'

Maddie sloeg haar armen om haar knieën, nog tollend van de magie en het gevaar van die gestolen vlucht.

'Dat hoor je me helemaal niet te vertellen,' zei Queenie.

'Nee,' gaf Maddie toe. 'Ik hoorde niet eens mee te gaan. Maar we zijn er niet geland.'

Queenie knikte en bestudeerde haar sigaret. Maddie had haar vriendin nog nooit zo verloren gezien.

'Weet je hoe je er daarnet uitzag,' zei Maddie, 'toen je binnenkwam met je haar in zo'n strenge schooljuffrouwenknot? Je zag eruit als…'

'… *eine Agentin der Nazis*,' vulde Queenie aan, waarna ze een lange, bevende trek van haar sigaret nam.

'Wat? O. Ja. Als een Duitse spionne. Of tenminste, zoals je je een Duitse spionne voorstelt, blond en eng.'

Queenie bekeek zichzelf met een kritische blik. 'Ik denk dat ik een tikje te klein ben voor het arische ideaal,' zei ze. Ze strekte opnieuw haar hals, voelde voorzichtig aan haar beurse arm en bracht de sigaret weer naar haar mond, met vastere hand deze keer.

Maddie vroeg niet wat er gebeurd was. Ze was anders nooit zo benauwd. Ze hield zich niet bezig met de witvisjes aan de oppervlakte als er dieper in het water ook vette zalmen zwommen.

'Wat *doe* je eigenlijk precies?' vroeg Maddie zacht.

'"Loslippigheid kost mensenlevens,"' antwoordde Queenie prompt.

'Ik ben niet loslippig,' hield Maddie vol. '*Wat doe je eigenlijk?*'

'Ik spreek Duits. *Ich bin eine…*'

'*Doe gewoon*,' zei Maddie. 'Je vertaalt… Wat? Voor wie vertaal je?'

Queenie keek haar aan met de strakke blik van een opgejaagd knaagdier.

'Vertaal je voor krijgsgevangenen? Je werkt voor de inlichtingendienst… Vertaal je tijdens verhoren?'

Queenie verstopte zich in een rookwolk.

'Ik vertaal niet,' zei ze.

'Maar je zei…'

'Nee.' Ook Queenies stem klonk nu zacht. 'Dat zei jij. Ik zei dat ik Duits spreek. Maar ik vertaal niet. Ik verhoor.'

Belachelijk dat je niet allang geraden hebt wat voor werk ik deed, Amadeus von Linden. Ik prutste aan radio's, net als jij.

En net als jij was ik er *verrekte goed* in.

We hanteren verschillende methodes.

'Op het werk', als het ware, heet ik Eva Seiler. Dat was de naam die ze me tijdens de opleiding gaven. We moesten volledig in ons alter ego opgaan, en ik raakte eraan gewend. Seiler is de naam van mijn school, dat was gemakkelijk te onthouden. Mensen die per ongeluk Scottie tegen me zeiden, werden gestraft. Als ik Engels spreek, doe ik makkelijker een Orkney-accent na dan een Duits accent, dus daar hield ik me aan toen ik eenmaal operationeel was – obscuur en moeilijk thuis te brengen.

Die eerste dag, die allereerste opdracht… De volgende ochtend, toen ze in De Bungalow champagne en parfum uitdeelden, was iedereen toch zo opgewonden? Ik had een dubbelagent te pakken genomen. Een Duitse spion die zich voordeed als koerier van het Franse verzet. Ze verdachten hem al een tijdje en wilden dat ik erbij was als ze hem naar Engeland haalden. Ik overrompelde hem op het moment dat zijn energie- en adrenalinepeil een dieptepunt hadden bereikt (hij was net uit Frankrijk gesmokkeld en had, net als de rest, een lange nacht achter de rug). Hij stond bekend als rokkenjager, en toen ik me in dat ijskoude verhoorkamertje lachend en huilend en Duits kraaiend op hem stortte, had hij niet het lef om toe te geven dat hij me niet herkende. De kamer werd afgeluisterd, ze hoorden precies wat we zeiden.

Zo makkelijk ging het niet altijd, maar die keer effende wel het pad voor me. Meestal waren die mannen zo radeloos of in de war als ik met mijn neutrale Zwitserse accent en geruststellend officiële controlelijst in beeld verscheen dat ze dankbaar en behulpzaam, zo niet volslagen betoverd reageerden. Maar die nacht niet, niet die nacht in april toen Maddie naar Frankrijk vloog. De man die ik die avond verhoorde geloofde niet in me. Hij beschuldigde me van verraad. Verraad jegens het vaderland. Hoe haalde ik het in mijn hoofd om voor de vijand, voor de Engelsen, te werken? Hij noemde me een collaborateur, een landverrader, een vuile Engelse hoer.

De grootste fout van die lamstraal was dat hij me ENGELS noemde. Dat maakte mijn razernij volkomen geloofwaardig. Een hoer, dat weten we allemaal, vuil, ongetwijfeld, maar wat ik verder ook ben, IK BEN NIET ENGELS.

'Jij bent degene die het vaderland in de steek heeft gelaten, *jij* bent gepakt,' beet ik hem toe, 'en *jij* zult terecht moeten staan als je terug wordt gebracht naar Stuttgart...' (ik herkende zijn accent; stom toeval en een schot in de roos) '... ik doe alleen maar mijn werk als verbindingsofficier tussen Berlijn en Londen...' (jazeker, dat zei ik) '... en hoe DURF je me ENGELS te noemen!'

Op dat moment vloog hij op me af (we binden deze mannen meestal niet vast) en nam hij mijn hoofd in een ijzeren greep.

'Roep om hulp,' beval hij.

Ik had me kunnen bevrijden. Ik ben erop getraind om me tegen zulke aanvallen te verdedigen, wat ik in het straatgevecht volgend op mijn arrestatie geloof ik wel bewezen heb.

'Waarom?' Nog steeds uit de hoogte.

'Roep om hulp. Laat je door je Engelse bazen redden of ik breek je nek.'

'De Engelsen om hulp vragen, *dat* is pas collaboreren,' hijgde ik koeltjes. 'Ik heb *niets* van die Engelsen nodig. Breek mijn nek maar.'

Ze keken mee, natuurlijk. Er zit een smal raampje tussen de verhoorkamer en de keuken waar ze doorheen kunnen kijken, en als ik om hulp had geroepen of de indruk had gewekt dat ik de situatie niet volledig de baas was, zouden ze me inderdaad zijn komen redden. Maar ze zagen wat ik deed, hoe smal het koord was waarop ik balanceerde, en ze beten op hun nagels en lieten het aan mij over om dat gevecht te winnen.

En ik won ook. Het eindigde ermee dat hij huilend op de grond zakte, zich aan mijn been vastklampte en om genade smeekte.

'Zeg me wat je opdracht is,' beval ik. 'Zeg me wie je contactpersonen zijn, en ik zal kijken wat ik er voor de Engelsen uit filter. Zeg het mij, en je bekent tegenover een landgenote en verraadt de vijand niets.' (Ik schaam me nergens voor.) 'Zeg het mij, en ik vergeef je misschien dat je me wilde vermoorden.'

Toen werd zijn gedrag pas echt gênant, en na afloop gaf ik hem een kus op zijn hoofd alsof ik hem zegende. De onbeschofte boer.

Vervolgens riep ik toch nog om hulp. Maar ik deed het om de draak met hem te steken, niet omdat ik bang was.

Goed gespeeld, kindje. Jij hebt wel stalen zenuwen, zeg! Reuzegoed gespeeld, eersteklas.

Ik liet niet merken hoeveel pijn hij me had gedaan, en ze kwamen niet op het idee om ernaar te vragen. Dankzij de stalen zenuwen van die avond kwam ik zes weken geleden in Frankrijk aan.

Toen ik me verkleedde – voor een verhoor draag ik nooit mijn WAAF-uniform – vergat ik mijn haar weer gewoon te doen. Dat was een foutje. De stalen zenuwen merkten ze op, maar niet het foutje. Ze zagen niet dat hij me pijn had gedaan en ze zagen niet dat ik van tijd tot tijd kleine, noodlottige foutjes maak.

Maar Maddie zag het allebei.

'Kruip onder de warme deken,' zei ze.

Queenie doofde haar sigaret en deed het licht uit. Maar ze stapte niet in haar eigen bed, ze kroop naast Maddie. Maddie sloeg haar armen voorzichtig om de beurse schouders, want haar vriendin trilde nu van top tot teen. Dat was eerder niet zo geweest.

'Het is geen leuk werk,' fluisterde Queenie. 'Het is niet zoals jouw werk, onschuldig.'

'Ik ben niet onschuldig,' zei Maddie. 'Iedere bommenwerperpiloot die ik aflever gaat eropuit om mensen te doden. Burgers. Mensen zoals mijn opa en oma. Kinderen. Dat ik het niet zelf doe, betekent niet dat ik niet verantwoordelijk ben. Ik lever *jou* af.'

'Een seksbom,' zei Queenie, proestend van het lachen om haar eigen grap. Toen begon ze te huilen.

Maddie hield haar heel licht vast, met de bedoeling los te laten zodra haar vriendin stopte met huilen. Maar ze bleef zo lang huilen dat Maddie in slaap viel. Dus liet ze helemaal niet los.

Mijn minnende harte tracht en smacht –
al weet het niemand – naar iemand!
Ik waakte geerne bij middernacht,
uit loutere liefde tot iemand!

Beschermers der gelieven, gij,
wacht, engelen, over dien iemand!
Houdt hem van alle rampen vrij
en schenkt mij weder dien iemand!

In bos en beemd, die kindertijd
één bloemrijk visioen,
maar we verdwaalden in 's levens strijd,
ondanks vriendschap van toen.

O, vriendschap van destijds, mijn vriend,
o, vriendschap van toen,
drink deze beker uit, mijn vriend
op vriendschap van toen!

Goden, wat ben ik *moe*. Ze hebben me de hele nacht beziggehouden. Mijn derde nacht zonder slaap. Met te weinig slaap, in elk geval. Ik herken geen van mijn bewakers; Thibaut en Engel zitten knus in hun pension en Von Linden is die gillende Française aan het martelen.

Ik vind het fijn om over Maddie te schrijven. Ik vind het fijn om terug te kijken. Om te reconstrueren, me te concentreren, het verhaal vorm te geven, herinneringen samen te voegen. Maar ik ben zo moe. Vannacht kan ik niets meer vormgeven. Zodra het erop lijkt dat ik wil stoppen, dat ik me wil uitrekken, een nieuw vel papier wil pakken, mijn ogen wil uitwrijven, houdt die *vieze* hufter zijn sigaret tegen mijn nek. Dit schrijf ik alleen om te voorkomen dat hij me brandt. Hij leest geen Engels (of Schots), en zolang ik bladzijde na bladzijde blijf vullen met regels uit 'Tam o' Shanter' doet hij me geen pijn. Ik houd het niet eeuwig vol, maar ik ken wel verschrikkelijk veel Robert Burns uit mijn hoofd.

Burns, haha, Burns tegen brandwonden.

Onthoofd me of hang me, het is me om het even –
AUCHINDOON BRAND IK PLAT voor ik klaar ben met leven

Brand brand brand brand
O god, die foto's.
brand
Maddie.
Maddie

Von Linden zelf heeft gisteravond een einde aan het gebeuren gemaakt. Hij kwam als de cavalerie de kamer binnen gestormd en graaide de bladzijden bij elkaar, terwijl ik met mijn ogen dicht plat op mijn gezicht in een plas inkt op tafel viel.

'Godallemachtig, Weiser, ben je wel helemaal goed wijs? In deze toestand produceert ze toch niets lezenswaardigs! Kijk dan: dit zijn *dichtregels*. Engelse rijmelarij. Bladzijden vol!' Vervolgens maakte de Duitse cultuurbarbaar propjes van alles wat ik me van 'Tam o' Shanter' herinner. Ik denk dat hij meer Engels leest dan hij laat merken, als hij Burns als Engels herkent. 'Verbrand deze rotzooi. Ik krijg al meer dan genoeg irrelevante onzin van haar zonder dat jij haar aanmoedigt! Geef haar water en breng haar terug naar haar kamer. En *doe die smerige sigaret weg*. Daar hebben we het morgen nog wel over.'

Zo'n emotionele uitbarsting had ik nog nooit van hem gehoord, maar ik denk dat ook hij oververmoeid is.

O ja, en ENGEL heeft GEHUILD. Haar ogen zijn vuurrood en ze snuit voortdurend haar neus, die ook rood is. Ik zou wel eens willen weten wat Bewaakster-van-dienst Fräulein Engel op de zaak aan het grienen krijgt.

VOORBEREIDINGEN OP EEN OPERATIE

Na dat rampzalige verhoor in april (voor de inlichtingendienst was het vast niet rampzalig, maar Eva Seiler kwam er een tikje gehavend uit) kreeg Berlijns verbindingsofficier een week verlof om 'na te denken over haar werk' en de vraag of ze ermee door wilde gaan. Met andere woorden, Queenie kreeg de kans om zich bevallig terug te trekken. Ze bracht de week door in Castle Craig met mevrouw haar moeder, de lankmoedige mevrouw Schat (als het ware). Mevrouw Schat had nooit een flauw idee wat haar zes kinderen zoal uitspookten of wanneer ze kwamen of gingen, en ze was bepaald niet ingenomen met de blauwe plekken op de Keltisch-blanke huid van haar fijngebouwde dochter.

'Piraten,' zei Queenie. 'Kapitein Haak bond me aan de mast vast.'

'Als deze afschuwelijke oorlog voorbij is,' zei haar moeder, 'dan wil ik *het naadje van de kous* weten.'

'*Het naadje van de kous* valt onder het beroepsgeheim, en ik word voor de rest van mijn leven in de gevangenis gegooid als ik je ooit iets over mijn werk vertel,' zei Queenie. 'Vraag er dus maar niet meer naar.'

Ross, de jongste van de evacués uit Glasgow, ving dit gesprek toevallig op – gelukkig dus maar dat Queenie tegenover mevrouw niets losgelaten had (loslippigheid kost mensenlevens et cetera) –, en de lieftallige, officieel ogende radiotelegrafiste werd de heldin van de Partizanen van Craig Castle: *ze was gevangengehouden door piraten.*

(Ik ben gek op die jochies, echt waar. Luizen of geen luizen.)

In die week ook begon Queenies lieve, elegante Franse kindermeisje, de gezelschapsdame van mevrouw, in een aanval van moederlijk medeleven een trui voor Queenie te breien. Bij gebrek aan materiaal, als gevolg van schaarste en rantsoenering, gebruikte ze een prachtige wol in de kleur van een zonsondergang, waarvoor ze een pakje uithaalde dat in 1912 door de duurste modeontwerpster van Ormaie voor haar gemaakt was. Ik vermeld het ontstaan van mijn trui hier speciaal omdat ik het als onderdeel van het eindspel beschouw, alsof mijn arme, liefhebbende kindermeisje een soort Madame Defarge was, die mijn lot onverbiddelijk verknoopte met de steken van dit groots uit de strijd gekomen kledingstuk. Het lijkt in niets op een echte legertrui, maar hij heeft de oorlog gezien; de bloedvlekken bewijzen het. Bovendien is hij warm en modieus – dat wil zeggen: hij herinnert nog vaag aan mode. Hij blijft warm.

Aan het eind van mijn week nadenken besloot ik dat ik, net als mijn dubieuze voorvader Macbeth, al zo diep in figuurlijk bloed stond dat omkeren geen zin meer had. Bovendien vond ik het *heerlijk* om Eva Seiler te zijn. Ik vond het toneelspelen heerlijk en het uiterlijk vertoon en alle geheimzinnigheid eromheen, en ik maakte mezelf wijs dat ik belangrijk was. Zo nu en dan ontlokte ik wat je noemt bruikbare informatie aan mijn 'cliënten'. Locaties van vliegvelden. Vliegtuigtypes. Geheime codes. Dat soort dingen.

Hoe dan ook, na dat verhoor in april dacht iedereen, Eva incluis, dat een nieuwe omgeving haar goed zou doen. Een paar weken op het Europese vasteland misschien, waar ze zich met haar koelbloedigheid en talenkennis en deskundigheid op het gebied van radiotelegrafie nuttig kon maken in bezet Frankrijk.

Op dat moment leek het een goed idee.

Wisten jullie (vast wel) dat de levensverwachting van een r-tel., of 'draad', zoals we ook wel zeggen, in vijandelijk territorium maar zes weken bedraagt? Zo lang doet jullie peilapparatuur erover om een verborgen zender op te sporen. De rest van een verzetsgroep, het netwerk van contactpersonen en koeriers die zich in het donker verschuilen en explosieven hamsteren en boodschappen overbrengen die niet aan de postbode kunnen worden overgelaten, verplaatst zich elke dag en komt nooit twee keer op dezelfde plek samen. In het centrum van de kring zit de telegrafist stil en kwetsbaar, omringd door apparatuur die lastig te vervoeren is en moeilijk te verbergen, verstrikt in een vast web van signalen en codes, zoemende elektrische bakens die jullie peilers aanlokken als neonletters.

Het is zes weken geleden dat ik hier landde. Dat is dus geen slechte score voor een radiotelegrafiste, al zou het feit dat ik zo lang in leven heb weten te blijven meer gewicht in de schaal leggen als het me ook daadwerkelijk gelukt was om vóór mijn arrestatie een zender op te zetten. Nu leef ik echt in geleende tijd. Er valt weinig meer te verraden.

Maar Fräulein Engel zal het fijn vinden als ik het verhaal afmaak door over Maddies operationele vlucht naar Frankrijk te vertellen. *Daarvoor* zal er wel iemand voor de krijgsraad gesleept worden. Ik weet alleen niet wie.

Het was de bedoeling dat de commandant van het s.d.-eskader me naar Frankrijk bracht. Het Maaneskader had het wat zwaar tegen eind september. Ze hadden een geweldig succesvolle zomer achter de rug, waarin ze rond de tien vluchten per maand hadden uitgevoerd, twee keer zo veel agenten als normaal hadden afgeleverd en ontelbare vluchtelingen hadden opgepikt, maar door beschietingen en ongelukken waren er op dat moment nog maar vier Lysander-piloten over en één van die vier had zo'n hevige griep dat hij niet op zijn benen kon staan (uitgeput waren ze allemaal). Jullie snappen welke kant dit op gaat.

Voor mij duurden de voorbereidingen maanden. Een tweede parachutetraining, daarna uitvoerige veldoefeningen waarbij ik in een echte stad (een die ik niet kende; ze stuurden me ervoor naar Birmingham) gecodeerde boodschappen voor contactpersonen moest achterlaten en zogenaamd clandestiene pakketjes moest laten ophalen. Het grootste gevaar is dat een politieagent je verdachte bezigheden opmerkt en je arresteert. In dat geval is het heel lastig om je eigen instanties ervan te overtuigen dat je niet voor de vijand werkt.

Dan waren er nog de specifieke voorzorgen die met mijn eigenlijke opdracht te maken hadden: al die pokkenzenders tien keer uit elkaar halen en weer in elkaar zetten, zorgen dat mijn kleren niet zouden verraden dat ik uit Engeland kwam door alle etiketten eruit te knippen (het is duidelijk waarom de trui, volkomen anoniem en gemaakt van resten lokaal geproduceerde wol, zo'n ideaal kledingstuk is). Massa's code uit het hoofd leren. Jullie weten (maar al te goed) dat de radiocodes gebaseerd worden op gedichten, omdat ze dan makkelijker te onthouden zijn, en ik hoopte eigenlijk dat Von Linden zijn codekrakers hun tanden in 'Tam o' Shanter' zou laten zetten, zodat ik ze kon uitlachen. Maar hij trapt er niet in.

Daarna onderwierpen ze me aan de akeligste exercities om te zien of ik bij mijn verhaal kon blijven. Ze vonden het heel moeilijk om een verhoor voor me op touw te zetten. De meeste mensen vinden het onprettig om midden in de nacht hun bed uit gesleept te worden voor verhoor, maar ik *kon* het gewoon niet serieus nemen. Ik kende de procedure maar al te goed. Na vijf minuten zaten we te kibbelen over het protocol of begon ik ergens onbedaarlijk om te lachen. Op het laatst blinddoekten ze me en hielden ze bijna zes uur lang een geladen revolver tegen mijn achterhoofd. Het was luguber en doodvermoeiend en uiteindelijk had ik wel een beetje de bibbers. (Dat gold voor ons allemaal. Het was niet leuk.) Maar ik was geen moment *bang*. Je *wist* gewoon dat je niets zou overkomen. Omdat de ondervragers elkaar steeds afwisselden, waren er een heleboel mensen bij betrokken, en mijn meerdere weigerde te zeggen wie het geweest waren. Om hen te beschermen, natuurlijk. Twee weken later gaf ik hem een lijst met verdachten, die voor negentig procent correct bleek te zijn. Een paar dagen lang had ik gewoon *iedereen* met die strakke knaagdierenogen aangekeken, en in de week daarna trakteerden alle mannen die er die avond bij waren geweest me op een drankje. De vrouwen waren minder doorzichtig, maar ik had zo de zwarte markt op gekund met alle chocola en sigaretten die ze me toestopten. Schuld is een meesterlijk wapen.

Eenmaal mentaal voorbereid hoefde ik alleen nog te pakken: sigaretten (om weg te geven en mensen mee om te kopen), kledingbonnen (vervalst en/of gestolen), rantsoenkaarten, twee miljoen frank in kleine coupures (geconfisqueerd – ik word misselijk als ik eraan denk), pistool, kompas, verstand. En daarna was het wachten op de maan. Ik was er heel goed in om van het ene op het andere moment in actie te komen, dat had ik wel geleerd (net als gedichten in mijn hoofd stampen), maar dit wachten, wachten, wachten op de maan, dit op je nagels bijten terwijl de maan minuscule hapjes van de hemel neemt, is een regelrechte beproeving. Je zit de hele ochtend bij de telefoon, springt zowat uit je vel als hij overgaat, en als er dan te veel mist boven het Kanaal hangt of het Duitse leger de boer in wiens akker je zou landen onder bewaking heeft geplaatst, heb je de rest van de dag weer vrij. Dan kun je alleen maar rondhangen en je afvragen of je het kunt verdragen om voor de zesde keer in een rokerige zaal naar *Leven en dood van kolonel Blimp* te gaan kijken, en of je problemen krijgt als je het doet, omdat de premier de film afkeurt en je stiekem een oogje hebt op de acteur die de nobele Duitse officier speelt en je ervan overtuigd bent dat je commandant dit weet. Net als je besloten hebt dat de premier de pot op kan en je je verheugt op een dromerige middag met de Duitse officier, gaat de telefoon weer en is de operatie begonnen.

Heb ik de goede schoenen aan, vraag je je paniekerig af, en waar heb ik die twee miljoen frank verdomme gelaten?

EEN AFWIJKENDE TAXIVLUCHT

Maddie, de geluksvogel, hoefde dit allemaal niet te doorstaan. Maddie haalde gewoon zoals altijd haar vliegorder op bij de administratie van Oakway, grijnsde bij het zien van de 'v' en de bestemming 'RAF Buscot' – dat betekende namelijk dat ze ergens in de komende vierentwintig uur een kopje thee met haar beste vriendin zou kunnen drinken –, en liep met haar gasmasker en haar vliegenierstas naar de Puss Moth. *Het was routine.* Ongelooflijk om te bedenken hoe gewoon die dag voor haar begon.

Het was nog licht toen we op RAF-Special Duties landden. De maan kwam vroeg op, rond halfzeven, maar vanwege de dubbele zomertijd moesten we lang wachten tot het donker werd. Jamie, roepnaam John, zou die nacht vliegen, en Michael. De roepnamen komen uiteraard allemaal uit *Peter Pan*. De missie van die nacht heette, heel toepasselijk, Operatie Hondsster. Tweede ster rechts, en dan rechtdoor totdat het ochtend is.

Wat vreselijk om het zo te vertellen, hè? Alsof we de afloop niet kennen. Alsof er nog een andere afloop mogelijk is. Het is net als wanneer je Romeo vergif ziet drinken. Telkens wanneer je dat ziet, denk je weer dat zijn vriendin misschien op tijd wakker zal worden om hem tegen te houden. Elke keer wil je schreeuwen: lammeling die je bent, *wacht* nou even, dan doet ze haar ogen open! Hé, *jij*, troela, doe je ogen open, word wakker! Ga nu niet *weer* dood! Maar dat doen ze altijd wel.

OPERATIE HONDSSTER

Hoeveel stapels papier zoals de mijne zouden er verspreid over Europa liggen, als laatste getuigen van onze tot zwijgen gebrachte stemmen, weggestopt in archiefkasten en hutkoffers en kartonnen dozen terwijl wij verdwijnen, oplossen in de nacht en de mist?

Ervan uitgaande dat jullie niet alle herinneringen aan mij zullen verbranden zodra jullie ermee klaar zijn, wil ik hier graag optekenen, voor altijd in amber vastleggen hoe spannend het was om naar Frankrijk te gaan. Hoe ik over de baan huppelde nadat ik op die tintelende oktoberavond uit de Puss Moth was gestapt, de geur van verbrande boombladeren en uitlaatgassen opsnoof en dacht: Frankrijk, Frankrijk! Eindelijk, Ormaie! Heel Castle Craig huilde om Ormaie toen het Duitse leger er drie jaar geleden binnenviel; we zijn hier allemaal eerder geweest, op bezoek bij *la famille de ma grand-mère*. Nu zijn de iepen gekapt en in brandhout en barricades veranderd, de fonteinen staan droog (op die ene na die gebruikt wordt om de paarden te drenken en brand te blussen), en op de Place des Hirondelles is de rozentuin ter herinnering aan mijn oudoom omgespit. Het plein staat nu vol pantservoertuigen. Toen ik aankwam hing er een rij rottende doden aan een balkon van het <u>Hôtel de Ville</u>, het stadhuis. De verschrikkingen van het dagelijks leven hier zijn *onbeschrijfelijk*, en als dit beschaving is, dan zijn mijn kleine hersentjes niet in staat om zich een voorstelling te maken van de verschrikkingen van een oord als Natzweiler-Struthof.

Ik spreek Duits omdat ik Duits *mooi* vind. Wat zou een graad in Duitse letterkunde me hebben opgeleverd? Ik studeerde het omdat ik het *mooi* vond. *Deutschland, Land der Dichter und Denker*, land van dichters en denkers. Maar tenzij ze me naar Ravensbrück sturen, zal ik Duitsland nu *nooit* meer te zien krijgen. Nooit zal ik Berlijn zien of Keulen of Dresden, of het Zwarte Woud of de Rijn, de blauwe Donau. IK HAAT JE, Adolf Hitler, kleine egoïstische etter die je bent, om Duitsland helemaal voor jezelf te houden. JE MAAKT ALLES KAPOT.

Verdorie. Het was niet mijn bedoeling om af te dwalen. Terugdenken wil ik…

Aan mijn bewonderaar de officier van de luchtmachtpolitie schuine streep kok, die na het eten echte koffie voor ons zette. Aan Jamie en Maddie, die in de zitkamer onder de starende glazen ogen van de opgezette vossen en patrijzen op de schoorsteenmantel voor het vuur op het haardkleed lagen, Jamie met zijn blonde hoofd en Maddie met haar slordige donkere krullen samenzweerderig over Jamies kaart gebogen, tegen alle voorschriften in diep in gesprek over de route naar Ormaie. Aan onze hele groep rond de radio, waarop de BBC onze eigen codeboodschap uitzond: '*Tous les enfants grandissent, sauf un*', het bericht waaruit onze ontvangstcomités in Frankrijk konden opmaken wie ze die nacht mochten verwachten. Het is de eerste regel van *Peter Pan*. Alle kinderen worden groot, behalve één. Reken op de bekende jongens, met één uitzondering: vannacht komt er een meisje mee.

Aan de tuin van De Bungalow, waar we in ligstoelen naar de zonsondergang zaten te kijken.

Aan de telefoon die ging, en hoe we allemaal opsprongen.

Het was de vrouw van de eskadercommandant. Peter – zo heet hij niet echt, Engel, rare troel – had die middag met zijn vrouw geluncht. Naderhand had hij haar naar het station gebracht, en bijna onmiddellijk nadat hij haar had afgezet, had hij een akelig auto-ongeluk gehad, waarbij hij de helft van zijn ribben brak en bewusteloos raakte. Zijn vrouw had het niet eerder gehoord omdat haar trein drie uur vertraging had opgelopen nadat hij op een zijspoor was gezet om voorrang te geven aan een troepentrein. Hoe dan ook, Peter zou die nacht niet naar Frankrijk vliegen.

Ik beken dat het mijn idee was om een vervanger te zoeken.

Nadat de sergeant had opgehangen, hapten we allemaal naar adem van verbijstering en schrik en teleurstelling. We hadden ons de hele avond al af en toe hardop verbaasd over Peters late komst, maar we hadden *geen moment* gedacht dat hij niet alsnog ruim voor vertrek zou komen opdagen. En nu was het donker, het BBC-bericht was uitgezonden, in Frankrijk wachtten de ontvangstcomités en de Lysanders stonden klaar met tanks vol brandstof en cabines vol wapens en radiozenders. En Eva Seiler, Berlijns verbindingsofficier voor Londen, die binnenkort de Duitssprekende onderwereld van Ormaie zou binnendringen en vol zat met koffie en lef en codes, stond op en neer te wippen op haar platte hakken.

'Maddie kan wel vliegen.'

Ze weet zich te presenteren, Eva Seiler of wie ze die avond ook dacht te zijn, en mensen besteden aandacht aan wat ze zegt. Ze zijn het niet altijd met haar eens, maar die aandacht dwingt ze wel af.

Jamie lachte. Jamie, lieve Jamie, tedere Pobbel zonder tenen, broer van de verbindingsofficier, lachte en zei met kracht: 'Nee.'

'Waarom niet?'

'Gewoon… nee! Nog los van de regels, ze is niet uitgecheckt…'

'Op een *Lysander*?' zei de verbindingsofficier smalend.

'Nachtvluchten….'

'Die doet ze zonder radio of een kaart!'

'Ik vlieg niet zonder kaart,' verbeterde Maddie, die zo tactvol was om nog geen kleur te bekennen. 'Dat is tegen de regels.'

'Nou, je markeert anders nooit je bestemming of de obstakels, dus dat komt bijna op hetzelfde neer.'

Jamie beet op zijn lip. 'Ze is nog nooit 's nachts naar *Frankrijk* gevlogen,' bracht hij in het midden.

'Je hebt haar zelf naar Frankrijk gestuurd,' zei zijn zusje.

Jamie keek naar Maddie. Michael en de goddelijke agente die Queenie had helpen pakken en de man van de luchtmachtpolitie en de andere spionnen die die nacht zouden vertrekken, keken belangstellend toe.

Jamie speelde zijn troef uit.

'Er is niemand die de vlucht kan aftekenen.'

'Bel die rottige machiavellistische inlichtingenofficier dan.'

'Die valt niet onder het ministerie van Luchtvaart.'

ATA-vliegenier Brodatt zag eindelijk haar kans schoon en overtroefde hem kalm.

'Als het een taxivlucht is,' zei ze, 'kan ik hem zelf aftekenen. Laat me even bellen.'

En ze belde haar commandant om te zeggen dat haar gevraagd was een van haar gebruikelijke passagiers van RAF-Special Duties naar een 'geheime locatie' te brengen. En hij gaf haar toestemming om op te stijgen.

Nu weet hij het.

Nacht und Nebel, nacht en mist. Eva Seiler zal branden in de hel. O… Wist ik nu maar of ik er goed aan heb gedaan. Maar ik zie niet hoe ik dit verhaal moet afmaken zonder het geheim van Eva te onthullen. Ik heb hem beloofd alles te vertellen. En eigenlijk kan ik me niet voorstellen dat het veel invloed zal hebben op mijn lot, wat dat ook moge zijn, als ik haar identiteit bekendmaak.

Omdat ik eergisteren zoveel geschreven had, deed Von Linden er even over om de hele vertaling te lezen, en hij en Engel (of iemand anders) moeten nog door zijn gegaan nadat ze mij gisteravond weer in mijn cel hadden opgesloten. Ik was nog steeds niet helemaal bijgekomen van de excessen van die dag en lag om drie uur 's nachts, of hoe laat hij dan ook binnenkwam, diep te slapen, maar toen de sloten en grendels op mijn deur aan hun officieel klinkende reeks klikken en rammels begonnen, was ik op slag klaarwakker, want het vervult me altijd met een eigenaardige mengeling van wilde hoop en misselijkmakende angst als ze mijn deur openmaken. Ik ben meer dan eens door een luchtaanval heen geslapen, maar als mijn deur opengaat, ben ik meteen OP MIJN HOEDE.

Ik stond op. Tegen de muur aan kruipen heeft geen zin, en ik maak me niet meer druk om mijn haar. Maar de Wallace in mij wil de vijand nog steeds met twee voeten op de grond tegemoet treden.

Het was Von Linden – ik zou bijna zeggen 'zoals gewoonlijk', want hij komt tegenwoordig na zijn werk vaak even een praatje maken over Duitse literatuur. Ik denk dat dit het enige genoegen is dat hij zich in zijn strakke dagprogramma gunt. Parzival als slaapmutsje, om het bloed op de zilveren sterren op zijn zwarte kraag uit zijn hoofd te zetten. Als hij in mijn deuropening staat en vraagt wat ik van Hegel of Schlegel vind, durf ik hem niet minder dan mijn volledige aandacht te schenken (al heb ik hem wel aangeraden moderne schrijvers als Hesse en Mann wat serieuzer te nemen. Wat zouden zijn Berlijnse leerlingen dol zijn op *Narziß und Goldmund!*).

Kortom, het bezoek kwam niet helemaal onverwacht, maar vannacht was het niet 'zoals gewoonlijk'. Zijn ogen fonkelden, hij had een kleur van opwinding en hield zijn handen achter zijn rug om te verbergen dat ze trilden (misschien ook wel om zijn ring te verbergen; zulke tactieken ken ik). Hij gooide de deur zo wijd open dat mijn cel opeens baadde in het elektrische licht van de verhoorkamer en riep ongelovig: '*Eva Seiler?*'

Hij was er net pas achtergekomen.

'Je liegt,' zei hij.

Waarom zou ik *daar* in godsnaam over liegen? Ik ben Eva Seiler. Haha, maar niet heus.

Ik was *stomverbaasd* dat hij van me gehoord had, dat hij kennelijk wist wie Eva Seiler was. Ik durf te wedden dat die imbeciel van een Kurt Kiefer in Parijs zijn mond voorbij heeft gepraat, met zijn opschepperij over al zijn veroveringen. Getver, dat bespottelijke *aanzoek*. Ik had nog gewaarschuwd dat hij niet slim genoeg was om dubbelspion te zijn, zelfs vóór we besloten hem te arresteren.

Goed, Eva was behoorlijk succesvol in het winnen van informatie die de moffen liever niet bij de Britten terecht zagen komen, en misschien is ze zelfs een van vele nageltjes aan de doodkist van de Führer geworden. Maar ik had niet verwacht dat Von Linden zou weten over wie ik het had (anders was ik misschien eerder over haar begonnen). Hoe dan ook, ik verblikte of verbloosde niet. Zo opereer ik. Hier ben ik dus *zo verschrikkelijk goed in*. Geef me een wenk, *één wenk*, en ik begin toneel te spelen. Jij mag wel van goeden huize komen, jongetje.

Ik trok mijn haar naar achteren, zoals ze altijd deden voor die strenge schooljuffrouwenknot, hield het met één hand vast, rechtte mijn schouders en klakte mijn hielen tegen elkaar. Als iemand langer is dan jij, maar

168

je gaat niet te dichtbij staan, kun je toch doen alsof je spottend op hem neerkijkt. Ik zei koel, in het Duits: 'Waarom zou ik *in vredesnaam* doen alsof ik Berlijns verbindingsofficier voor Londen ben?'

'Waar is het bewijs? Je hebt geen geldige papieren,' zei hij ademloos. 'Je bent gepakt met de papieren van Margaret Brodatt, maar Margaret Brodatt ben je ook niet, dus waarom zou je Eva Seiler zijn?'

Ik geloof niet dat hij op dat moment nog wist of hij het tegen *mij* of tegen *Eva* had. (Hij heeft ook last van slaapgebrek, wat met de aard van zijn werk te maken heeft.)

'Eva Seilers papieren zijn toch allemaal vals,' zei ik. 'Die bewijzen sowieso niets.'

Ik zweeg even – tot drie tellen – en kwam wat dichterbij. Twee piepkleine stapjes maar, om hem het gevoel te geven dat ik iets van hem wilde. De afstand tussen ons nog zo groot, twee armlengten misschien, dat hij geen voordeel kon halen uit zijn postuur. Daarna nog een stap, om hem dat voordeel juist wel te gunnen. Ik liet mijn haar los en keek naar hem op, verfomfaaid en vrouwelijk, met grote gevoelige hertenogen. Ik vroeg in het Duits, op geraakte, verwonderde toon, alsof ik het net pas bedacht had: 'Hoe heet uw dochter?'

'Isolde,' antwoordde hij zacht, overrompeld, en hij werd *zo rood als een biet*.

Ik had hem bij de kladden en dat wist hij. Ik sloeg dubbel van het lachen, onmiddellijk weer mezelf.

'Ik heb geen papieren nodig!' riep ik. 'Ik heb geen bewijzen nodig! Ik hoef niet met elektrische naalden en ijswater en accuvloeistof en petroleum te dreigen! Ik stel alleen maar een vraag, en u geeft antwoord! Wat is nu een beter bewijs dan dat ene lieflijke woord van u? *Isolde!*'

'Ga zitten,' beval hij.

'Wat vindt Isolde van uw oorlogswerk?' vroeg ik.

Hij zette nog een laatste stap in mijn richting en maakte nu ten volle gebruik van zijn postuur. '*Zitten.*'

Hij is *echt* intimiderend en ik ben het *zo zat* om gestraft te worden voor mijn ontelbare kleine verzetsdaden. Ik ging gehoorzaam zitten, bevend, want ik verwachtte geweld (niet dat hij me ooit zelf met een vinger heeft

aangeraakt). Ik trok het dekbed om me heen alsof dat me kon beschermen.

'Isolde weet niets van mijn oorlogswerk af,' zei hij. Toen begon hij
opeens zachtjes te zingen:

'*Isolde noch*
Im Reich der Sonne
Im Tagesschimmer
Noch Isolde…
Sie zu sehen,
Welch Verlangen!'

Isolde nog in het domein van de zon, nog in het stralende daglicht. Isolde… Haar te zien, wat een verlangen!

(Dat is Wagner, een van de aria's van de stervende Tristan. Ik kan het
me allemaal niet zo goed herinneren.)

Hij heeft een lichte, nasale tenor. *Prachtig.* Het deed meer pijn dan een
klap in mijn gezicht, dit inkijkje in de tegenstrijdigheden van zijn leven.
En van het mijne, het mijne – HET MIJNE. Isolde bij dag in het licht van
de zon, terwijl ik smoor in nacht en mist, de *onrechtvaardigheid*, de wil-
lekeur en de onrechtvaardigheid van *alles*, dat ik hier zit en Isolde in
Zwitserland, dat Engel geen cognac krijgt en Jamie geen tenen meer
heeft. En Maddie, o lieve Maddie,

MADDIE

Ik trok het dekbed over mijn hoofd en snikte het uit aan zijn voeten.

Toen hield hij heel plotseling op. Hij boog zich over me heen en trok
het dekbed voorzichtig, zonder me aan te raken, van mijn hoofd.

'Eva Seiler,' fluisterde hij. 'Je had jezelf heel wat lijden kunnen besparen als je dit eerder had opgebiecht.'

'Maar als ik dat had gedaan, had ik het niet allemaal kunnen opschrijven,' huilde ik. 'Dus het was het waard.'

'Voor mij ook.'

(Eva Seiler zal wel een mooie buit zijn! Hij dacht dat hij de zoveelste
forel had binnengehaald, maar nu blijkt dat er een vette zalm aan zijn

haak spartelt. Misschien hoopt hij wel op promotie.)

'Je hebt me verlost.' Hij kwam overeind en boog hoffelijk het hoofd. Het was bijna een saluut. Uiteindelijk wenste hij me in het Frans beleefd goedenacht: *'Je vous souhaite une bonne nuit.'*

En weer beloonde ik hem met ogen als schoteltjes.

Hij trok de deur met een klap achter zich dicht.

Hij heeft Vercors gelezen. Hij heeft *Le silence de la mer, De stilte van de zee*, dat traktaat over het Franse verzet gelezen, *op mijn aanraden!* Hoe anders…

Hij zou erdoor in de problemen kunnen raken. Ik sta versteld van die man. Ik denk dat het wederzijds is.

Deze keer weet ik waar ik gebleven was, weet ik precies waar ik ben opgehouden. Ik weet precies waar we zijn. Waar Maddie was.

Vier mensen controleerden voor de duizendste keer alle rantsoenkaarten en parachutes en papieren. Ze instrueerden Maddie, vertelden haar wie ze mee terug zou nemen, bekeken kaarten en routes, en gaven haar een roepnaam voor het radiocontact zolang ze nog niet in Frankrijk was ('Wendy', natuurlijk). De officier van de luchtmachtpolitie wilde haar een revolver geven. Alle RAF-piloten die naar Frankrijk vliegen hebben voor noodgevallen een wapen bij zich, zei hij. Maar ze weigerde het aan te nemen.

'Ik ben geen RAF-piloot,' zei Maddie. 'Ik ben een burger. Het is tegen de internationale afspraken om burgers te bewapenen.'

Dus gaf hij haar een *pen*, een zogenaamde balpen, een geweldige uitvinding: geen vies gedoe met inkt die bijgevuld moet worden, en de inkt droogt meteen op. Hij zei dat de RAF er dertigduizend besteld had voor gebruik in de lucht (voor koersberekeningen), en een dankbare RAF-officier die kortgeleden Frankrijk uit gesmokkeld was, had Peter een voorbeeldexemplaar gegeven. Peter had hem weer aan de sergeant gegeven, en die gaf hem nu aan Maddie. De sergeant zei dat ze hem maar weer aan iemand anders moest doorgeven als we onze missie volbracht hadden. Hij is zeer op ons gesteld.

Maddie was belachelijk blij met haar pen. (Ik snapte toen niet waarom het haar zo gelukkig maakte, een eindeloze voorraad sneldrogende inkt, maar nu wel.) Ze vond het ook een mooi idee om hem na afloop van een succesvolle operatie door te geven – een variant op het Lift-naar-een-vliegveldprincipe. Fluisterend bekende ze haar passagier: 'Ik zou toch niet weten wat ik met een revolver moest.' Wat niet helemaal waar was, want op haar tweede en derde bezoekje aan Craig Castle nam Jamie haar mee op jacht en verschalkte ze met Queenies kaliber 20 niet één maar twee fazanten. Maar Maddie was... is? Was, goed, was. Maddie was een bescheiden mens.

'Klaar voor wat oefenlandingen?' vroeg Maddie achteloos aan haar passagier, alsof Ormaie net zo'n alledaagse bestemming was als Oakway. 'Ze hebben de lampen op het oefenveld aangestoken. Ik ben nog niet vaak 's nachts geland, dus daar wippen we even langs voor we de zeilen hijsen.'

'Goed,' stemde de passagier in. Ze konden allebei alleen maar opgetogen zijn: de een op weg naar Frankrijk, de ander aan de stuurknuppel van de Lysander. Alles was ingeladen, behalve Queenie, de sergeant hielp haar het laddertje naar de cabine op.

'Wacht, wacht!'

Ze vloog Maddie om de hals. Maddie schrok er een beetje van. Even klampten ze zich als schipbreukelingen aan elkaar vast.

'Kom op!' zei Maddie. '*Vive la France!*'

Een geallieerde invasie van twee personen.

Maddie maakte drie messcherpe landingen op het oefenveldje, maar toen begon ze bang te worden dat de maan haar in de steek zou laten, net zoals ze boven het Penninisch Gebergte soms bang was geweest dat het weer haar in de steek zou laten. Ze zette koers naar Frankrijk.

De sperballonnen van Southampton glansden in het maanlicht als de geesten van olifanten en neushoorns. Maddie vloog over de Solent en de Isle of Wight. Toen zat ze boven het door oorlog verscheurde Kanaal. Het brommen van de motoren vermengde zich met het geneurie van haar passagier door de intercom... '*The last time I saw Paris.*'

'Je bent veel te vrolijk,' zei Maddie streng. 'Doe eens even serieus!'

'Wij leren om *altijd* te blijven lachen,' zei Queenie. 'Dat staat in het lesboek van de SOE. Mensen die lachen en zingen zien er niet uit alsof ze een tegenaanval aan het beramen zijn. Als je de hele tijd bezorgd kijkt, gaan mensen zich afvragen waar je je zorgen om maakt.'

Maddie gaf geen antwoord, en na een halfuur vliegen boven de serene, gladde, zilver-zwarte oneindigheid van het Kanaal vroeg Queenie opeens: 'Waar *maak* je je eigenlijk zorgen om?'

'Het is bewolkt boven Caen,' antwoordde Maddie, 'en ik zie licht in de wolken.'

'Hoe bedoel je, *licht*?'

'Flikkerlicht. Een beetje roze. Misschien is het onweer. Misschien is het geschut. Misschien zijn het bommenwerpers die in vlammen opgaan. Ik verander een beetje van koers en vlieg eromheen.'

Wat een giller. Licht in de wolken, nou en? Veranderen we toch gewoon van koers? We waren *toeristen*. Maddies alternatieve route langs de kust van Normandië voerde ons recht over het citadeleiland Mont Saint-Michel, dat er in het maanlicht wondermooi bij lag en in een baai die glansde als vloeibaar kwikzilver lange schaduwen wierp op het opkomende tij. Zoeklichten zwiepten door de lucht, maar misten de grijze buik van de Lysander. Maddie zette een nieuwe koers naar Angers.

'Als het zo doorgaat, zijn we er over minder dan een uur,' zei Maddie tegen haar passagier. 'Lach je nog?'

'Als een gek.'

Daarna… dit is moeilijk te geloven, maar daarna was het een tijdje saai. Het Franse platteland oogde in de maneschijn minder spectaculair dan het Kanaal, en nadat ze een hele poos in ondoordringbaar duister had zitten staren, gaf Queenie zich tussen de koffers en opgerolde kabels, met haar hoofd op haar parachute, vol vertrouwen over aan de slaap. Het was een beetje als slapen in de katoenfabriek van Ladderal: het lawaai was ongelooflijk, maar de cadans bedwelmend. Ze was de afgelopen weken tot het uiterste gespannen geweest, en het was inmiddels ruim na middernacht.

Ze werd wakker toen ze in ontspannen staat tegen de achterwand van de cabine werd gesmeten, samen met alle elf de koffers. Het deed geen pijn en ze was niet bang, maar wel gedesoriënteerd. In haar hoofd galmde nog een verschrikkelijke dreun na; daar was ze wakker van geworden, meer dan van de klap tegen de achterwand. Door de ramen scheen fel oranje licht. Op het moment dat ze besefte dat de Lysander in een gillende duikvlucht op weg was naar de aarde, werd ze alweer onderuit gehaald door de plotseling toegenomen zwaartekracht. En toen ze even later voor de tweede keer wakker werd, was het donker. De motor ronkte gelijkmatig, en ze lag ongemakkelijk tussen de door elkaar gehusselde lading.

'*Hoor je me? Alles goed met je?*' riep Maddie geagiteerd door de intercom. 'O, *verdikkeme*, daar komt er nog een…' En een fraaie witte vuurbol vloog met een sierlijk boogje over de perspex kap. Hij maakte geen geluid en zette de cockpit in een prachtig licht. *Schijnwerpers, schijnwerpers.* Maddie zag op slag niets meer in het donker.

'Gewoon vliegen, Maddie,' mompelde ze bij zichzelf. 'Gewoon vliegen.'

Kijk eens hoe ze zich drie jaar geleden gedroeg als ze onder vuur lag: als een doodsbange, jammerende pudding. En kijk eens hoe ze nu haar aangeschoten vliegtuig door de vlammen en de duisternis van een onbekend oorlogsgebied loodst.

Haar beste vriendin kroop achterin tussen de koffers vandaan, bevend van angst en liefde. Ze wist dat Maddie haar veilig op de grond zou zetten, al was het het laatste wat ze deed.

Maddie vocht met de stuurkolom alsof het een levend wezen was. In de korte fosforflitsen waren haar polsen wit van inspanning. Ze slaakte een zucht van verlichting toen haar passagier door de opening in de gepantserde afscheiding een smalle hand op haar schouder legde.

'Wat gebeurt er allemaal?' vroeg Queenie.

'De staart is geraakt. Afweergeschut in Angers, verdorie. Ik geloof tenminste niet dat het een nachtjager was, anders waren we nu wel dood geweest. Tegen een Messerschmitt 110 maken we geen schijn van kans.'

'Ik dacht dat we vielen.'

'Dat was ik. Ik scheurde als een gek omlaag om het vuur te doven,' zei Maddie grimmig. 'Je duikt gewoon zo snel als je kunt tot de wind het uitblaast. Net alsof je een kaars dooft. Maar de kabel van het hoogteroer is losgeraakt of zo. Het is…'

Ze knarsetandde. 'We zitten op koers. We zijn nog heel. We hebben een

beetje te veel hoogte verloren in die duikvlucht, maar nu wil die verdraaide kist alleen nog maar klimmen, dus dat is geen probleem. Alleen… als
we nog hoger klimmen, zien de moffen ons misschien op hun radar. De
machine is nog net vliegbaar, en we hebben zo'n goede tijd gemaakt dat
we niet eens achterliggen op schema. Maar je moet wel weten dat het,
eh… een beetje lastig voor me zal worden om te landen. Dus het kan zijn
dat je nog een keer een parachutesprong moet maken.'

'En *jij* dan?'

'Tja, ik ook misschien.'

Maddie had nog nooit parachutegesprongen, maar *wel* meer dan genoeg defecte vliegtuigen aan de grond gezet, en al zouden ze duizend keer
neerstorten, ze wisten allebei dat Maddie eerder met haar handen om de
stuurknuppel zou sterven dan dat ze een blinde sprong in de duisternis
waagde.

Vooral omdat ze, net als de meeste Britse vliegeniers, alleen een heel
klein beetje schoolfrans sprak en geen geraffineerde valse identiteit had
om in bezet gebied op terug te vallen.

'Misschien drop ik jou en probeer ik naar huis te vliegen,' zei Maddie.
Hoopvolle woorden, uitgesproken tussen opeengeklemde kaken.

'Laat me helpen! Zeg wat ik kan doen!'

'Uitkijken naar de landingsplek. Minder dan een halfuur te gaan. Ze
seinen naar ons als ze ons horen: de morse "Q". Lang lang kort lang.'

De smalle hand liet niet los.

'Ik zou mijn parachute maar omdoen,' drong Maddie aan. 'En zorg
dat je al je spullen hebt.'

Een tijdje klonk er vanuit de cabine een hoop gevloek en gestommel.
Na een paar minuten vroeg Maddie met een bang lachje: 'Wat *doe* je daar
allemaal?'

'Ik bind alles vast. Ik ben verantwoordelijk voor al dit spul, of ik het
morgen nu terugzie of niet. Als we stuiteren, wil ik niet door elektriciteits-
draad gewurgd worden. En als ik moet springen voor je probeert te landen,
moet het verdorie niet achter me aan slieren en tegen mijn hoofd knallen.'

Maddie zei niets. Ze tuurde in het donker en vloog gewoon zo goed en
zo kwaad als het ging.

'Ik denk dat we er bijna zijn,' zei ze uiteindelijk. Haar stem, licht vervormd door de krakende intercom, klonk neutraal. Er was geen spoor van opluchting of angst in te horen. 'Ik daal nu naar zevenhonderd voet, oké? Kijk uit naar dat sein.'

Die laatste vijftien minuten waren de langste. Maddies armen deden pijn en haar handen waren gevoelloos. Het was alsof ze een lawine tegenhield. Ze had al een halfuur niet op de kaart gekeken en navigeerde uitsluitend op haar geheugen en het kompas en de sterren.

'Hoera, we zitten goed!' riep ze opeens. 'Zie je waar die twee rivieren samenkomen? We landen er precies tussenin.' Ze huiverde van opwinding. De hand lag nu weer geruststellend op haar schouder.

'Daar.'

Queenie wees. Hoe ze het door de kleine opening in de afscheiding gezien had, was een raadsel, maar ze had het sein opgemerkt, een beetje links van hen. Heldere lichtflitsen in een vaste reeks: de Q van *Queen*, lang, lang, kort, lang.

'Klopt dat?' vroeg Queenie gespannen.

'Ja. Ja!'

Ze begonnen allebei spontaan te gillen.

'Ik kan niet loslaten om antwoord te geven!' riep Maddie. 'Heb jij een zaklamp?'

'In mijn tas. Wacht even… Met welke letter moeten we antwoorden?'

'De L van liefde. Kort lang kort kort. Je moet het wel goed doen, anders steken ze de lampen niet voor ons aan…'

'Natuurlijk doe ik het goed, gekkie,' zei Queenie teder. 'Ik sein morse in mijn slaap. Weet je nog? Ik ben radiotelegrafiste.'

Hauptsturmführer Von Linden zegt dat hij nog nooit een ontwikkeld mens heeft ontmoet die zo grof is in de mond als ik. Het was natuurlijk ontstellend stom van me om zijn dochter bij ons gekijf van gisteravond te betrekken. Vanochtend moet ik mijn mond spoelen met carbol – niet carbolZEEP, zoals op school, maar carbolZUUR, fenol, hetzelfde spul waarmee ze (volgens Engel, mijn immer stromende bron van naziwetenswaardigheden) in Natzweiler-Struthof dodelijke injecties toedienen. Ze heeft het verdund met alcohol en droeg daar handschoenen bij, want het is gemeen bijtend spul. Maar ze durft er niet mee dichterbij te komen, want ze weet dat ik me zal verzetten en dat het alle kanten op zal spatten. Zelfs met mijn handen op mijn rug gebonden (wat nu dus niet het geval is) zou ik alles op alles zetten om het alle kanten op te laten spatten. Ik hoop dat de hele toestand overwaait als we het maar lang genoeg uitstellen, en volgens mij hoopt zij dat ook.

De ruzie begon met dat hartverscheurende Franse kind (ze is geloof ik de enige andere vrouwelijke gevangene hier), dat ze de hele week dag en nacht koppig en volhardend hebben verhoord. En zij vertikt het even koppig en volhardend om antwoord te geven op hun vragen. Gisteravond heeft ze urenlang hard zitten huilen, tussen de meest bloedstollende pijnkreten door. Ik heb letterlijk hele plukken haar uit mijn hoofd gerukt (zo broos is het), omdat ik haar gegil bijna niet kon verdragen. Op een bepaald moment midden in de nacht brak ik – niet zij, ik.

Ik sprong op en begon luidkeels te krijsen (*en français pour que la résistante malheureuse puisse me comprendre*): 'LIEG DAN! *Lieg tegen ze, stomme trut! Zeg gewoon iets! Hang verdomme niet altijd de martelaar uit, LIEG!*'

177

En ik rammelde als een dwaas aan het staafje waar eerst de porseleinen deurkruk op zat (voor ik hem losdraaide en naar Thibauts hoofd slingerde), wat geen enkele zin heeft, want de deurkruk met bijbehorende ijzerwaren is puur decoratief en alle grendels en sloten zitten aan de buitenkant.

'LIEG! LIEG TEGEN ZE!'

O, het had een uitwerking die ik niet had voorzien. Iemand haalde de deur zo plotseling van het slot dat ik naar buiten viel, en ze tilden me op en hielden me in het felle licht, terwijl ik knipperend met mijn ogen mijn best deed om niet naar dat arme kind te kijken.

En daar zat Von Linden, in burger, koud en glad als een pas dichtgevroren schaatsbaan, in een wolk prikkende rook als Lucifer in eigen persoon (niemand rookt waar hij bij is; ik weet niet, en wil ook niet weten, wat ze in brand hadden gestoken). Hij zei geen woord, gebaarde alleen, en ze brachten me naar hem toe en gooiden me op mijn knieën.

Zo liet hij me een paar minuten liggen.

Toen: 'Heb je advies voor je medegevangene? Ik weet niet of ze wel beseft dat je het tegen haar hebt. Zeg het nog maar een keer.'

Ik schudde mijn hoofd, want ik begreep niet goed waar hij in godsnaam *nu* weer op uit was.

'Ga naar haar toe, kijk haar in de ogen, praat met haar. Praat duidelijk, dan kunnen we je allemaal verstaan.'

Ik speelde het spelletje mee. Ik speel altijd mee. Dat is mijn zwakte, het barstje in mijn pantser.

Ik bracht mijn gezicht dicht bij het hare, alsof we samen zaten te smoezen. Zo dichtbij dat het er intiem moet hebben uitgezien, maar te dichtbij om elkaar echt aan te kunnen kijken. Ik slikte en herhaalde toen luid en duidelijk: 'Red jezelf. Lieg tegen ze.'

Zij is degene die 'Scotland the Brave' floot toen ik hier net zat. Vannacht was ze niet in staat om te fluiten. Het is verbijsterend dat ze dachten dat ze zou kunnen praten, na wat ze met haar mond hadden gedaan. Maar ze probeerde wel naar me te spugen.

'Ze is niet onder de indruk van je advies,' zei Von Linden. 'Zeg het nog maar eens.'

'*LIEG!*' schreeuwde ik.

Na een paar tellen lukte het haar om iets terug te zeggen. Met een stem die door merg en been ging, schor en hard, voor iedereen hoorbaar. 'Liegen? Doe jij dat soms ook?'

Ik zat in de val. Misschien was het een val die hij expres voor me had opgezet. Het bleef een hele tijd doodstil (waarschijnlijk minder lang dan het leek), en uiteindelijk beval Von Linden haast onverschillig: 'Geef antwoord.'

Op dat moment verloor ik alle zelfbeheersing.

'*Schijnheilige klootzak*,' grauwde ik dom genoeg tegen Von Linden (misschien kende hij het Franse woord niet, maar toch, het was niet slim om te zeggen). 'Lieg jij soms nooit? Wat doe je dan *wel*? Wat zeg je tegen je dochter? Als ze naar je werk vraagt, welke *waarheid* krijgt die lieve Isolde dan te horen?'

Hij was zo wit als een doek. Maar kalm.

'*Carbol.*'

Ze keken hem met z'n allen onzeker aan.

'*Dat mens is het grootste viswijf van heel Frankrijk. Brand haar mond schoon.*'

Ik verzette me met hand en tand. Ze hielden me in bedwang en discussieerden intussen over de juiste dosis, aangezien hij niet duidelijk had gemaakt of het zijn bedoeling was dat ze me zouden vermoorden met dat spul. De Française maakte gebruik van het feit dat de aandacht naar mij verschoven was en deed haar ogen dicht om uit te rusten. Ze pakten de flessen en de handschoenen, de kamer veranderde in een laboratorium. Het meest angstaanjagende was dat niemand scheen te weten wat hij deed.

'Kijk naar me!' krijste ik. '*Kijk naar me*, Amadeus von Linden, schijnheilige sadist, en *blijf nou eens een keertje kijken*! Je bent me niet aan het verhoren, dit is je werk niet, ik ben geen vijandelijke agente die geheime codes verraadt! Ik ben gewoon een gore Schotse slet die je dochter beledigt! Dus kijk toe en geniet ervan! Denk aan Isolde! *Denk aan Isolde en blijf kijken!*'

Toen stopte hij.

Hij kon het niet.

Ik snakte opgelucht naar adem.

'Morgen,' zei hij. 'Nadat ze gegeten heeft. Fräulein Engel weet hoe ze fenol moet toedienen.'

'Lafaard! *Lafaard!*' huilde ik hysterisch van kwaadheid. 'Doe het *nu*! Doe het *zelf*!'

'Breng haar weg.'

Vanmorgen lagen er zoals gewoon pen en papier voor me klaar. Het drinkwater staat naast het fenol en de alcohol, en Fräulein Engel zit tegenover me ongeduldig met haar nagels op tafel te tikken, zoals ze altijd doet als ze wacht tot ik haar iets te lezen geef. Deze ochtend is ze extra benieuwd naar wat ik schrijf, want niemand heeft haar verteld wat ik gisteravond eigenlijk *gedaan* heb, dat ik nu zo wreed gestraft moet worden.

Von Linden slaapt waarschijnlijk (hij mag dan onmenselijk zijn, bovenmenselijk is hij niet). Goden. Er valt niet veel meer te schrijven. Wat verwacht hij nu nog van me? Ligt de afloop niet nogal voor de hand? Ik wil het verhaal wel afmaken, maar ik wil er niet aan denken.

Juffrouw E. heeft wat ijs voor in mijn water losgekregen. Tegen de tijd dat we de mond van het grootste viswijf in Frankrijk gaan schoonspoelen, zal het wel gesmolten zijn, maar het was aardig bedoeld.

Nu zitten we weer in de lucht, hoog boven de akkers en de rivieren ten noorden van Ormaie en onder een serene, maar nog niet helemaal volle maan in al zijn zilveren pracht, in een kist die niet wil landen. De radiotelegrafiste seint het juiste teken en nog geen minuut later gaan op de grond de landingslichten aan. Het is zo vertrouwd als wat, drie flikkerende lichtjes die samen een omgekeerde l vormen, net als op het veldje waarin Maddie vier uur geleden in Engeland haar efficiënte oefenlandingen uitvoerde.

Maddie cirkelde een keer over het veld. Ze wist niet hoe lang de lampen zouden blijven branden en wilde geen tijd verspillen. Ze begon te dalen. Haar vriendin keek over haar schouder, door de opening in de afscheiding, naar de zwak verlichte altimeter; ze verloren maar weinig hoogte.

'Het *lukt* niet,' hijgde Maddie, en de Lysander zweefde als een helium-ballon weer hoger de lucht in. Ze had niet eens gas gegeven. 'Het lukt gewoon niet! Weet je nog wat ik vertelde over de eerste Lysander die ik ooit aan de grond zette, dat de trim van het hoogteroer defect was en het grondpersoneel dacht dat ik niet sterk genoeg zou zijn om de stuurkolom naar voren te houden? Maar ik kon hem voor het opstijgen in de neutrale stand zetten. Nou, hij staat nu niet in de neutrale stand, de trim zit vast en ik heb al een *uur* al mijn kracht nodig om te voorkomen dat we hoger klimmen. Ik ben gewoon niet sterk genoeg om de stuurkolom zo ver naar voren te houden dat we kunnen landen. Ik probeer vermogen te verliezen, maar het maakt geen verschil. Als ik de motor uitzet en die snertkist probeer te laten zakken door te overtrekken, wil hij waarschijnlijk *nog* omhoog. En dan komen we in een spiraalduik terecht en gaan we eraan. Als als het al zou lukken om te overtrekken. Dat is bij een Lizzie namelijk onmogelijk.'

Queenie gaf geen antwoord.

'Ik vlieg nog een rondje,' gromde Maddie. 'Ik ga het nog een keer proberen, met een vlakkere daling. We hebben nog best veel brandstof, en ik ga niet graag in vlammen op als we neerkomen.'

In de tijd die Maddie nodig had gehad om dit allemaal uit te leggen, waren ze tot tweeënhalfduizend voet gestegen. Ze duwde de stuurkolom weer uit alle macht naar voren. 'Verdorie. Stik. *Stik, stik en nog eens stik.*' ('Stik' is het lelijkste scheldwoord dat Maddie ooit gebruikt.)

Ze begon moe te worden. Het lukte haar niet eens om net zo laag te komen als de eerste keer, en ze schoot over het veld. Ze draaide steil terug, verloor geen hoogte en schold opnieuw toen het casco heftig schudde en de automatische kleppen schrikbarend begonnen te klepperen.

'Misschien toch niet onmogelijk om te overtrekken!' zei Maddie buiten adem. 'Als ik dat op vijfhonderd voet doe, zijn we *dood*. Laat me even denken…'

Queenie liet haar denken en hield intussen de hoogtemeter in de gaten. Ze klommen weer.

'Ik klim expres,' zei Maddie grimmig. 'Ik neem je mee naar drieduizend voet. Hoger wil ik niet gaan, anders kom ik nooit meer naar beneden. Maar daar kun jij tenminste veilig springen.'

Dat akelige bewakerstrio komt er net weer aan. Engel staat op de gang op geïrriteerde toon met hen te praten, *net* buiten gehoorsafstand. Ik geloof niet dat ze handschoenen aanhebben, dus misschien komen ze niet om fenol toe te dienen. Alstublieft, God. *Waarom* ben ik toch altijd zo lomp en onnadenkend? Wat er straks ook volgt, ik ben bijna nog banger dat ik het verhaal niet afkrijg dan

Ik heb een kwartier.

De toegetakelde Française en ik werden door de kelder meegenomen naar een binnenplaatsje, dat vroeger de wasserij van het hotel moet zijn geweest. Zij trots & kreupel, haar lieflijke voetjes vol afzichtelijke wonden en haar witte gezicht bont en blauw. Ze negeerde me, en dat terwijl we met de polsen aan elkaar vastgebonden waren. Op dat stenen plaatsje met erboven de hemel hebben ze een guillotine opgesteld. Het is de manier waarop ze in Berlijn doorgaans vrouwelijke spionnen terechtstellen.

We moesten wachten terwijl er allerhande voorbereidingen werden getroffen, de poort naar het achterpad werd opengezet ter choquering ende vermaak van voorbijgangers, de valbijl omhoog werd gehesen et cetera. Geen idee hoe zo'n mechaniek precies werkt. Het ding was kort geleden gebruikt, er zat nog bloed aan de bijl. We stonden zwijgend bij elkaar, en ik dacht: ze zullen me dwingen om toe te kijken. Eerst vermoorden ze haar en moet ik toekijken. Dan vermoorden ze mij.

Ik wist dat zij dat ook wist, maar ze vertikte het natuurlijk weer om me aan te kijken of iets tegen me te zeggen, hoewel onze handen elkaar raakten.

Vijf minuten.

Ik vertelde hoe ik heette. Ze gaf geen antwoord.

Ze sneden ons touw door. Ze trokken haar mee en ik keek toe. Ik wendde mijn blik niet van haar af. Dat was het minste wat ik kon doen.

Vlak voor ze haar op haar knieën dwongen, riep ze naar me.

'Ik heet Marie.'

Onvoorstelbaar dat ik nog leef. Ze hebben me naar deze zelfde tafel teruggebracht en me mijn pen gegeven. Alleen zit Von Linden nu tegenover me, niet E. of T. Hij kijkt toe, zoals ik hem gevraagd had.

Als ik in mijn ogen wrijf, krijg ik Maries bloed nog rood en nat aan mijn knokkels.

Ik vroeg Von L. of ik dit mocht opschrijven voor ik verderging met mijn dagelijks werk. Hij zei dat ik me te veel verlies in de details van mijn belevenissen hier – best interessant, maar niet ter zake doende. Hij heeft me er maar een kwartier voor gegeven. Hij houdt de tijd bij.

Ik heb nog een minuut over. Ik wou dat ik meer had kunnen vertellen, haar recht had kunnen doen, haar iets betekenisvollers had kunnen bieden dan mijn waardeloze naam.

Na het debacle van gisteravond denk ik dat ze haar om *geen andere reden* hebben gedood dan om mij te laten bekennen dat ik gelogen heb. Het is mijn schuld dat ze dood is. Een van mijn grootste angsten is bewaarheid.

Maar ik heb niet gelogen.

Nu zegt Von Linden: 'Stop.'

Hij leunt achterover en bekijkt me koel. Het fenol staat nog waar Engel het heeft neergezet, maar ik denk niet dat ze het zullen gebruiken. Ik zei dat hij naar me moest kijken en dat doet hij nu.

'Schrijven, kleine Scheherazade,' zegt hij. Het is een bevel. 'Vertel over je laatste minuten in de lucht. Maak je verhaal af.'

Ik heb Maries bloed aan mijn handen, letterlijk en figuurlijk. Nu moet ik het afmaken.

'Zeg maar wanneer,' zei Queenie. 'Zeg het maar als je zover bent.'

'Doe ik.'

De hand op Maddies schouder bleef gedurende de hele klim liggen. Maddie keek naar de lichtjes in de diepte, de drie stippen die haar wenkten, verwelkomden, riepen, en besloot een landingspoging te wagen. Maar niet met een passagier aan boord, niet met andermans leven in haar handen. Niet met iemand erbij die ze zou kunnen laten barsten.

'Goed,' zei Maddie. 'Hier moet het lukken. Er staat wel veel wind, dus houd de lichtjes in de gaten en probeer ertussen neer te komen! Ze wachten op je. Weet je hoe je moet uitstappen?'

Queenie kneep in Maddies schouder.

'Doe het maar gauw,' zei Maddie. 'Voor die verdraaide kist nog hoger gaat.'

'Kus me, Hardy,' zei Queenie.

Maddie moest huilen en lachen tegelijk. Ze boog haar hoofd naar de koude hand op haar schouder en gaf er een warme kus op. De smalle vingers aaiden haar wangen, knepen nog een laatste keer in haar schouder en verdwenen door de afscheiding.

Maddie hoorde de kap openschuiven. Ze voelde het vliegtuig heel licht wiebelen toen Queenies gewicht zich verplaatste.

Daarna vloog ze alleen verder.

Maria I van Schotland, die trouwens net als ik een Franse grootmoeder had, en ook een Franse moeder – Maria I van Schotland dus, had een hondje, een skyeterriër die dol op haar was. Vlak nadat Maria onthoofd was, zagen de toeschouwers haar rokken bewegen. Ze dachten dat haar lichaam zonder het hoofd overeind probeerde te komen, maar het bleek haar hondje te zijn, dat ze onder haar rokken had meegenomen naar het kapblok. Ze zeggen dat Maria Stuart haar executie met moed en waardigheid tegemoet trad (ze droeg een rode onderjurk ten teken dat ze zichzelf als martelares zag), maar ik denk niet dat ze zo dapper was geweest als ze niet stiekem haar skyeterriër tegen zich aan had gedrukt, als ze zijn warme, zachte vacht niet tegen haar bevende lijf had gevoeld.

De afgelopen drie dagen heb ik alles wat ik geschreven heb, mogen nalezen en controleren. Het klopt allemaal en het is bijna een goed verhaal.

Fraülein Engel zal misschien teleurgesteld zijn dat er geen echt einde aan zit. Het spijt me. Zij heeft de foto's ook gezien; waarom zou ik iets hoopvols verzinnen als ik juist de waarheid moet vertellen? Maar wees eerlijk, Anna Engel, had je zelf ook niet liever gehad dat Maddie als het ware in een vloeiende beweging terug naar Engeland was gevlogen en veilig thuis was gekomen? Want dat was een goede afloop geweest, de juiste afloop voor zo'n alleraardigst meisjesavontuur.

Mijn papierstapel blijft niet zo makkelijk netjes liggen, met al die velletjes van verschillende afmetingen en diktes. Ik houd van de fluitmuziek waar ik op het laatst op moest schrijven. Daar ben ik voorzichtig mee geweest. Ik moest natuurlijk beide zijden gebruiken en over de muziek heen schrijven, maar ik heb heel dun tussen de noten gepriegeld, want misschien wil iemand er op een dag wel weer van spelen. Niet Esther Lévi, van wie de muziek was, en wier bijbels Hebreeuwse naam netjes boven aan elk blad geschreven staat; ik ben niet zo naïef om te denken dat zij, wie ze ook is, deze muziek ooit terug zal zien. Maar iemand anders misschien. Als de bombardementen ophouden.

Als het tij keert. En het zal keren.

Bij het nalezen is me één ding opgevallen dat zelfs Hauptsturmführer Von Linden niet heeft opgemerkt, namelijk dat ik de afgelopen drie weken niet één keer mijn eigen naam heb opgeschreven. Jullie weten allemaal hoe ik heet, maar niet, denk ik, hoe mijn volledige naam luidt, en daarom zal ik die nu in al zijn pretentieuze glorie een keer opschrijven. Als kind vond ik het altijd leuk om mijn naam voluit te schrijven. Zoals jullie zullen zien, was dat een hele prestatie voor een klein mensje:

Julia Lindsay MacKenzie Wallace Beaufort-Stuart

Dat staat op mijn echte papieren, die jullie niet hebben. Mijn naam is op zichzelf al een soort verzet tegen de Führer, een veel heldhaftiger naam dan ik verdien, en ik vind het nog steeds leuk om hem op te schrijven, dus doe ik het nu nog een keer, maar dan zoals ik altijd in mijn balboekjes deed:

Lady Julia Lindsay MacKenzie Wallace Beaufort-Stuart

Ik zie mezelf nooit als Lady Julia. Ik zie mezelf als Julie.

Ik ben niet Scottie. Ik ben niet Eva. Ik ben niet Queenie. Ik reageerde op alle drie die namen, maar ik heb me nooit zo voorgesteld. En wat haatte ik het de afgelopen zeven weken om 'kapitein Beaufort-Stuart' te zijn! Zo noemt Hauptsturmführer Von Linden me meestal, *uiterst* beleefd en formeel: 'Wel, kapitein Beaufort-Stuart, u bent zo behulpzaam vandaag, laten we dus, als u tenminste genoeg hebt gedronken, doorgaan met de geheime codes. Wees alstublieft nauwkeurig, kapitein Beaufort-Stuart, niemand wil deze roodgloeiende pook in uw oog hoeven steken. Wil iemand misschien even kapitein Beaufort-Stuarts bevuilde onderbroek uitspoelen voor ze weer naar haar kamer wordt gebracht?'

Hoewel het dus mijn naam is, beschouw ik mezelf niet als kapitein Beaufort-Stuart, en ook niet als Scheherazade, zoals hij me ook wel eens noemt.

Ik ben Julie.

Zo noemen mijn broers me, zo noemde Maddie me altijd en zo noem ik mezelf. Het is de naam die ik Marie gaf.

O god… Als ik nu stop met schrijven, nemen ze deze hele stapel mee, al die vergeelde kaarten en de doktersrecepten en het gegaufreerde briefpapier van het Château de Bordeaux en de fluitmuziek, en kan ik alleen nog maar wachten op het oordeel van Von Linden. Maria I had haar skyeterriër. Wat voor troost zal er voor mij zijn als ik geëxecuteerd word? Wat voor troost is er voor wie dan ook? Voor Marie, Maddie, de stelende keukenmeid, het meisje met de fluit, de joodse dokter, alleen onder de guillotine of in de lucht of in een verstikkende goederenwagon?

En waarom? *Waarom?*

Het enige wat ik gedaan heb is tijd winnen, tijd om dit te schrijven. Ik heb niets nuttigs verklapt. Ik heb alleen een verhaal verteld.

Maar het was de waarheid. Is dat niet grappig? Ze stuurden me hierheen omdat ik zo goed kan liegen. Maar ik heb de waarheid verteld.

Er is me toch nog een prikkelend afscheidswoord te binnen geschoten, en dat heb ik voor het laatst bewaard. Het is van Edith Cavell, de Britse verpleegster die in de Eerste Wereldoorlog tweehonderd geallieerde soldaten België uit smokkelde en wegens verraad gefusilleerd werd. Niet ver van Trafalgar Square staat een spuuglelijk monument voor haar. Bij mijn laatste keer in Londen ('De laatste keer dat ik in Londen was') zag ik het staan, niet kapotgebombardeerd, maar begraven onder de zandzakken. Haar laatste woorden zijn in de sokkel gebeiteld.

'Vaderlandsliefde is niet genoeg; ik mag jegens niemand haat of verbittering koesteren.'

Ze heeft ALTIJD een duif op haar hoofd, zelfs onder die zandzakken, en de enige reden dat ze die vliegende ratten niet haat, is volgens mij dat ze al vijfentwintig jaar dood is en niet weet dat ze er zijn.

Haar echte laatste woorden waren dacht ik: 'Ik ben blij dat ik voor mijn land mag sterven.' Ik kan niet beweren dat ik zulk vroom gezwets echt geloof. Kus me, Hardy. Eerlijk gezegd vind ik 'Kus me, Hardy' een stuk beter. Dat zijn mooie laatste woorden. Nelson *meende* het tenminste toen hij dat zei. Edith Cavell maakte zichzelf iets wijs. Nelson was oprecht.

En ik ook.

Ik ben klaar, dus ik ga het hier zitten opschrijven totdat ik mijn ogen niet meer kan openhouden of iemand doorkrijgt wat ik aan het doen ben en me mijn pen afpakt. Ik heb de waarheid verteld.

Ik heb de waarheid verteld. Ik heb de waar

O.HaV.S. 1872 A.No4 CdB

*[Memo van Nikolaus Ferber aan Amadeus von Linden,
vertaald uit het Duits.]*

ss-Sturmbahnführer N.J. Ferber
Ormaie **⚡⚡**

30 november 1943

ss-Hauptsturmführer Von Linden,

Hierbij herinner ik u er voor de laatste keer aan dat kapitein Beaufort-Stuart tot NN-gevangene is bestempeld. Ze is tweemaal bij u in het gebouw gezien, en als het nog een keer gebeurt, zie ik me gedwongen formele stappen tegen u te ondernemen.

Ik adviseer u haar onverwijld als proefpersoon naar Natzweiler-Struthof te sturen, met het uitdrukkelijke bevel haar na zes weken door middel van een dodelijke injectie te executeren indien ze de experimenten overleeft.

Als u deze doortrapte leugenaarster ook maar een greintje mededogen gunt, laat ik u fusilleren.

Heil Hitler!

Deel 2

kittyhawk

Ik heb Julies identiteitspapieren.

Ik heb Julies identiteitspapieren.

Ik heb Julies identiteitspapieren.

STIK STIK EN NOG EENS STIK.

IK HEB JULIES IDENTITEITSPAPIEREN.

WAT MOET ZE NU ZONDER???

Wat moet ze nu?

Ik snap niet wanneer dit gebeurd is. Zij controleerde haar papieren, ik controleerde mijn papieren, sergeant Silvey controleerde onze papieren, die strenge inlichtingenofficier die haar kindermeisje speelde controleerde onze papieren, iedereen controleerde onze papieren. Iedereen kan ze per ongeluk verwisseld hebben.

Stik. Stik, stik, stik. Zij heeft natuurlijk de mijne.

Dit is geen goede plek om dingen op te schrijven, want mijn ATA-handboek gaat helemaal naar de maan zo. Ik zou sowieso niets moeten vastleggen, maar tot er weer iemand van de verzetsgroep komt heb ik niets anders te doen. Niet te geloven dat ik niet eerder heb gekeken. We zijn hier al twee dagen. Ik heb gezocht en gezocht, en mijn ATA-vergunnig heb ik gevonden, maar mijn vliegbrevet en identiteitskaart zijn weg, en in plaats daarvan heb ik Julies rantsoenkaarten en valse *carte d'identité*. De foto lijkt niet erg goed, ze trekt haar griezelige nazispionnengezicht. Katharina Habicht. Ik kan haar onmogelijk zien als Katharina, hoewel ze me de hele zomer zover probeerde te krijgen dat ik Käthe tegen haar zei. Ik was er net aan gewend dat ze Eva was.

Niet dat het voor mij iets uitmaakt of ik mijn papieren wel of niet bij me heb, want IK HOOR HELEMAAL NIET IN FRANKRIJK TE ZIJN. Maar Julie, die hier wel hoort te zijn, heeft GEEN IDENTITEIT. Ik heb haar VALSE IDENTITEITSPAPIEREN.

Hoe... hoe? Toen de inlichtingendienst mijn kledingbonnen meenam, deden ze dat expres. En ik zwoer nog wel dat ik voortaan beter op mijn spullen zou passen.

Ik weet niet wat ik moet doen.

Als ze me zien schrijven, krijg ik de grootst mogelijke problemen, wie me ook betrapt, of het nu Duiters, Fransen of Britten zijn. Of zelfs Amerikanen. Het is stom om dingen op te schrijven. KRIJGSRAAD. Maar er is verder geen laars te doen en ik heb de geweldigste pen van de wereld, een balpen, met een piepklein kogeltje in de punt en sneldrogende drukinkt. De inkt rolt over het kogeltje. Met deze pen kun je ook op grote hoogte schrijven, hij vlekt niet en het duurt een jaar voordat hij leeg is. De RAF heeft er dertigduizend van besteld bij de uitgeweken Hongaarse journalist die hem heeft uitgevonden, en ik heb er een gekregen van sergeant Silvey, die een zwak heeft voor vrouwelijke vliegeniers en kleine blonde dubbelagenten.

Ik weet dat ik niet zou moeten schrijven, maar ik moet toch *iets* doen. Die laatste taxivlucht zou een v-vlucht zijn geweest, wat betekent dat ik een rapport moet indienen. Plus een ongevallenrapport. Getver. Het zal toch moeten. Laat ik er dus maar mee beginnen.

AANTEKENINGEN ONGEVALLENRAPPORT

Noodlanding in weiland Damascus, nabij Ormaie, 11 okt. 1943, toestel Lysander R 2892.

Toestemming voor vlucht verkregen, 4 succesvolle nachtlandingen uitgevoerd, 3 op oefenveld vlak voor vertrek. Vlucht over Kanaal z. bijzonderheden, hoewel boven Caen afgeweken van koers om luchtafweer te vermijden. Nieuwe route van Mont Saint-Michel naar Angers, waar tst. vanaf de grond beschoten werd en staart geraakt. Ondernam actie om vuur te doven, maar kon tst. niet meer recht krijgen omdat hoogteroer niet meer reageerde en tst. alleen nog wilde klimmen en in afdaling nauwelijks bestuurbaar was.

Nu ik erover nadenk: de kabel van het hoogteroer moet na de duikvlucht tijdens het uitklimmen geknapt zijn, anders had ik nooit kunnen duiken.

Die gedachte bezorgt me eerlijk gezegd de rillingen.

Goed. Waar waren we. Hoogteroer in klimstand en beperkte controle over richtingsroer. Motordruk/temp. & benzinepeil acceptabel, dus doorgevlogen naar bestemmming die (met hulp passagier) makkelijk te lokaliseren was, maar dalen bleek z. lastig. Maakte me zorgen om landing en sprak af dat passagier boven weiland zou springen aangezien ze de aangewezen training had gevolgd en een grotere kans had een parachutesprong te overleven dan een noodlanding met halfvolle tanks en 500 pond Nobel 808 plus ontstekingskabel aan boord.

Had al 2 landingspogingen gedaan voordat passagier sprong en vond het doodvermoeiend, bleef halfuur cirkelen om benzine te verbranden voor ik een laatste poging waagde. De lichten bleven aan, dus ging ik ervan uit en moest ik erop vertrouwen dat ik nog steeds verwacht werd. Passagier was misschien veilig neergekomen en had het ontvangscomité over de schade aan de kist geïnformeerd. Het bleef lastig om tst. recht te houden, en uiteindelijk probeerde ik te dalen.

Geen idee hoe ik het verdraaide ding omlaag heb gekregen, pure koppigheid, denk ik. Kon niet genoeg richtingsroer geven om het toestel in de slip te houden, en zelfs bij lage snelheid met kleppen neer en geen vermogen wilde die snertkist zijn neus omhoogsteken. Had geen handen vrij om de landingslichten aan te doen, kwam in het donker met de staart op de grond en stuiterde meteen weer de lucht in – ik had het wel eens vanaf de grond willen zien –, brak de hele staart af, en de arme Lizzie kwam helemaal aan de rand van het weiland, waar de twee rivieren bij elkaar komen, tot stilstand met de achterkant van de romp in de zachte grond; het vliegtuig wees recht omhoog als een obelisk. Deed me denken aan Dympna's Puss Moth na haar noodlanding op Highdown Rise, maar dan omgekeerd. Ik kwam er pas later achter wat er gebeurd was, want de stuurkolom raakte me in mijn buik waardoor ik naar adem hapte, en tegelijk sloeg ik met mijn hoofd tegen de gepantserde afscheiding. Toen ik weer bijkwam, hing ik met mijn gezicht naar de sterren in de cockpit, en ik vroeg me af hoe lang het zou duren voor de explosie kwam.

Het lukt me niet om dit als een ongevallenrapport te laten klinken. Verdikkeme. Schrijf het in elk geval op nu ik het nog weet.

Had vooraf volgens voorschrift bij noodlandingen motor en benzinetoevoer uitgeschakeld, dus het was stil, op wat gekraak en getik na. Drie mannen van het ontvangstcomité, van wie er een Engels is (een soe-agent, de coördinator van deze groep, codenaam Paul), schoven de kap open en trokken me ondersteboven uit de cockpit. We belandden met z'n vieren op de grond. Dit waren mijn eerste woorden op Franse bodem:

'Sorry, het spijt me, het spijt me zo!'

Zonder ophouden, want ik dacht maar steeds aan de twee ongelukkige vluchtelingen die ik mee terug had moeten nemen naar Engeland. En voor de zekerheid voegde ik er in het Frans aan toe: '*Je suis désolée!*' O, wat een rommeltje.

Ze hielpen me overeind en probeerden de modder van me af te vegen. 'Dit moet onze Verity zijn,' zei de soe-coördinator Paul in het Engels.

'Ik ben Verity niet!'

Geen nuttige informatie, maar dat flapte ik eruit.

Verwarring en opwinding en een pistool tegen mijn hoofd. Jammer genoeg was dat pistool me veel te veel, zo vlak na mijn eerste echte noodlanding, in een machine waarmee ik niet eens had mogen vliegen. Ik barstte dan ook in tranen uit.

'Niet Verity! Wie ben je verdomme dan wel?'

'Kittyhawk,' snikte ik. 'Codenaam Kittyhawk. Eerste vliegenier, Air Transport Auxiliary.'

'Kittyhawk! Godallemachtig!' riep de Engelse agent uit. 'Jij hebt me de avond dat ik naar Frankrijk vertrok op raf-Special Duties afgeleverd!' Paul legde in het Frans aan de anderen uit wie ik was, wendde zich weer tot mij en zei: 'We verwachtten Peter!'

'Die heeft vanmiddag een botsing gehad met zijn auto. Ik had niet…'

Hij legde een grote, modderige hand op mijn mond. 'Niets zeggen wat je in gevaar kan brengen,' zei hij streng.

Ik begon weer te grienen.

'Wat is er gebeurd?'

'Afweergeschut boven Angers,' snikte ik. Dit was mijn normale reactie op bommen en granaten, alleen kwam het nu anderhalf uur later dan gewoonlijk. 'De staart vloog in brand en de kabel van het hoogteroer raakte los, en een van de kabels van het richtingsroer ook, geloof ik. Ik moest duiken om het vuur te blussen, waardoor die arme Ju… Verity achterin buiten westen raakte, en op het laatste stukje moest ik zo vechten met die kist dat ik niet eens op de kaart kon kijken…'

En nog meer snik, snik, snik – om je dood te schamen.

'*Ben je geraakt?*'

Ze waren allemaal stomverbaasd. Niet omdat ik geraakt was, ontdekte ik later, maar omdat het me gelukt was om niet boven Angers in vlammen op te gaan en hun vijfhonderd pond Nobel 808 veilig op de grond te krijgen. Sindsdien zijn ze allemaal pijnlijk aardig voor me. Dat verdien ik eigenlijk niet. Er is maar één reden dat ik niet boven Angers in vlammen op ben gegaan, en dat is dat ik Julie achterin had. Als ik haar leven niet had moeten redden, had ik nooit de tegenwoordigheid van geest gehad om dat vuur te doven.

'We zullen je vliegtuig moeten vernietigen, ben ik bang,' zei Paul vervolgens.

Eerst begreep ik niet wat hij bedoelde, want ik vond dat ik het zelf al best aardig kapot had gekregen.

'Dit weiland kunnen we niet meer gebruiken,' zei hij. 'Jammer. Aan de andere kant…'

Ze hadden een Duitse wachtpost doodgeschoten.

Dit zou ik echt niet moeten schrijven.

Kan me niet schelen. Ik verbrand het later wel. Maar ik kan pas weer helder denken als ik het heb opgeschreven.

Ze hadden een Duitse wachtpost doodgeschoten. Hij was op het verkeerde moment langsgefietst, terwijl ze de landingslichten aan het opstellen waren. Hij had een tijdje toegekeken en, bleek later, aantekeningen staan maken. Toen ze hem in de gaten kregen sjeesde hij weg en ze konden niet snel genoeg bij hun eigen fiets komen om hem in te halen, daarom schoot de Engelse agent hem neer. Zomaar pardoes. Ze waren blij met de fiets, maar het was een ramp dat ze nu met een lijk zaten dat ze moesten zien kwijt te raken.

Het vliegtuigwrak, met levende piloot, was een godsgeschenk. Om het op een ongeluk te laten lijken in plaats van een geplande landing, moesten ze de Lizzie sowieso in brand steken. Dus, geloof het of niet, maar ze zetten die dode Duitser in mijn ATA-broek en -jasje in de cockpit. Ze moesten de broek aan de zijkanten een heel eind opensnijden om de arme man erin te krijgen, en zelfs toen kregen ze hem niet dicht, zoveel dikker was hij dan ik. Het duurde allemaal een poosje en aan mij hadden ze niet veel, want ik zat verdwaasd aan de rand van het weiland, in mijn hemd en onderbroek, een geleende trui en een geleende jas. Mitraillette, die me haar trui gaf, moet het met alleen een kanten blousje onder haar jas ijskoud hebben gehad. Mijn laarzen moest ik ook inleveren – daar ben ik diepbedroefd om! Maar behalve mijn vliegenierstas moest mijn hele Britse pilotenuitrusting vernietigd worden, met helm en parachute en al. Zelfs mijn gasmasker moest eraan geloven. Dat zal ik niet missen. Het heeft de afgelopen vier jaar alleen maar ruimte ingenomen en in zijn pukkel nutteloos boven mijn schouder gebungeld als een vleugelloze kaki albatros. Alleen bij oefeningen heb ik het wel eens opgezet.

Had ik nu die typistencursus maar gevolgd: steno zou nu wel handig van pas komen. Ik heb dit allemaal op drie bladzijden van mijn instructieboek weten te krijgen, in het pietepeuterigste handschrift dat er bestaat. Het zou niet zo erg zijn als het niet te lezen was.

De voorbereidingen die nodig waren om de machine in lichterlaaie te zetten kostten veel tijd, en veel hollen en vliegen in de maneschijn. Ze zijn vast heel georganiseerd, maar ik had geen flauw idee wat er allemaal gebeurde en was op dat moment niet nodig en ook niet nuttig. Begon ook barstende hoofdpijn te krijgen, want ik maakte me zorgen om Julie en vroeg me af waarom ze die verdraaide kist nu niet eens gewoon in brand staken. Blijkt dat ze behalve dat lijk nogal wat spullen kwijt wilden: een stuk of wat kapotte radiozenders waar ze de onderdelen uit gesloopt hadden, plus een aantal verouderde die niemand meer wilde hebben. Ze stuurden er iemand op uit om ze uit hun bergplaats te halen, vertrokken op de fiets en kwamen terug met kruiwagens. De schuur waarin ze die spullen verstopt hadden, is waar ik nu ook verstopt zit. De boer van wie hij is gaf nog een oude grammofoon zonder hoorn mee, een kapotte typemachie in een kartonnen koffer en een broedmachine met allemaal eindjes draad erin die te kort waren om ergens op aan te sluiten. Zo lijkt het net alsof het vliegtuig stampvol zat met radiozenders! Mitraillette, de oudste dochter van de boer en naast mij het enige meisje, vond het oergrappig om de kist vol te stoppen met oude troep.

'Elf radio's!' mompelde ze maar steeds giechelend bij zichzelf, in het Frans natuurlijk. 'Elf radio's!' Een mop, want het is reuzeonwaarschijnlijk dat we elf clandestiene zenders tegelijk zouden sturen. Elke zender heeft zijn eigen telegrafist, en elke telegrafist heeft zijn eigen code en kristal en frequentie.

De Duitsers zullen er niets van snappen als ze het wrak onderzoeken.

De Nobel 808 werd met paard-en-wagen weggehaald. Het duurde een tijdje voor het allemaal terecht was, want een aantal kisten was uit de cabine gevallen, die na Julies sprong natuurlijk open was blijven staan. Ze had het grootste deel van de lading nog heel best vastgesnoerd. Het gebeurde allemaal bij maanlicht, want niemand durfde de lampen aan te doen. De spertijd zou vroeg aflopen, dus iedereen werd steeds zenuwachtiger; ik was na één uur in de nacht geland, en de voorbereidingen voor de vernietiging van de Lizzie duurden nu al een uur.

Kan niet zeggen dat ik me helemaal veilig voel in handen van het verzet, maar vindingrijk zijn ze zeker. Toen alle zenders en fopzenders eenmaal opgestapeld waren en de dode Duitser op zijn plaats zat, zetten ze gewoon de brandstoftanks open – het vliegtuig stond bijna recht overeind en de benzine stroomde er zo uit – en staken ze de hele boel met een beetje springstof en een eindje ontstekingsdraad in brand. Makkelijk zat. Het werd een vrolijk vreugdevuur.

Het moet bijna drie uur geweest zijn toen Peters Lysander in vlammen opging en wij ons eindelijk uit de voeten maakten. Moest mee in een van de kruiwagens aangezien ik geen broek en schoenen meer had. Ze verstopten me onder de zakken die ze eerder over de zenders hadden gelegd, en die naar koe en ui stonken. Daarna hielpen ze me een stel geïmproviseerde ladders op, naar de vliering boven de zolder van een schuur. Daar zit ik nu. Het is een verborgen ruimte vlak onder de nok van het dak. Pal onder de nok kan ik net rechtop zitten. Ik heb nog geen last van claustrofobie, waarschijnlijk omdat ik toch al een groot deel van mijn leven in piepkleine ruimtes doorbreng. Als ik ga liggen kan ik me helemaal uitstrekken. Ik doe gewoon alsof ik achter in een Fox Moth lig. Het is in elk geval net zo koud. Heel onhandig als ik me wil wassen en dergelijke dingen: water en vieze teilen moeten van beneden naar boven en van boven naar beneden doorgegeven worden.

Weet niet wat ik verder nog over de landing moet vertellen.

Ze hebben me heel ruimhartig kleren en eten en onderdak gegeven, als je bedenkt dat ze allemaal doodgeschoten worden als ik gesnapt word. Ik ben een groot gevaar voor mezelf en alle mensen om me heen, waarschijnlijk de enige neergehaalde geallieerde vliegenierster buiten Rusland. Ik heb de pamfletten gezien. Tienduizend frank beloning voor elke gevangengenomen geallieerde vliegenier of parachutist, 'méér onder bepaalde omstandigheden'. Een meisje dat de Luftwaffe de positie van het Maaneskader kan doorgeven valt vast onder 'bepaalde omstandigheden'.

Bovendien, en hier word ik doodsbang van, al zal misschien niemand het doorkrijgen als ik mijn echte naam niet noem, *ben ik joods*. Ik heb op een christelijke school gezeten, zelfs op feestdagen eten we niet bepaald koosjer, en opa is de enige die wel eens naar sjoel gaat. Maar ik ben en blijf een Brodatt. Ik denk niet dat Hitler me laat gaan, alleen omdat ik niet in God geloof.

Liever maar niet aan denken.

De eerste anderhalve dag heb ik sowieso nergens aan gedacht. Ik ben vierentwintig uur volledig onder zeil geweest, wat maar goed was ook, want dat was de dag dat het op de boerderij wemelde van de Duitse soldaten. De plaats van de landing is twee dagen afgezet geweest, ze hebben vanuit alle mogelijke hoeken en zelfs vanuit de lucht foto's genomen en het wrak nauwkeurig onderzocht. Het weiland is nog steeds afgezet, maar het schijnt dat ze moeite hebben om de aasgieren op afstand te houden: jongetjes die op RAF-souvenirs jagen! In Frankrijk een veel gevaarlijker liefhebberij dan thuis.

Ik heb nog steeds een ongelooflijke pijn, niet van de landing, maar omdat ik dat hele laatste uur die snertkist recht moest zien te houden. Al mijn spieren staan in brand, van mijn vingertopjes tot aan mijn schouders en zelfs in mijn rug. Ik heb het gevoel dat ik met tijgers heb gevochten. Ik vind het niet zo heel erg dat ik even weinig kan doen, zelfs op mijn vrije dagen voel ik me nooit echt helemaal uitgerust. Ik zou wel een week kunnen slapen.

Begin alweer te dommelen. Het licht valt tussen latten door waarvoor kippengaas zit om de duiven buiten te houden. De vloer van deze vliering zit halverwege die latten, dus als je wantrouwig zou zijn en ze zou tellen, zou je aan de buitenkant meer latten zien dan aan de binnenkant. Het is een knappe schuilplaats, maar waterdicht is het allemaal niet. Voor ik in slaap val ga ik een bergplaats maken voor deze stomme aantekeningen. Als iemand dit leest, is de krijgsraad nog mijn minste zorg.

Ik wou dat Julie terecht was.

De hele middag (do 14 okt.) op de dorsvloer van de schuur met een Colt .32 geoefend. Wat een pret. Mitraillette hield met een paar makkers de wacht, Paul zorgde voor de revolver en de les. De revolver hoort bij zijn SOE-uitrusting, maar hij heeft nog een grotere, een Colt .38, van een wapendropping, en ze vinden allemaal dat ik een wapen nodig heb, omdat ik niets anders heb om me achter te verschuilen: geen papieren en zo goed als geen Frans. Wat Paul betreft ben ik gewoon de zoveelste SOE-agent die in de gauwigheid opgeleid moet worden. Ik weet niet precies hoe het zo gekomen is, maar ik raak in elk geval bedreven in het zogenaamde 'dubbelschot': je vuurt twee keer kort achter elkaar, en elke keer mik je zo dat je niemand gevangen hoeft te nemen. Ik ben geen slechte schutter. Ik denk dat ik het zelfs best een bevredigende uitdaging zou vinden als het niet zo'n hels lawaai maakte – en Paul zijn handen thuis zou houden. Nu herinner ik me hem ook weer van die taxivlucht in Engeland. Zijn hand op mijn bovenbeen, MIDDEN IN DE LUCHT. Jakkie. Mitraillette zegt dat ik niet de enige ben, hij doet het bij alle vrouwen van onder de veertig die dicht genoeg bij hem komen. Ik snap niet hoe Julie dit uithoudt, aanmoedigt zelfs, als onderdeel van haar werk. Misschien beleeft ze er meer plezier aan dan ik? Nee. Ik denk dat ze gewoon meer lef heeft dan ik, hierin net zo goed als in alle andere dingen.

Mitraillette blijkt niet de echte naam van het verzetsmeisje te zijn. Ze lachte me uit omdat ik zo dom was om te denken dat het wel zo was. Het is haar codenaam. Ze heeft me haar echte naam ook verteld, want haar vader staat haar toch al recht onder mijn lattenraam te roepen als ze de kippen moet komen voeren (dit is een pluimveebedrijf). Ik zal haar echte naam niet opschrijven. Mitraillette betekent machinepistool. Het past bij haar.

Maman, haar moeder, komt uit de Elzas en de kinderen spreken allemaal vloeiend Duits. Er is een zus die ze *La Cadette* noemen. Ik geloof dat dit 'het kleine zusje' betekent. De broer, de oudste, is Gestapo-agent, een rasechte Fransman die een ondergeschikte functie heeft op het hoofdkwartier in Ormaie. De hele familie, inclusief Maman, gruwt van zijn samenwerking met de Duitsers, maar als hij thuiskomt betuttelen en bemoederen ze hem om het hardst. Het schijnt dat collaborateurs in Ormaie zo gehaat zijn dat de mensen hen doodschieten als ze de kans krijgen, zelfs gewone burgers die geen banden hebben met het verzet, en hij moet zich zo onopvallend mogelijk gedragen. Etienne heet hij geloof ik, zijn echte naam. Hij weet het zelf niet, maar hij is zo veilig als maar kan. Hij is de volmaakte dekmantel voor de verzetsactiviteiten van zijn familie en de hele stad heeft opdracht om hem in leven te laten.

Mitraillette heeft hier gisteravond op de donkere vliering twee uur met me zitten babbelen. Haar Engels is net zo beroerd als mijn Frans, maar hoewel we beide talen hardnekkig blijven verhaspelen, begrijpen we elkaar best goed. We hielden de weg in de gaten terwijl een deel van de springstof werd opgehaald. Ze heeft een houten vogelfluitje waarmee ze de mensen beneden waarschuwt als ze koplampen aan ziet komen. Sinds mijn komst ligt de springstof niet zo veilig verstopt onder balen hooi op de vloer van de schuur. Dit gebouw is met gemak driehonderd jaar oud, misschien wel ouder, gemaakt van hout en leem net als Wythenshawe Hall, en als iemand een brandende lucifer of sigaret zou laten vallen, zou het als de Vesuvius de lucht in vliegen. Ik zou er nooit op tijd uit kunnen komen. Probeer er maar niet aan te denken.

Ik probeer ook om niet over Julie te piekeren. Ze zeggen dat ze eergisteren haar eerste contact heeft gelegd. Ik weet niet waar of met wie, mijn informatie is uit de derde hand, maar wat een opluchting dat ze heelhuids neergekomen is! Voor zover ik het begrijp staat ons ontvangstcomité niet in verbinding met Julies vooraf geregelde contactpersonen in Ormaie. Ze vormen verschillende onderdelen van dezelfde groep. Het werkt als een soort estafetteloop met Julie als het stokje, maar ze heeft het eerste stukje gemist, de verbinding aan deze kant, waarschijnlijk omdat ze in het donker op de verkeerde plek is terechtgekomen.

Moet mezelf aanwennen haar Verity te noemen. Dat doen de anderen ook. Haar groep heet Damascus, naar het meest eerbiedwaardige lid, een 83-jarige rozenkweker. Ze noemen de groepen meestal naar een of ander ambacht. De naam van de rozenkweker heb ik niet te horen gekregen. Niemand wordt bij zijn echte naam genoemd of kent namen van anderen. Ik wil niet per ongeluk Julies naam laten vallen.

Haar opdracht is zo oergeheim dat haar eerste contactpersoon niet te horen kreeg dat zij en haar spullen gearriveerd waren tot ze het hem zelf vertelde, dus hoewel hij wist dat er vlakbij Ormaie door een Lysander een noodlanding was gemaakt, wist hij pas dat ze het overleefd had toen hij haar ontmoette. En op dat moment wisten ze geen van beiden nog dat de springstof ook veilig geland was. Maar door de groep verspreidt zich het nieuws dat zowel ~~Julie~~ Verity als de springstof hier is. Volgende halte: het stadhuis. Ze moet het stadsarchief binnen zien te komen en op zoek naar de oorspronkelijke bouwtekeningen van het oude hotel waarin nu het hoofdkwartier van de Gestapo gevestigd is. Maar dat kan ze pas doen als we het probleem met haar papieren hebben opgelost.

We proberen te bedenken hoe dat moet. Mitraillette mag niet direct met ~~Julies~~ Verity's contactpersoon spreken, dus ze moet iemand hebben die de boodschap kan doorgeven. Ze houden hun taken en namen zorgvuldig gescheiden. En we willen Verity's 'Katharina Habicht'-papieren natuurlijk alleen maar aan Verity, dat wil zeggen 'Katharina', zelf geven. Mitraillette wil het zo regelen dat v ze kan ophalen bij een van de zogenaamde *cachettes*, de geheime postbussen van het verzet. Dat betekent dat we haar dit op de een of andere manier moeten laten weten.

Ik zeg 'we' alsof ik iets opzienbarenders zal gaan doen dan wat ik tot nu toe doe, namelijk mijn handen warm blazen en hopen dat niemand me vindt!

De operatie zal doorgaan zoals voorgenomen: ze hebben de spullen, ze hebben Verity, de contactpersonen staan paraat. Als we het een beetje zorgvuldig voorbereiden gaat straks het hoofdkwartier van de Gestapo als de Vesuvius de lucht in, en niet deze schuur. Als Käthe Habicht nu maar niet 'achter de vijandelijke linies' moest opereren met Kittyhawks Britse identiteitspapieren!

Ik begin te denken dat het een van haar minder briljante invallen was om zich Kitty Hawk in het Duits te noemen. Heel lief, maar niet zo praktisch. Al moet ik er voor de eerlijkheid bij zeggen dat ze er niet op had gerekend dat ik mee zou komen.

Pauls revolver zeven keer achtereen uit elkaar gehaald en weer in elkaar gezet. Minder interessant dan een vliegtuigmotor.

Er is weer een Lysander gestrand.

Ongelooflijk maar waar. Deze kwam ongeschonden langs de luchtafweer en arriveerde precies als afgesproken zo'n honderd kilometer ten noorden van hier, ma 18 okt. Makkelijk zat. Jammer genoeg was het landingsveldje in een modderzee veranderd, want het heeft de afgelopen weken alleen maar geregend en geregend, in heel Frankrijk geloof ik. Het ontvangstcomité heeft vijf uur lang geprobeerd de kist uit het slijk te trekken – ze zetten er een paar *stieren* voor, want voor een tractor was het veel te drassig –, maar uiteindelijk moesten ze het opgeven omdat het licht begon te worden. Ze hebben dus een tweede vliegtuig vernietigd, en er zit een tweede RAF-piloot hier vast.

Ik zeg een tweede, maar ik ben natuurlijk geen RAF-piloot. Toch is het een kleine troost dat ik niet de enige ben. Gemeen en ploertig van me, maar ik kan er niets aan doen.

Er was sprake van dat ik met dat vliegtuig mee terug naar huis zou gaan. Ze zouden proberen om me er samen met de twee mensen die ik naar Engeland had moeten vliegen in te proppen. Ik had dan op de grond moeten zitten, maar SOE en ATA maken zich nogal druk om me en willen me hier weg hebben. Het is dus niet gebeurd. Er worden zo veel plannen gemaakt en weer gewijzigd, en op het laatste moment gaat het dan toch nog mis. Elk bericht voor Londen moet omslachtig gecodeerd worden en op de fiets worden afgeleverd bij een verborgen zender vijftien kilometer verderop. Soms wordt het bericht niet meteen verzonden, omdat het boomblaadje niet meer in het sleutelgat zit of de wimper niet meer in het voor de koerier achtergelaten briefje, en moeten ze drie dagen wachten tot ze zeker weten dat ze niet in de gaten worden gehouden. Het regent pijpenstelen, met wolken op duizend voet en vrijwel geen zicht in de rivierdalen waar de mist hangt; er kan hier sowieso niemand landen. Sinds ik dat weiland onbruikbaar heb gemaakt, ligt het dichtstbijzijnde vijfenzeventig kilometer verderop, bij Tours.

Een onbruikbaar veld noemen ze *brûlé*, verbrand. Wat het mijne ook echt is.

Nu zullen ze een Hudson moeten sturen om ons allemaal op te pikken, want in een Lysander is er niet genoeg ruimte. En dat betekent dat we moeten wachten tot de modder opgedroogd is.

Bah! Ik heb me nog nooit zo lang achter elkaar zo klam en onbehaaglijk gevoeld, het is alsof ik in een tent woon, zonder licht, zonder verwarming. Ze geven me stapels donsdekens en schapenvachten, maar de regen houdt maar niet op. Grijze, zware herfstregen die maakt dat je niets kunt doen, ook als je niet in een kruipruimte onder het dak zit. Ik ben een paar keer beneden geweest, want om me op te warmen en de sleur te doorbreken, proberen ze me elke dag één keer een maaltijd in de boerderij voor te zetten. Heb al een week niets geschreven omdat ik winterhanden begin te krijgen, zo koud is het steeds. Had ik nu die wanten maar die ik gemaakt heb uit dat breiboek dat oma me gaf, met die flappen die je terug kunt slaan zodat je je vingers kunt gebruiken. *Onmisbaarheden voor de soldaat* heette dat boek. Als ik had geweten *hoe onmisbaar* die wanten waren, had ik ze nooit uit mijn tas gehaald, behalve dan om ze aan te trekken. In tegenstelling tot dat domme gasmasker.

Ik wou dat ik schrijfster was. Ik wou dat ik de woorden kon vinden om de machtige mengeling van angst en verveling te beschrijven waar ik de afgelopen tien dagen mee geleefd heb, en die zich tot in het oneindige voor me uitstrekt. Het lijkt misschien wel een beetje op gevangenschap, op wachten op een vonnis – niet op een doodvonnis, want ik heb nog hoop. Maar de kans dat het eindigt in de dood is aanwezig. En reëel.

Intussen zijn mijn dagen eentoniger dan een heel leven van schietspoelen opwinden in de fabriek in Ladderal. Ik heb niets anders te doen dan op mijn vingers zuigen, net als Jamie in de Noordzee, en tobben. Dat ben ik niet gewend. Ik ben altijd druk, altijd aan het werk. Ik weet niet hoe ik mijn geest bezig moet houden als niet mijn hele wezen bezig is. Als het hoosde en het zicht zo lelijk was dat niemand kon opstijgen, zaten de andere meisjes op Maidsend altijd te snurken of te breien of hun nagels te lakken. Breien was mij nooit genoeg, zo vreselijk saai vond ik het, op iets groters dan een sok of een handschoen kon ik me niet concentreren. Uiteindelijk ging ik altijd weer een fiets bietsen om op onderzoek uit te kunnen gaan.

Moest denken aan het grote fietsavontuur, toen ik Julie vertelde waar ik allemaal bang voor was. Nu lijken mijn angsten zo onbenullig. De snel en plotseling oplaaiende angst voor ontploffende bommen is niet hetzelfde als de eeuwigdurende, afmattende angst voor ontdekking en gevangenschap. Die gaat nooit weg. Er is geen onderbreking, nooit de mogelijkheid van een 'alles veilig'. Je bent altijd een klein beetje misselijk, want je weet dat elk moment het ergste kan gebeuren.

Ik zei dat ik bang was voor kou. Kou is inderdaad vervelend, maar… niet echt iets om bang voor te zijn, of wel? Voor welke tien dingen ben ik nu dan bang?

1) BRAND.

Niet de kou of het donker. Onder de hooibalen in deze schuur ligt nog steeds een flinke berg Nobel 808. De geur is soms bedwelmend. Het is net marsepein. Ik kan gewoon niet vergeten dat het daar ligt. Als een Duitse soldaat zijn neus naar binnen steekt weet hij het ook meteen.

Geloof het of niet, ik droom steeds dat ik glazuur voor de taart aan het maken ben.

2) Dat er bommen op mijn opa en oma vallen. Dat is niet veranderd.

3) Dat er bommen op Jamie vallen. Ik maak me zelfs veel meer zorgen om Jamie nu ik zelf ervaren heb waar hij mee te maken heeft.

4) Nieuw op de lijst: Duitse concentratiekampen.

Ik weet niet hoe ze allemaal heten of waar ze liggen, heb geloof ik nooit goed opgelet. Ze waren nooit zo echt. Opa's getier over onheilspellende verhalen in de *Guardian* maakte ze niet echter. Maar de wetenschap dat ik er heel waarschijnlijk in terecht zal komen is angstaanjagender dan een nieuwsbericht ooit had kunnen zijn. Als ze me pakken en niet ter plekke doodschieten, naaien ze me een gele ster op en sturen ze me naar een van die gruweloorden zonder dat iemand ooit te weten komt wat er met me gebeurd is.

5) KRIJGSRAAD.

Ik probeer me te herinneren wat ik Julie die dag nog meer vertelde. De meeste 'angsten' waar we het die eerste keer in de mess over hadden waren zo onnozel. Oud worden! Ik schaam me als ik eraan terugdenk. De dingen die ik haar op ons fietsavontuur vertelde waren beter. Honden. Ha... dat doet me eraan denken.

6) Paul. Ik moest hem onder dreiging van mijn revolver – zijn eigen revolver natuurlijk eigenlijk, het wapen dat hij me gaf en heeft leren gebruiken – mijn vliering af jagen. Misschien was het overdreven dramatisch van me om de revolver te trekken, maar hij was in zijn eentje op klaarlichte dag mijn vliering op gekomen, zonder dat de familie ervan wist, wat op zichzelf al doodgriezelig was. Ze houden zo precies in de gaten wie er komt en gaat, en ze moeten hem kunnen vertrouwen. Ik denk dat hij alleen maar uit was op een kus en een aai. Hij vertrok met een gewonde blik in zijn ogen en liet mij achter met het gevoel dat ik gemeen en verdorven en preuts tegelijk was.

Ik ben me doodgeschrokken, toen ik er achteraf over nadacht méér dan op het moment zelf. Als hij, of iemand anders, zich aan me zou opdringen, dan kon ik niet wegrennen. Ik kon niet eens om hulp roepen. Ik zou het zonder me te verzetten en in stilte moeten ondergaan, of anders het gevaar lopen mezelf aan de Duitsers te verraden.

Ik lag de hele nacht als een bange schijterd met die snertrevolver van Paul in mijn hand en mijn oor op het luik te luisteren of hij terugkwam om het in het donker nog een keer te proberen. Alsof hij niets beters te doen heeft in het donker! Na een hele tijd viel ik in slaap en droomde dat er een Duitse soldaat tegen het luik stond te bonken. Toen hij binnenkwam schoot ik hem in het gezicht. Werd hijgend van angst wakker, viel weer in slaap en had weer dezelfde droom, en dat zeker drie keer achter elkaar. Elke keer dacht ik: daarnet was het een droom, maar NU is het echt.

Toen Mitraillette me mijn ontbijt van brood en ui en hun vieze surrogaatkoffie kwam brengen, flapte ik het hele akelige verhaal er zomaar uit.

In het Engels natuurlijk. Aan het eind barstte ik in huilen uit. Ze reageerde meelevend maar beduusd. Geen idee hoeveel ze er van begrepen heeft, en ik denk ook niet dat ze er veel aan kan doen.

'In het Engels natuurlijk' brengt me bij angst nummer zeven: het feit dat ik Engelse ben. Ik geloof dat ik tegen Julie zei dat ik bang was dat mijn uniform niet goed zat en dat mensen om mijn accent zouden lachen, en in zekere zin maak ik me daar nog steeds zorgen om, maar nu met meer reden. Mijn kleren! Die van Mitraillette zijn in de taille en op de heupen te klein voor me, daarom draag ik een jurk van haar moeder, ouderwets en stijf, een geval waar elk zichzelf respecterend meisje van mijn generatie nog niet dood in gevonden wil worden. Mitraillettes trui past wel, en ik heb een al vaak opgelapt wollen vest dat van haar broer is geweest, maar de combinatie van deze warme kleren en de slonzige jurk ziet er oermal uit. Het ensemble wordt gecompleteerd met een paar *klompen*, van die houten gevaartes die oma's tuinman thuis ook aan zijn voeten heeft. Tenzij ze Julies kledingbonnen gebruiken, kunnen ze onmogelijk aan betere spullen voor mij komen. Ik vind het niet erg om er onelegant bij te lopen, maar ik draag duidelijk een bij elkaar geraapte verzameling afdankertjes, en als iemand me ziet, zal dat vragen oproepen.

En mijn 'accent'! Tja.

Mitraillette zegt dat ze aan de MANIER WAAROP IK LOOP kan zien dat ik niet uit Ormaie kom. Als ik naar de laatste mode gekleed en zonder een woord tegen iemand te zeggen naar de kruidenier zou lopen, dan zou ik mezelf en alle mensen om me heen nog steeds verraden. Ik ben zo bang om tekort te schieten.

O ja, dat gevoel van tekortschieten. Is dit nu angst of schuldbesef? Het is net een brok graniet dat klem zit tussen de radertjes in mijn hoofd en mijn hersenen openschaaft. Een kringetje van mislukking en getob. Stel dat ze me pakken en ik de locatie van het Maaneskader verraad? Ik heb al die Lysanderpiloten, die zo op me gesteld waren dat ze me in een van hun kisten naar Frankrijk lieten vliegen, al laten barsten. De inlichtingendienst rekende ook op me, om nog maar te zwijgen van de vluchtelingen die ik had moeten oppikken. Ik ben een kolossale mislukking als het om mijn eigen ATA-eenheid gaat, want ik ben er zonder toestemming voor onbepaalde tijd tussenuit geknepen, en ik ben als de dood dat ik per ongeluk mijn gastgezin verraad – óf door op hun erf gevonden te worden, óf door elders tegen de lamp te lopen en onder druk uit de school te klappen. Geloof niet dat ik iets voor de Gestapo verborgen kan houden als ze me echt onder handen nemen. O help, nu ben ik weer aanbeland bij de Gestapo en de locatie van het Maaneskader.

Alle wegen leiden naar de Gestapo in Ormaie. Goed, dan is die angst nummer negen. De Duitse geheime politie, ik word al misselijk bij de gedachte. Ik weet zeker dat hun hoofdkwartier in Ormaie mijn eerste halte zal zijn op weg naar het kamp.

Tenzij dat hoofdkwartier de lucht in gaat. Maar het lijkt er niet op dat dit binnenkort zal gebeuren. Het is nu tien dagen geleden dat we hier aankwamen. Een van de redenen dat ik de hele week niets heb geschreven, is dat ik niet op papier wil zetten wat ik nu ga schrijven; dat ik van dit nare 'misschien' zelfs niet een heel klein beetje werkelijkheid wil maken. Bovendien, als ik mezelf had toegestaan deze week te schrijven had ik de helft van mijn papier verspild aan lijstjes met mogelijkheden en vragen. Het duurt te lang. Het is een marteling, een regelrechte marteling, dit wachten op nieuws – op wat dan ook.

Julie is verdwenen.

Het klopt dat ze haar eerste contactpersoon heeft gesproken, di 12 okt., de dag nadat we aankwamen, maar daarna is ze in rook opgegaan, alsof ze nooit in Frankrijk is geweest. Vandaag is het de 21ste. Ze wordt al een week vermist.

Ik begrijp nu waarom haar moeder voor mevrouw Schat speelt en de slaapkamerramen van haar kinderen open laat staan als die weg zijn. Zolang je kunt doen alsof ze misschien terugkomen is er hoop. Ik denk niet dat er iets ergers is op de wereld dan niet weten wat er met je kind is gebeurd.

Hier gebeurt dit aan één stuk door. Het gebeurt AAN ÉÉN STUK DOOR: mensen verdwijnen spoorloos, hele gezinnen soms. Niemand hoort ooit nog wat van hen. Ze raken zoek. Neergeschoten piloten natuurlijk, getorpedeerde zeelieden natuurlijk, dat verwacht je. Maar hier in Frankrijk overkomt het ook gewone mensen. Op een ochtend staat het huis naast je zomaar ineens leeg, de loketbediende op het postkantoor verschijnt niet op zijn werk of je vriendin of je leraar komt niet naar school. Een paar jaar geleden was er dan nog de kans dat ze naar Spanje of Zwitserland waren gevlucht. En ook nu bestaat er een kleine hoop dat Julie ondergronds is gegaan tot een onbekend gevaar is geweken. Maar vaker wel dan niet is de vermiste persoon tussen de raderen van de Duitse vernietigingsmachine terechtgekomen, zoals een ongelukkige kievit geraakt wordt door de propeller van een Lancaster; alleen de veertjes waaien weg in de schroefwind, alsof de warme vleugeltjes en het kloppende hart er nooit geweest zijn.

Er is nergens een lijst van arrestaties. Het gebeurt elke dag. Vaak kijken mensen de andere kant op als er op straat een worsteling plaatsvindt, om te voorkomen dat ze zelf ook problemen krijgen.

Julie is verdwenen.

Het is schokkend om op te schrijven, om het zwart-op-wit te zien staan in de marge van mijn vliegeniershandboek, naast 'De Havilland Mosquito – motorstoring na opstijgen'. Maar het is waar. Ze is verdwenen. Misschien is ze al dood.

Ik ben bang om gepakt te worden. Ik ben bang dat Julie dood is. Maar van alle dingen waar ik bang voor ben, jaagt niets me zo veel angst aan als de waarschijnlijkheid, de zekerheid bijna, dat Julie een gevangene is van de Gestapo hier in Ormaie.

De rillingen liepen me over de rug toen ik dit schreef, en ik huiver weer nu ik de woorden teruglees.

Moet stoppen. Wat een geweldige inkt is dit, zelfs als je erop huilt loopt hij niet uit.

Verity, Verity, moet niet vergeten haar Verity te noemen. Verdikkeme.

Ze kunnen niet verder. Nog geen contactpersoon aan Duitse kant. Nu Julie uit beeld is, staat alles stil. Zij had de spil van deze operatie moeten zijn, de spion, de Duitssprekende vertaler die zich tussen het stadhuis en de Gestapo bewoog. Mitraillette kan het niet doen, die is van hier, te verdacht. Heel Damascus wacht gespannen af of Julies gevangenneming hen zal verraden.

Of Julie zelf hen zal verraden, bedoel ik eigenlijk. Door onder de druk te bezwijken. Hoe langer het stil blijft, hoe zekerder het is dat ze is opgepakt.

Intussen proberen ze nog steeds iets aan mij te doen. Het duurt nu al twee weken. Er is nog niets veranderd.

Moest op de foto. Het zal nog een poosje duren voor de opnamen zijn ontwikkeld. Het kostte moeite om me in contact te brengen met de fotograaf, die het op veel fronten tegelijk druk heeft. Ik ben zelf nauwelijks bij de onderhandelingen betrokken geweest, zij hebben zich weer enorm voor me ingespannen. Merkte hoe zenuwachtig Mitraillettes moeder ervan werd om mij en de fotograaf en Paul allemaal tegelijk in haar zitkamer te hebben.

Het is de bedoeling dat we Verity's valse carte d'identité zo aanpassen dat Kittyhawk, ik dus, verandert in Käthe, Katharina Habicht dus. Ik word het stille en niet al te snuggere nichtje uit de Elzas, wier ouders bij een bombardement zijn omgekomen en die door de familie zal worden verzorgd in ruil voor haar hulp op de boerderij. Het is om ontelbare redenen een gevaarlijk plan, maar wel vooral omdat de mogelijkheid bestaat dat de naam al besmet is. We hebben er eindeloos over zitten praten: Mitraillette, Maman en Papa, ik als adviseur en Paul als tolk. Als de Duitsers Julie, Verity bedoel ik, hebben, dan moeten we aannemen dat 1) ze ook Margaret Brodatts vliegbrevet en identiteitskaart hebben en MIJN echte naam al kennen en 2) Julie hun *haar eigen* naam heeft opgegeven, omdat ze daar volgens de Geneefse Conventie als officier toe verplicht is en het de kans vergroot dat ze fatsoenlijk als krijgsgevangene zal worden behandeld. We denken niet dat ze de naam op de valse carte d'identité zal prijsgeven. Paul denkt niet dat ze ernaar zullen vragen, en als ze dat wel doen kan ze hun natuurlijk alles wijsmaken. Ze zou een naam kunnen verzinnen. Ze is ertoe in staat. Of misschien noemt ze Eva Seiler.

Maar de belangrijkste reden dat ze Käthe Habicht niet zal verraden, is dat ze weet dat het voor mij de enige naam is om op terug te vallen.

De fotograaf werkt ook 'voor de vijand'. Echte Britse piloten die boven het Europese vasteland vliegen hebben in hun noodpakket ook altijd een paar foto's, voor het geval ze neergehaald worden en een valse identiteitskaart nodig hebben. Maar mijn foto's worden gemaakt door een Franse fotograaf in dienst van de Gestapo! Een van zijn taken is het vergroten van de foto's van mijn gehavende kist. Hij liet ons een paar voorbeelden zien. Niet te beschrijven hoe spannend en griezelig het was toen hoe hij het touwtje van zijn map losmaakte en de glanzende afdrukken eruit haalde, afdrukken die straks op het bureau van het hoofd van de Gestapo in Ormaie terecht zullen komen. Alsof de eerste vingers van koude lucht zachtjes tegen je vleugels tikken, terwijl de donderwolken die je probeerde te omzeilen je beginnen in te halen. Zo dicht ben ik bij de Gestapo: de fotograaf zou mij samen met de foto's aan de Duitsers kunnen overhandigen.

Hij waarschuwde me in het Engels: 'Niet leuk om naar te kijken.'

Het meest verontrustende was om te weten dat ik dat moest voorstellen. Dat gruwelijk verkoolde lichaam had mijn kleren aan, bot en leer versmolten met de verbrijzelde cockpit op de plaats waar ik gezeten had. ATA-vleugels nog vaag te zien op de ingedeukte borst. Er was ook een vergroting van de spookachtige vleugels, alleen de vleugels, je kon niet echt goed zien dat het een ATA-symbool was.

Het beviel me niet. Waarom die aandacht voor het insigne van de pi-loot... waarom?

'Waar is dit voor?' vroeg ik. Dat lukte nog net in het Frans. 'Wat gaan ze met deze foto's doen?'

'Er zit een Engelse vliegenier gevangen in Ormaie,' legde de fotograaf uit. 'Ze willen hem deze foto's laten zien, er vragen over stellen.'

Deze week hebben ze een Britse bommenwerper neergeschoten. Bij redelijk weer komen er 's nachts zwermen geallieerde vliegtuigen over, en soms ook overdag. Denk dat we sinds de geallieerde invasie van vorige maand gestopt zijn met bombardementen op Italië, maar nu Italië Duitsland de oorlog heeft verklaard, gaat het er steeds heter aan toe. We zitten te ver van Ormaie om het luchtalarm te horen, tenzij de wind de goede kant op waait. Maar je ziet de lichtflitsen in de lucht als de schutters op de grond op de vliegtuigen schieten.

Zo probeerde ik er, met de vergroting van mijn verbrande vleugels stevig in mijn handen, wijs uit te worden. Het is de minst weerzinwekkende foto van de zogenaamde piloot, maar hij maakte me het meest van streek. Uiteindelijk keek ik naar Paul.

'Wat zal een gevangengenomen bommenwerperpiloot nu van het wrak van een verkenningsvliegtuig weten?'

Hij haalde zijn schouders op. 'Zeg jij het maar. Jij bent hier de piloot.'

Het glanzende papier trilde in mijn hand.

Ik maakte er onmiddellijk een eind aan. Gewoon vliegen, Maddie.

'Denk je dat hun Engelse vliegenier Verity zou kunnen zijn?'

Weer haalde Paul zijn schouders op. 'Ze is geen vliegenier.'

'En ook niet Engels,' voegde ik eraan toe.

'Maar ze heeft waarschijnlijk jouw Engelse vliegbrevet en identiteitskaart bij zich,' zei Paul zacht. 'Daar staan toch geen foto's op? Je bent een burger. Dus al kennen ze je naam, ze weten niet hoe je eruitziet. Zeg eens, Kittyhawk, hoe overtuigend vind je deze foto's? Zou je jezelf herkennen? Zou iemand anders je herkennen?'

In dat gesmolten lichaam was zelfs nauwelijks een mens te herkennen. Maar die ATA-vleugels... O, ik wil niet dat Julie die foto's ziet en te horen krijgt dat ik dat ben.

Want ze kent het vliegtuig. Het is duidelijk hetzelfde vliegtuig, het registratienummer is nog zichtbaar, R 3892. Ik moet… moet er gewoon niet aan denken, Julie die in de gevangenis gedwongen wordt deze foto's te bekijken.

Ik zei tegen Paul: 'Vraag aan de fotograaf hoe lang hij het kan rekken voor hij deze inlevert.'

De fotograaf begreep me zonder dat het vertaald hoefde te worden.

'Ik wacht,' zei hij. 'De kapitein wacht. De foto's waren niet goed, misschien, niet scherp genoeg, en het moet over. Het duurt een hele tijd. De Engelsman moet de kapitein iets anders vertellen. Hij ziet de foto's van de piloot nog niet. We geven ze eerst de andere…'

Hij haalde nog een paar foto's uit de map en gaf er een aan mij. Het was de cabine, met de verbrande resten van de elf 'radiozenders'.

Ik barstte in lachen uit. Misselijk van me, ik weet het, maar het is een BRILJANTE foto, heel geloofwaardig. Het mooiste wat ik de afgelopen twee weken heb gezien. Als ze Julie hebben en ze laten haar die foto zien, dan is dat een geschenk. Dan verzint ze voor elk van die zogenaamde zenders een telegrafist en een bestemming, compleet met frequenties en codes. Ze draait die Duitsers zonder mankeren een rad voor ogen.

'Oui, mais oui, o ja!' stamelde ik een beetje te hysterisch, en iedereen trok zijn wenkbrauwen op. Ik gaf beide foto's terug, de foto die Julie zal breken en de foto die haar redding zou kunnen zijn. 'Geef ze die.'

'Goed…' zei de fotograaf, kalm en neutraal. 'Mooi, ik krijg minder moeilijkheden als ik er toch nog een paar op tijd lever.' Het stemt me zo… deemoedig, de risico's die ze allemaal nemen, het dubbelleven dat ze leiden, hoe ze hun schouders ophalen en weer aan het werk gaan. 'Nu moet u op de foto, mademoiselle Kittyhawk.'

Maman probeerde met veel omhaal mijn haar te fatsoeneren. Hopeloos. De fotograaf nam drie foto's en begon te lachen.

'U lacht te breed, mam'selle,' zei hij. 'In Frankrijk houden we niet zo van identiteitskaarten. Uw gezicht moet… neutraal zijn, oui? Neutraal. Zoals de Zwitsers!'

Toen begonnen we allemaal een beetje zenuwachtig te giechelen, en uiteindelijk keek ik geloof ik boos. Normaal probeer ik naar iedereen te lachen – het is een van de weinige dingen die ik weet over infiltreren in vijandelijk gebied. Dát, en hoe je een dubbelschot afvuurt.

Kan niet zeggen hoe hartgrondig ik Paul haat.

De fotograaf had een gevoerde wollen klimbroek van zijn vrouw voor me meegenomen, van goede kwaliteit, mooi gemaakt en niet veel gebruikt, en die gaf hij aan me nadat hij zijn apparatuur had opgeborgen. Ik was zo verbaasd en dankbaar dat ik weer begon te grienen. De arme man vatte het verkeerd op en verontschuldigde zich omdat hij geen mooie jurk voor me had! Maman stortte zich op me, droogde met de ene hand met haar schort mijn tranen en demonstreerde met de andere hand hoe warm en dik de broek wel niet was. Ze is vaak heel bezorgd om me.

Paul maakte op kameraadschappelijke toon een opmerking tegen de fotograaf, alsof ze samen een biertje zaten te drinken in de kroeg. Maar hij zei het in het Engels, zodat ik het zou verstaan en verder niemand.

'Kittyhawk heeft geen bezwaar tegen een broek. Wat ze tussen haar benen heeft gebruikt ze toch niet.'

Ik haat hem. Ik haat hem.

Ik weet dat hij de coördinator is, de hoeksteen van deze verzetsgroep. Ik weet dat mijn leven van hem afhangt. Ik weet dat ik erop kan rekenen dat hij me hier weg krijgt. Maar toch HAAT IK HEM.

De fotograaf grinnikte besmuikt – mannen onder elkaar, geweldig goeie bak – en keek steels naar mij om te zien of ik het gehoord had, maar ik zat natuurlijk te grienen aan Mamans brede Franse boerinnenborst en wekte waarschijnlijk de indruk van niet. En ik deed ook alsof mijn neus bloedde, want het was belangrijker om de fotograaf behoorlijk te bedanken dan om Paul van repliek te dienen.

HAAT HEM.

Nadat de fotograaf vertrokken was, moest ik weer schietoefeningen doen met Paul. Hij houdt zijn handen NOG STEEDS niet thuis, ook al heb ik hem al een keer onder schot genomen, ook al staat Mitraillette toe te kijken. Niet dat zijn handen overal komen, hij laat ze gewoon veel te lang op je arm of op je schouder liggen. Hij weet vast hoe graag ik met zijn eigen revolver een kogel door zijn hoofd zou jagen. Maar hij gedijt kennelijk bij gevaar, en ondanks mijn gewelddadige dromen heb ik het niet echt in me. Waarschijnlijk weet hij dat ook.

Elk laatste weekend van de maand heeft Maman toestemming om een speciaal goedgekeurde kip te slachten zodat ze op zondag voor een handvol Gestapo-leden kan koken. Omdat Etienne uit de buurt komt, moet zijn familie zijn meerderen regelmatig ontvangen, en de nazi's weten natuurlijk dat het eten op de boerderij beter is dan in de stad. De drie uur dat hun laatste bezoek duurde heb ik mijn Colt .32 zo stevig vast zitten houden dat mijn hand vier dagen later nog stijf is. Wanneer ik schuin opzij door de latten in mijn muur keek, zag ik nog net de glanzende motorkap van hun op het erf geparkeerde Mercedes Benz, en toen ze terugkwamen ving ik een glimp op van de lange leren jas van de kapitein, die toen hij instapte aan het spatbord bleef haken.

Het was La Cadette, het kleine zusje, die me over het bezoek vertelde. La Cadette heet in het echt Amélie. Het is een beetje onzinnig om de namen van de familie niet gewoon op te schrijven, want de Duitsers kennen ze toch al. Maar ik ben de Thibauts simpelweg gaan zien als Maman en Papa, en ik kan net zomin Gabrielle-Thérèse zeggen tegen Mitraillette als Katharina tegen Julie. Als de Duitsers hun keuken bezetten, laat de familie Amélie het woord doen. Het lijkt alsof ze een leeghoofd is, maar ze betovert de bezoekers met haar vloeiende Elzasser Duits. Iedereen is dol op haar.

Ze willen deze maandelijkse bezoekjes informeel houden en iedereen komt dan ook in burger, maar ze buigen voor de kapitein alsof hij de koning van Engeland is. Mitraillette en haar zus vinden hem allebei doodeng. Kalm, vriendelijk, zegt nooit iets zonder nadenken. Ongeveer net zo oud als Papa Thibaut, de boer. Zijn ondergeschikten besterven het van angst. De kapitein maakt geen lievelingetjes, maar hij praat graag met Amélie en neemt altijd een cadeautje voor haar mee. Deze keer was het een luciferdoosje met het wapen van het hotel dat ze als kantoor gebruiken: CdB, Château de Bordeaux. Amélie heeft het aan mij gegeven. Lief van haar, maar ik sta niet te trappelen om hier iets aan te steken!

Ze beginnen met drankjes. De mannen staan in de keuken cognac te nippen, La Cadette gaat met de fles rond, Mitraillette zit opgelaten in een hoek met het stuurse Duitse kind dat als secretaresse/lijfknecht/slavin van de kapitein overal mee naartoe wordt gesleept. Ze is ook nog hun chauffeuse. Ze drinkt niet met de mannen mee, want tijdens het informele samenzijn houdt zij de aktetas en de handschoenen en de pet van de kapitein vast.

De broer, Etienne, had vandaag een grote, lelijke buil boven zijn linkeroog, nog helemaal vers, paars met een rode deuk in het midden. La Cadette bedolf hem onder medelijden, Maman en Mitraillette waren wat terughoudender. Ze durfden niet te vragen hoe hij eraan kwam, tenminste, zijn zusje durfde het wel, maar hij wilde het niet zeggen. Hij geneerde zich voor alle aandacht, de drukte die erover gemaakt werd in het bijzijn van zijn baas en twee collega's en dat meisje.

Dus La Cadette draait zich naar de kapitein om en vraagt: 'Gaat Etienne soms de hele dag met mensen op de vuist? Het lijkt wel of hij weer op school zit!'

'Je broer heeft voortreffelijke manieren,' antwoordt de kapitein. 'Maar soms worden we er door een gewelddadige gevangene aan herinnerd hoe gevaarlijk het werk van een politieman kan zijn.'

'Is uw werk ook gevaarlijk?'

'Nee,' zegt hij ijskoud. 'Ik heb een bureaubaan. Ik praat alleen maar met mensen.'

'Met gewelddadige gevangenen,' zegt zij.

'Daarom heb ik je broer, om mij te beschermen.'

Op dat moment begint de slavin van de kapitein heel zachtjes achter haar hand te gniffelen. Ze doet alsof ze moet kuchen, gebaart vluchtig naar Etiennes beurse hoofd en fluistert tegen Mitraillette naast haar: 'Dat heeft een vrouw gedaan.'

'Had hij het verdiend?' fluistert Mitraillette terug.

De secretaresse haalt haar schouders op.

VERSCHRIKKELIJK om niet te weten wat er met Julie is gebeurd of nog gebeurt. Het duurt nu ruim drie weken, het is al november. Totale stilte – ze kan net zo goed aan de achterkant van de maan zitten. Ongelooflijk hoe dun de draadjes worden waaraan je je hoop vastknoopt.

In Ormaie verhoren ze niet veel vrouwen, ik geloof dat ze die meestal meteen naar de gevangenis in Parijs sturen. Ik weet zeker dat mijn hart even stil bleef staan toen ik het hoorde, en nu ik het opschrijf gebeurt het weer.

'Dat heeft een vrouw gedaan.'

Weet niet of ik teleurgesteld ben of opgelucht. Gisteren (zo 7 nov.) de hele dag geprobeerd Frankrijk uit te komen en nu ben ik weer terug in dezelfde oude schuur, uitgeput, maar te opgewonden om te slapen. Ik kan dit schrijven omdat het al licht begint te worden en omdat Paul me gisteravond een benzedrinepilletje heeft gegeven om me wakker te houden.

Blij dat ik deze aantekeningen terug heb. Ik had ze hier gelaten omdat ik ze niet bij me wilde hebben als ik op de vijfenzeventig kilometer lange rit naar het landingsveldje gepakt zou worden. Ik heb al duizend keer tegen mezelf gezegd dat ik die verdraaide aantekeningen natuurlijk nooit had moeten maken, maar ik denk dat ik ze de volgende keer toch maar meeneem. Het voelde een beetje alsof ik mezelf in tweeën deelde toen ik ze achterliet, en als piloot je vliegeniershandboek kwijtraken staat gelijk aan verraad.

Reed mee in de achterbak van een autootje van een makker van Papa Thibaut, een Citroën Rosalie, viercilindermotor, zeker tien jaar oud, loopt (traag) op een walgelijk mengsel van koolteer en suikerbietethanol. De arme motor heeft er de pest aan en moest er de hele weg van hoesten en proesten. Nog een geluk dat ik niet gestikt ben in de uitlaatgassen. Papa Thibaut heeft zelf een bestelbus voor de boerderij, maar het gebruik daarvan is aan zulke strikte regels gebonden dat ze er voor het verzetswerk niet mee durven te rijden. Gisteren, een zondagmiddag, moesten we langs maar liefst zes controleposten: één per vijftien kilometer. Ze weten niet altijd waar de controleposten zijn en dit was een goede manier om erachter te komen, zodat we ze konden mijden toen we na spertijd weer naar huis reden. Ik zat achterin met een rieten picknickmand en een stel legkippen die volkomen legaal naar een andere boerderij werden gebracht. Niet te geloven wat een ophef er bij de controleposten om die kippen wordt gemaakt. Anders dan ik hebben zij hun eigen papieren.

Oerslimme afleidingsmanoeuvre wel. Zodra iemand de achterklep openmaakte, wat bij de helft van de controleposten gebeurde, gingen die kippen tekeer als... als kippen dus! De kunst voor mij, opgerold achterin onder lege voerzakken, was niet om geen hartaanval te krijgen als er iemand in de achterbak keek, maar om niet zo de slappe lach te krijgen dat ik mezelf verraadde.

Het duurde eeuwen voor we bij het weiland waren, het werd al donker toen we aankwamen, minus kippen, die waren afgeleverd op hun eindbestemming. Ik moest bijna een uur in mijn schuilplaats wachten tot de kippentransactie voltooid was, maar ze hadden een boterham en een slokje cognac voor me bewaard. Daarna door naar het weiland, dat een beetje afliep, maar niet te erg. Elektriciteitskabels op de aanvliegroute, helaas, wat me helemaal niet aanstond en de piloot uiteindelijk ook niet, want hij zette zijn kist niet aan de grond, maar daar kom ik nog op.

Behalve ikzelf en de kippen zaten in de auto: Papa Thibauts vriend de chauffeur, Papa Thibaut voor de authentieke kippentransactie, Amélie en Mitraillette voor de authentieke zondagse picknick, en Paul voor kennis en uitvoer van het plan. Paul zat de hele weg tussen de twee zusjes in, met Amélie spinnend tegen zijn schouder aan gevlijd. Ze is een kei van een actrice, La Cadette. Onder de achterbank hadden ze twee stens verstopt – het machinepistool waar Mitraillettes naam vandaan komt – en een radio. Het weiland lag aan het eind van een karrenspoor, onderweg moesten er drie houten hekken open en dicht worden gedaan: onze eigen 'bewakers' stonden al op hun post toen we aankwamen. Hun fietsen lagen onder de struiken aan de kant. Sommigen waren met z'n tweeën op één fiets gekomen, dan hoefden ze geen extra fietsen mee terug te nemen als de passagiers eenmaal weg waren. Het 'grondpersoneel' sloot de radio aan op de accu van de arme Rosalie en hing de antenne in een boom, die de auto onzichtbaar maakte vanuit de lucht. Eerst was de ontvangst goed, maar toen even later de wind aantrok, werd het steeds moeilijker om iets te horen.

We dromden met z'n allen rond de koptelefoon toen de BBC in de lucht kwam.

HIER LONDEN! Wat een sensatie, er is geen ander woord voor, een SEN-SATIE om de BBC te horen. Ongelooflijk. Wat is het toch verbazingwek-kend, *wonderbaarlijk* dat we deze techniek hebben, deze verbinding: al die honderden kilometers tussen hier en daar, veld en bos en rivier en zee, wa-pens en soldaten, in een oogwenk omzeild. En dan die bedaarde stem, dat duidelijke Frans dat zelfs ik kon verstaan, alsof de goede man naast me stond en me in dat verduisterde Franse weiland in mijn oor fluisterde dat ons reddingsplan *in gang was gezet!*

Paul stelde het hele ontvangstcomité voor, niet bij hun echte namen na-tuurlijk. Je moet *iedereen* een hand geven. Moeilijk om al die mensen uit el-kaar te onthouden na één ontmoeting in het donker. Er was een meisje dat ook opgepikt zou worden, een radiotelegrafiste die ze dolgraag naar Enge-land terug wilden hebben, want de hele Parijse Gestapo schijnt achter haar aan te zitten.

'Wat moeten we zonder jou beginnen, prinses,' zei Paul, met zijn armen om haar middel.

'Ik kom terug,' zei ze zacht. Een heel ander persoon dan Julie, verlegen en bescheiden, maar vast net zo moedig. Wat een zenuwen moeten die mensen hebben.

Toen wees Paul: 'De jongeman die daar aankomt is de andere piloot, die in de modder vast is komen te zitten. Jullie kennen elkaar zeker wel?'

Ik keek op. Het was Jamie, JAMIE BEAUFORT-STUART. Zelfs in de be-wegende schaduwen en onder een wassende maan herkende ik hem, en te-gelijkertijd zag hij mij. Hij liet zijn fiets vallen en we sprongen als kangoe-roes op elkaar af. Hij barstte los: 'MA…'

Bijna had hij mijn naam genoemd. Hij bedacht zich net op tijd, stamel-de iets en riep toen gladjes: '*MA CHÉRIE!*' en legde me achterover in een zwijmelkus uit Hollywood.

Even later snakten we allebei naar adem.

'Sorry, sorry!' fluisterde hij in mijn oor. 'Kon zo snel niets anders beden-ken. Ik wilde je dekmantel niet bederven, Kittyhawk! Ik zal het nooit meer doen, dat beloof ik…'

Toen kregen we het allebei op onze heupen en begonnen we als een stelletje onnozelaars te giebelen. Ik gaf hem heel snel een kus terug, om hem te laten weten dat ik het niet erg vond. Hij hielp me met een zwiep overeind, maar liet zijn arm om mijn schouders liggen. Zo zijn ze allemaal, die Beaufort-Stuarts, aanhankelijk als jonge hondjes, en ze doen alsof het de normaalste zaak van de wereld is! Zo on-Brits. On-Engels in elk geval, maar ik geloof ook niet dat het erg Schots is. Even zag ik Paul naar ons kijken – zelf had hij zijn arm nog steeds stevig om het middel van dat andere meisje –, daarna draaide hij zich om om iets tegen iemand van het landingsteam te zeggen.

'Al iets van onze Verity gehoord?' vroeg Jamie opeens.

Ik schudde mijn hoofd, maar durfde mijn mond niet open te doen.

'Verdomme,' mompelde hij.

'Ik zal je over Pauls wanhoopspoging vertellen…'

We gingen in de auto zitten, bij Amélie, die heerlijk op de achterbank in slaap was gevallen. Mitraillette zat met een van de stenguns op haar knieën op de motorkap en hield zoals gewoonlijk grondig uitkijk. Het zou nog een paar uur duren voor het vliegtuig kwam. Het ontvangstcomité was bezig de landingslichten op te stellen: aan stokken gebonden zaklantaarns. We konden niets anders doen dan wachten en toekijken tot het tijd was de lampen aan te zetten.

'Die wanhoopspoging?' drong Jamie aan.

'In Parijs zit een vrouw die een radioprogramma maakt voor de Amerikanen,' vertelde ik. 'Paul heeft haar gevraagd de Gestapo in Ormaie te interviewen, voor de propaganda, om die Amerikaanse jongens op de oorlogsschepen duidelijk te maken hoe gevoelloos het van ons is om onschuldige meisjes als spion in te zetten, en hoe goed ze door de Duitsers behandeld worden als ze gepakt zijn. De omroepster heet Georgia Penn…'

'Jezus, presenteert zij niet dat misselijke *Oost west, thuis best* voor Radio Derde Rijk, of hoe het ook mag heten? Ik dacht dat ze een nazi was!'

'Ze is…' Ik kon niet op het goede woord komen. 'Dubbelagent' schoot me te binnen, maar dat bedoelde ik niet, al is ze dat eigenlijk wel. 'Ze is geen koerier, ze brengt geen berichten over… Hoe heet iemand die door de koning voor zijn troepen uit wordt gestuurd en die niet vermoord mag worden?'

'Een heraut?'

'Precies!' Dat had ik moeten onthouden. De krant waar ze in Amerika voor werkte heet de *Herald*.

'En wat gaat ze precies voor ons doen terwijl ze in Ormaie een propagandacampagne voert?'

'Verity zoeken,' antwoordde ik zacht.

Dat doet die vrouw namelijk, die malle Amerikaanse radio-omroepster. Hoewel de minister van Propaganda in Berlijn haar salaris betaalt, loopt ze hondsbrutaal gevangenissen en kampen in om mensen op te sporen. Soms. Soms wordt de toegang haar geweigerd. Soms komt ze te laat. Al te vaak zijn de mensen die ze zoekt gewoon onvindbaar. Maar ze doet haar best. Ze wordt binnengelaten als vertier voor de gevangen soldaten en komt naar buiten met informatie. En ze is nog niet gepakt.

Snertwind. Huilt nog steeds boven heel Frankrijk. Verder is het nu eens een keer een mooie dag.

Goed… Eindelijk kwam het vliegtuig aan, een Lizzie van het Maaneskader, mooi en vertrouwd met zijn eendenromp en haviksvleugels. Het was passen en meten geworden met zijn drieën achterin, maar het zou gelukt zijn, want we zijn niet zo groot allemaal. Maar goed, hij landde dus niet. Windvlagen van wel veertig knopen, dwars op de landingsbaan, hoogspanningsmasten om het aanvliegen nog wat ingewikkelder te maken, leeglopende batterijen in de zaklampen die we als landingslichten gebruikten… Uiteindelijk moesten Paul en Jamie en ik de lampen uitzetten als de piloot begon te klimmen en weer aan als hij aan zijn volgende rondje over het weiland begon. De man bleef drie kwartier cirkelen en probeerde wel zes keer te landen voor hij ertussenuit kneep. Het is eigenlijk wel een beetje gemeen om te zeggen dat hij 'ertussenuit kneep', want iedereen met een greintje verstand had hetzelfde gedaan en ik denk niet dat ik het zo lang was blijven proberen. De maan gaat op het moment rond vier uur 's nachts onder en tegen de tijd dat hij terugkwam in Engeland moet het aardedonker zijn geweest.

Jamie en ik wisten dat hij het niet zou redden. Maar toch, ik was diepbedroefd toen hij uitklom en naar het westen afzwenkte. We keken hem na, met ons gezicht naar de hemel gekeerd en een vinger aan de knop van de zaklantaarn. Een paar seconden maar, toen zagen we natuurlijk al helemaal niets meer, maar we hoorden het vertrouwde brommen van de motor nog een minuut of twee wegsterven.

Het was net het eind van *De tovenaar van Oz*, als de ballon zonder Dorothy opstijgt. Ik wilde het niet, kon het niet helpen, maar kreeg op weg terug door het weiland een enorm kinderachtige huilbui. Het lijkt wel alsof ik *overal* om moet brullen. Bij de auto legde Jamie een hand op mijn achterhoofd en drukte mijn gezicht tegen zijn schouder om me het zwijgen op te leggen.

'Ssst.'

Ik hield inderdaad op, uit schaamte vooral, omdat de opgejaagde radiotelegrafiste er zo stoïcijns onder bleef.

Moesten alles weer inpakken en terug zoals we gekomen waren, wij onderduikers naar onze schuilplaatsen, maar inmiddels was het natuurlijk ruim na de avondklok, en we hadden geen kippen meer om mee te bluffen. Toen ik afscheid moest nemen van Jamie begon ik *weer* te janken.

'Ophouden nu. Ga terug naar Ormaie en zorg voor Verity.'

Ik weet dat hij ook doodziek is van de zorgen om haar en zich sterk hield om mij sterk te maken, daarom knikte ik braaf. Hij veegde mijn wangen droog met zijn duimen.

'Brave meid. Kop op, Kittyhawk. Dat gesnotter is niets voor jou.'

'Ik voel me gewoon zo *nutteloos*,' snikte ik. 'Ik zit maar de hele dag verstopt, terwijl iedereen om me heen zijn leven waagt, voor me zorgt, eten met me deelt terwijl ze voor elke ontbrekende kruimel verantwoording moeten afleggen... Ik kan niet eens mijn eigen broek wassen! En wat gebeurt er als ik thuiskom? Dan sturen ze me natuurlijk naar de gevangenis, want ik heb mijn overste om de tuin geleid, ik heb een RAF-kist gejat en in een Frans weiland gekwakt...'

'Ze zullen ons allemaal aan een kruisverhoor onderwerpen en we zullen het allemaal voor je opnemen. Ze hebben geen van ons aan de grond gehouden, want ze zitten te springen om Maanpiloten. Je deed gewoon wat je opgedragen werd.'

'Ik weet wat ze zullen zeggen. Domme griet, geen hersenen, te zwak, je moet mannenwerk ook niet aan vrouwen overlaten. Ze laten ons alleen operationele machines vliegen als het echt niet anders kan. En ze zijn altijd strenger voor ons als we iets verprutsen.' Allemaal waar, en wat ik daarna zei was ook maar, maar wel een beetje kinderachtig: 'Jullie mogen zelfs jullie LAARZEN houden en die van mij zijn VERBRAND.'

Jamie begon te schateren. 'Dat ik mijn laarzen heb mogen houden,' zei hij toen, met net zo veel verontwaardiging in zijn stem als ik, 'komt alleen maar doordat ik geen TENEN heb!'

Daar moest ik eindelijk een beetje om lachen.

Jamie kuste me licht op mijn voorhoofd. 'Je moet Julie zoeken,' fluisterde hij. 'Je weet dat ze op je rekent.'

Toen riep hij zacht: 'Hé, Paul! Jou moet ik even spreken!' Jamie hield één arm liefdevol om mijn middel, precies zoals zijn zus gedaan zou kunnen hebben. Paul kwam in het donker naar ons toe.

'Is dit weiland al eerder gebruikt?' vroeg Jamie.

'Voor parachutedroppings.'

'Die hoogspanningsmasten zullen bij het landen altijd een probleem zijn, ook zonder zijwind. Maar luister, kerel, als je het erop durft te wagen om Kittyhawk zo nu en dan bij daglicht naar buiten te laten, is zij de aangewezen persoon om geschikte landingsplekken uit te zoeken. Ze is een reusachtig goede piloot-navigator, en trouwens ook een heel behoorlijke monteur.'

Paul zweeg even.

'Vliegtuigmonteur?' vroeg hij uiteindelijk.

'En motorfietsen,' zei ik.

Weer een stilte.

Toen vroeg Paul langs zijn neus weg: 'Explosieven?'

Daar had ik nog niet eens aan gedacht. Maar waarom niet? Een prachtig project om mijn ledige hersenen mee bezig te houden: een bom maken.

'Nog niet,' antwoordde ik voorzichtig.

'Zwaar werk voor zo'n jong grietje. Durf je dat aan, Kittyhawk?'

Ik knikte als een enthousiast hondje.

'Dan maken we die papieren voor je in orde en laten we de teugels tot het volgende vliegtuig komt een beetje vieren.' Hij wendde zich op die dubbelzinnig-kameraadschappelijke toon van hem tot Jamie alsof ik het niet zou kunnen horen, alsof ik doof was. 'Een beetje een onbeschreven blad, hè, onze Kittyhawk? Dacht dat ze niet van mannen hield. Maar met jou lust ze er wel pap van.'

Jamie liet me los. '*Hou je vuile waffel dicht, man.*' Hij ging vlak voor onze onverschrokken leider staan, pakte hem bij zijn kraag en dreigde heel zacht en met een gevaarlijke Schotse tongval: 'Zeg dat nog 's waar die dappere dames bij zijn en ik ruk die gore Engelse tong uit je kop.'

'Goed goed,' zei Paul kalm. Hij schudde Jamie rustig af. 'Hou je gemak maar. We zijn allemaal een beetje over onze toeren…' Het restant van Jamies slanke hand zag er in Pauls stevige greep griezelig klein uit, en de hele Jamie is op geen stukken na zo groot als Paul. Hij leek wel een beetje op een fret die achter een labrador aan gaat. Op dat moment hoorden we iets brommen. Een tweede vliegtuig kwam zo laag als maar kon aanvliegen, met twee brede zoeklichten die zich voor en achter naar de grond uitstrekten.

Paul reageerde als eerste en trok de radiotelegrafiste in de struiken waaronder de fietsen verstopt lagen. De anderen lieten zich in de greppel aan de rand van het weiland vallen. Niets duurde de afgelopen nacht zo lang als de vijf minuten die we roerloos en weerloos in de bevroren modder en het dode gras lagen te wachten tot de machinegeweren van de Luftwaffe ons de keiharde grond in zouden boren – of anders voorbij zouden vliegen.

De kist is dus voorbijgevlogen. Hij bleef ook niet speciaal boven ons weiland hangen, waarschijnlijk was het gewoon een routinevlucht. Moet er niet aan denken wat er gebeurd zou zijn als hij over was gevlogen terwijl wij een Lysander aan het inladen waren.

Het bracht iedereen weer tot bedaren.

We zetten de vluchtelingen en iedereen die maar in de auto paste op een kilometer of drie van hun schuiladressen af. Drie fietsen vastgebonden op de treeplanken en het dak van de Rosalie, de auto tot de nok toe vol, met drie mensen voorin, vier achterin en twee in de achterbak. De r-tel. en ik stonden op de achterbumper, waar we ons aan het dak vastklampten als babyaapjes aan hun moeder. Het idee daarachter was dat zij en ik in elk geval nog konden springen en hard weghollen als we werden aangehouden. De anderen zouden geen kans maken. Het heeft op een hopeloze manier ook wel iets zaligs om je gewoon op snelheid te verlaten in plaats van spits-vondigheid. Het is net zoiets als een gillende duikvlucht maken als je vlieg-tuig in brand staat.

Bij elk hek dat we tegenkwamen stapten we af om het open en dicht te doen, waarna we met een sprong weer op de achterbumper van de rijden-de Rosalie hupten.

'Je hebt maar geluk dat je bij Damascus zit,' schreeuwde de radiotelegra-fiste terwijl we door het pikkedonker jakkerden. We reden zonder licht, zelfs die nutteloze verduisteringskoplampen met die smalle spleetjes had-den we niet aan. Maar bij bijna volle maan was dat ook niet nodig. 'Paul zal goed voor je zorgen. En hij zal alles doen om jullie vermiste agent terug te vinden. Voor hem is dat een erezaak. Hij is nog niet één lid van zijn groep kwijtgeraakt.' Deftig Zuid-Engels met een flauw Frans accent. 'Mijn eigen groep is in elkaar gestort. Veertien man gearresteerd vorige week. Coördi-nator, koeriers, de hele boel; iemand lekt namen. Het is een regelrechte hel. Ze hebben mij bij Paul in bewaring gegeven. Jammer dat hij zo'n geilaard is, maar zolang je dat *weet…*'

'Ik kan hem niet uitstaan!' bekende ik.

'Je moet het maar gewoon negeren. Hij bedoelt er niets kwaads mee. Ogen dicht en aan Engeland denken!'

We barstten in lachen uit. We waren een beetje buiten onszelf geloof ik, opgeschroefd door de benzedrine, scheurend over het Franse platteland, terwijl de mensen van wie we houden en met wie we werken rondom ons verdwijnen als uitgedoofde vuurwerkvonken. Moeilijk voor te stellen hoe dood we zelf geweest zouden zijn als we iemand tegengekomen waren. Voelde me springlevend en onverslaanbaar.

Geen prettig idee dat ze achter haar aan zitten. Hoop dat ze Frankrijk uit weet te komen.

Nu ben ik Katharina Habicht. Het is niet half zo eng als ik had gedacht. De verandering betekent zo'n enorme verbetering voor het dagelijks leven dat de bijkomende gevaren niets voorstellen. Wat zou het? Een grotere zenuwpees dan ik nu al ben kan ik toch niet worden.

Ik slaap nu in de kamer van Etienne. Dat is nog eens 'onderduiken in het volle zicht'. Ook heb ik wat spullen van hem gegapt. We hebben een la leeggehaald om ruimte te maken voor Käthes ondergoed en extra rok, illegaal op de kop getikt met Julies kledingbonnen. Achter in de la lag een tof Zwitsers zakmes met een blikopener en een schroevendraaier eraan, en dit schrijfboek, een schoolschrift van vijftien jaar geleden. Op de eerste drie bladzijden heeft Etienne een lijst van plaatselijke vogels aangelegd. In 1928 dacht Etienne Thibaut een week lang dat hij natuurliefhebber zou worden. Dat soort dingen doe je op je tiende, de leeftijd waarop ik de grammofoon van mijn oma uit elkaar haalde.

De lijst met vogels maakt me verdrietig. Hoe verandert een jongen van vogelaar in Gestapo-beul?

Kan nergens iets verbergen in deze kamer; Etienne kent alle goede bergplaatsen. De ruimte onder twee losse vloerplanken, een hoekje onder de vensterbank en een gat in de muur zitten allemaal vol met zijn jongetjespullen, dingen die hij in geen jaren heeft aangeraakt en die onder een dikke laag stof zitten, maar ik ben er zeker van dat hij nog weet dat ze er zijn. Dit schrift en mijn handboek bewaar ik IN de matras, die ik met Etiennes eigen mes heb opengesneden.

Ik heb hem ontmoet. Käthes vuurdoop. Ging fietsen met Amélie en Mitraillette, mijn eerste expeditie op zoek naar landingsveldjes. Drie meisjes op de fiets die samen een gezellig uitstapje maken, kan het gewoner? Ik heb de fiets van de Duitser die door Paul werd doodgeschoten op de dag dat ik hier landde. Het ding is inmiddels 'verbouwd'. Op de terugweg kwam Etienne ons op de hoofdweg tegemoet, en natuurlijk stopte hij om zijn zusjes te pesten en te horen wie ik was.

Mijn afleidingstactiek bestaat uit glimlachen als een dwaas, waarbij ik giebelend wat mompel en mijn gezicht naar mijn schouder draai alsof ik te verlegen ben om te durven leven. Mijn Frans is er niet op vooruitgegaan, maar ze hebben me een paar zinnetjes geleerd die ik mag uitspreken als iemand me rechtstreeks groet. Verder moet ik Mitraillette en haar zus het woord laten doen. 'Ze is de dochter van mama's nicht uit de Elzas. Hun huis is platgegooid en haar moeder is omgekomen. Ze is bij ons op vakantie tot haar vader een nieuw huis heeft gevonden. Ze is een beetje breekbaar op het moment, wil er liever niet over praten, snap je?'

In geval van nood moeten ze een codewoord zeggen, MAMAN, en mij direct in het Duits aanspreken. Dat is mijn teken om met veel kabaal in tranen uit te barsten, waarop de zusjes me dan met evenveel kabaal beginnen te troosten, ook weer in het Duits. Dit toneelstukje is bedoeld om mensen die het ons lastig maken zodanig te laten schrikken en in verlegenheid te brengen dat ze heel snel onze papieren teruggeven, zonder al te goed naar die van mij te kijken, en gauw de andere kant op rennen.

We hebben erop geoefend en er een mooi kunststuk van gemaakt. En sinds ik in de boerderij ben getrokken springt La Cadette, Amélie, elke ochtend op mijn bed en roept: 'Wakker worden, Käthe, kom de kippen voeren!' Omdat ze me toch alleen als Kittyhawk kenden, is het waarschijnlijk niet moeilijk voor hen om mijn 'naam' te onthouden.

We kwamen Etienne dus tegen. En het *hele gesprek* werd natuurlijk in het Duits gevoerd, want dat spreken ze thuis met hun moeder ook en bovendien word ik als hun nicht geacht het te verstaan. Al mijn energie was erop gericht het eventuele codewoord eruit te pikken, want hun gebrabbel had net zo goed plat Aberdeens kunnen zijn, zo weinig verstond ik ervan! Mijn meisjesachtige gebloos was niet gespeeld; ik had het gevoel dat mijn gezicht in brand zou vliegen van angst en schaamte. De zusjes Thibaut moesten al het werk voor me opknappen en aan hun broer zien uit te leggen dat ik een nicht was van wie hij nog nooit had gehoord.

Maar toen begonnen Etienne en Amélie te kibbelen. Hoe meer hij zei, hoe bleker Amélie werd – en ik vast ook –, tot ik zelfs dacht dat ze zou moeten overgeven, waarop Mitraillette hun overloper van een broer de huid vol schold en dreigde hem een dreun te verkopen. Hij verstijfde, zei iets gemeens tegen Mitraillette en stapte op zijn fiets. Na een paar meter stopte hij weer, draaide zich om en knikte heel beleefd en formeel naar mij, waarna hij echt wegreed.

Toen hij een heel eind buiten gehoorsafstand was barstte Mitraillette in het Engels los. 'Mijn broer is een ZAK.' Weet niet van wie ze dat woord heeft. Niet van mij! 'Hij is een ZAK.' Ze zei het nog een keer en ging over op Frans, wat voor mij moeilijker te verstaan was, maar voor haar makkelijk om in te schelden.

Etienne heeft geassisteerd bij een verhoor. Het begint op hem te drukken, en hij reageerde zich af op Amélie, die *weer* de draak stak met de buil op zijn voorhoofd. Daarop vertelde hij haar tot in de gruwelijkste details wat er met haar zou gebeuren als ze een gevangene was die weigerde de vragen van de Gestapo te beantwoorden.

Nu het er eenmaal in zit, krijg ik het niet meer uit mijn hoofd.

Hoor het bij stukjes en beetjes van Amélie zelf, die vindt dat ik goed kan luisteren, hoewel ik haar maar voor de helft begrijp. Voor een deel is ze ontdaan omdat de kapitein erbij betrokken blijkt te zijn, want in haar hoofd staat de man op dezelfde hoogte als haar priester of het hoofd van haar school: iemand met gezag, een beetje afstandelijk, meestal aardig voor haar, maar bovenal iemand die zich strikt aan de regels houdt. Iemand die naar de regels *leeft*.

En spelden onder iemands teennagels steken omdat hij niets tegen je wil zeggen, dat valt onder geen enkele bekende regel.

'Ik geloof nooit dat ze dat met vrouwen zouden doen,' zei Amélie op straat tegen haar broer.

'De spelden gaan in je borsten als je een vrouw bent.'

Dat was het moment waarop Amélie naar adem snakte en groen wegtrok, en waarop Mitraillette kwaad werd.

'Houd je kop, Etienne, ezel die je bent, je bezorgt die twee nog nachtmerries! Allemensen! Waarom blijf je daar in hemelsnaam als het zo af-schuwelijk is? Vind je het spannend om te zien hoe mensen spelden in borsten van vrouwen steken?'

Dat was het moment waarop Etienne kil en formeel werd.

'Ik blijf omdat het mijn werk is. Nee, ik vind het niet spannend. Geen enkele vrouw is aantrekkelijk als je ijswater over haar heen gooit om haar bij te brengen en ze overgeeft in haar eigen haar.'

Ik zeg tegen Amélie dat ze er niet aan moet denken. Daarna zeg ik tegen mezelf dat ik er niet aan moet denken. Daarna zeg ik tegen mezelf dat ik er *wel* aan moet denken. Het is ECHT. Het gebeurt NU.

Ik heb nachtmerries van wat Jamie zei. Als Julie niet al dood is… als ze niet al dood is, rekent ze op mij. Ze roept me, fluistert in het donker bij zichzelf mijn naam. Wat kan ik doen? Ik doe nauwelijks een oog dicht, ik draai de hele nacht in kringetjes rond terwijl ik probeer te bedenken wat ik kan doen. WAT kan ik doen?

Een tof weiland gevonden, al is het een beetje ver weg, toen ik vr 12 nov. met M. aan het fietsen was. Ongelooflijk hoe lastig het is om geschikte landingsveldjes te vinden. Alles is hier zo hetzelfde. De ene boerderij na de andere, kapelletjes op elk kruispunt en een gemeenschappelijke broodoven in elk dorp. Het land is zo plat dat je overal wel kunt landen. Maar in het donker is er geen enkel herkenningspunt en een ontvangst-comité kan zich bijna nergens verstoppen. Wat moet het fijn zijn om in vredestijd te vliegen.

Ik ben nu vijf weken in Frankrijk.

Mijn benen zijn nog nooit zo gespierd geweest. Deze week twee keer een goede negentig kilometer gefietst, een keer om het veld te zoeken en twee dagen later nog een keer om het aan Paul te laten zien. Hij moet zijn r-tel. om een RAF-toestel laten vragen dat foto's komt maken, dan kan ook het Maaneskader zijn goedkeuring geven. Tussen de fietsmarathons door zorg ik voor de kippen, leer ik kleine explosieven maken en doe ik hard mijn best om niet opeens te gaan gillen van de zenuwen.

De omroepster Georgia Penn heeft van het hoofd van de Gestapo in deze regio, een machtige en nare man die geloof ik Ferber heet, de baas van de kapitein in Ormaie, 'nee' te horen gekregen. Penn heeft ons laten weten dat ze van plan is zijn weigering te negeren en het nog een keer te proberen door rechtstreeks naar de kapitein te gaan, haar aanvraag te antedateren en hen hun eigen bureaucratische bos in te sturen – de rechterhand die niet weet wat de linker doet. Een geweldige vrouw, maar niet goed gaar als je het mij vraagt. Hopelijk weet haar rechterhand wel wat de linker doet.

Voor morgenavond, di 16 nov., staat er weer een oppikoperatie op stapel, in hetzelfde door hoogspanningsmasten omgeven weiland in de buurt van Tours. Weer onvoorspelbaar, maar het is de laatste kans voordat de novembermaan ons in de steek laat. Kan zijn dat ik naar huis ga zonder mijn bommenkennis op de proef te hebben gesteld.

Nee, ik ben er nog. Die verdraaide Rosalie ook.

Kan de arme auto er eigenlijk niet de schuld van geven, maar mopper liever niet op die idiote, goedbedoelende chauffeur.

O, wat ben ik moe. Maan kwam gisteravond om tien uur op, dus machine pas verwacht rond twee uur 's nachts. Paul kwam me na de avondklok halen en we reden samen naar de auto, hij op de fiets en ik staand op een stang die door het frame was gestoken. Moest me acht kilometer lang aan hem vasthouden alsof mijn leven ervan afhing, wat hij vast heerlijk vond. De auto was laat – de chauffeur moest een onverwachte controle omzeilen – en Paul en ik stonden een halfuur lang rillend te stampvoeten in de greppel waarin we de fiets verstopt hadden. Weet niet of ik *ooit* zulke koude tenen heb gehad als daar in die ijskoude modder, midden in november, op mijn klompen. Moest heel veel aan Jamie in de Noordzee denken. Toen de auto eindelijk kwam stond ik bijna te huilen.

We waren maar met z'n drieën voor dit ritje, dat beide kanten op levensgevaarlijk was; we wilden Papa Thibaut er niet in betrekken. Zijn vriend, van wie de auto is, gaf vol gas en ging er als de bliksem vandoor, zoals gewoonlijk zonder ander licht dan dat van de afnemende maan. De Rosalie wilde er helemaal niet als de bliksem vandoor en voerde bij elk heuveltje haar gebruikelijke tuberculeuze drama op, hoestend en proestend als een stervende heldin van Dickens, en bleef uiteindelijk gewoon stilstaan. De motor pruttelde nog wat, maar de auto bleef gewoon *stilstaan*. Kon domweg niet verder. Choke helemaal open, maar de cilinders stotterden zielig, alsof we probeerden het arme ding op niets anders dan lucht te laten lopen.

'De choke doet het niet,' zei ik vanaf de achterbank.

De chauffeur verstond me natuurlijk niet en ik wist niet wat choke in het Frans was – *le starter*, zo blijkt, wat niet hetzelfde is als 'de starter', oftewel de startknop. Een ongelooflijke verwarring volgde. Paul deed wanhopig zijn best om te tolken en de chauffeur vertikte het om advies aan te nemen van 'zo'n jong grietje', of hoe ze dat in het Frans ook zeggen. De letterlijke vertaling zal in elke taal wel ongeveer 'leeghoofd' zijn, want altijd noemen ze me zo als ze denken dat ik iets niet kan – een vliegtuig besturen, een kanon laden, een bom maken, een auto repareren –, dus we verloren een kwartier met ruziemaken.

Uiteindelijk, toen het zonneklaar was dat de choke het inderdaad niet deed, gaf de chauffeur er een paar keer zo'n harde ruk aan dat er iets op zijn plaats schoof, en na een paar gezonder klinkende kuchjes reed de Rosalie aarzelend weer verder.

Deze hele toestand herhaalde zich van a tot z NOG DRIE KEER. Dat was VIER KEER IN TOTAAL. De auto stond stil, ik zei dat de choke het niet deed, Paul probeerde vergeefs te vertalen, we maakten een kwartier ruzie, de vriend van Papa Thibaut bewoog de chokeknop een tijdje heen en weer en de Rosalie haalde diep adem en hobbelde weer verder.

We hadden nu EEN UUR verspeeld, EEN HEEL UUR, en ik *kookte*. Net als de Franse chauffeur, die het beu was om in het Engels toegeschreeuwd te worden door een grietje dat nog jonger was dan zijn eigen dochter. Elke keer dat we weer wegreden, stak Paul zijn arm naar achteren om me geruststellend in mijn knie te knijpen, tot ik hem uiteindelijk een stomp gaf en zei dat hij zijn vieze handen thuis moest houden, zodat we dus ook wanneer de auto wel reed als kwaaie katers naar elkaar zaten te blazen.

Ik was niet meer bang om door de Duitsers gepakt te worden of te laat te komen voor de Lysander, wat allebei steeds waarschijnlijker werd naarmate we langer op de weg zaten. Ik was gewoon spinnijdig omdat ik *wist* wat er met de auto aan de hand was en ik er niets aan mocht doen.

Toen de auto voor DE VIJFDE KEER stil bleef staan, klom ik over Paul heen en stapte uit.

'Doe niet zo dom, Kittyhawk,' zei hij met opeengeklemde kaken.

'Ik ga wel naar dat weiland LOPEN,' zei ik. 'Ik weet de coördinaten en ik heb een kompas. Ik ga LOPEN en als ik te laat kom voor het vliegtuig, LOOP ik terug naar Ormaie, maar als je me nog ÉÉN KEER in deze Franse auto wilt hebben, zul je de Franse SUKKEL die erin rijdt moeten dwingen de motorkap open te maken zodat ik NU ONMIDDELLIJK de choke kan repareren.'

'Goeie God, daar hebben we helemaal geen tijd voor, we zijn al anderhalf uur te laat…'

'MAAK DE MOTORKAP OPEN OF IK SCHIET HEM OPEN.'

Dat meende ik niet. Maar het was een briljant dreigement, vooral omdat het me op het idee bracht om mijn Colt .32 op het hoofd van de chauffeur te richten en hem te dwingen uit te stappen.

Hij draaide het contactsleuteltje niet eens om, de motor pufte nog toen we het zijpaneel van de motorkap met Etiennes Zwitserse zakmes openpeuterden. Binnenin was alles inktzwart. De chauffeur vloekte en tierde, maar Paul sprak kalmerende woorden, want ik was duidelijk van plan mijn zin door te drijven. Kreeg hen zover dat de een een zaklamp voor me vasthield, terwijl de ander van zijn jas een afdakje maakte om het licht af te schermen. O… de chokekabel zat los… VAST DOOR AL DAT GERUK EN GETREK. De klep in de luchtinlaat van de carburateur sloot niet helemaal goed, en ik hoefde alleen maar de schroef aan te draaien met mijn toffe, van de nazi's gejatte zakmes.

Ik smeet de kap dicht, boog me de auto in en trok aan de knop van de choke, en de motor begon te brullen als een dierentuin vol tevreden leeuwen.

Daarna ging ik weer op mijn meisjesplekje achterin zitten, en ik zei niets meer tot we op het landingsveld aankwamen, een halfuur nadat het vliegtuig was vertrokken. Het grootste deel van het ontvangstcomité was ook al weg, een paar man stond nog te wachten voor het geval er iets vreselijks met ons was gebeurd.

Deze keer was ik veel te kwaad om aan Dorothy en het eind van *De tovenaar van Oz* te denken. Ik gaf zo'n harde schop tegen de voorbumper van die arme Rosalie dat ik er met mijn houten klomp een deuk in maakte. Iedereen was geschokt. Het schijnt dat ik bekendsta als timide en een beetje huilerig, met andere woorden: ze denken dat ik een onnozele hals ben.

Paul weer: 'Ze konden niet langer wachten. Het is al zo laat dat het licht is tegen de tijd dat ze in Engeland aankomen. Ze konden het niet riskeren om bij daglicht boven Frankrijk gesnapt te worden.'

Toen voelde ik me oergemeen en egoïstisch en bazig, en ik probeerde de vriend van Papa Thibaut in mijn belabberde Frans mijn excuses aan te bieden voor zijn gedeukte bumper.

'Nee, nee, ik moet u bedanken, mademoiselle…' zegt hij, in het Frans, 'want u hebt mijn choke gerepareerd!' En hij hield galant het portier voor me open. Niets van dat hij weer een nutteloze nacht lang zijn leven had gewaagd voor een ondankbare buitenlander die nooit iets voor hem terug zou kunnen doen – het Lift-naar-een-vliegveldprincipe tot het uiterste doorgevoerd.

'*Merci beaucoup, je suis désolée…*' Heel hartelijk bedankt, het spijt me, het spijt me. Het lijkt wel alsof ik nooit iets anders zeg dan 'Bedankt, het spijt me'.

Een van de leden van het ontvangstcomité stak zijn hoofd in de auto. 'Die Schotse vliegenier wilde dat ik deze aan je gaf.'

Jamie had zijn laarzen voor me achtergelaten.

Als een echte onnozele hals zat ik bijna de hele weg naar Ormaie te snotteren. Maar ik had wel warme voeten.

Penn heeft haar gevonden. Georgia Penn heeft HAAR GEVONDEN! Julie verdween op 13 oktober en Penn heeft haar gisteren, 19 nov., gesproken. BIJNA ZES WEKEN LATER.

Ik herken mijn eigen gevoelens niet meer. Pure vreugde of verdriet bestaat niet. Er is afschuw en opluchting en paniek en dankbaarheid, allemaal dwars door elkaar heen. Julie leeft, ze is in Ormaie, ze is nog heel en in haar gebruikelijke gevechtsuitdossing, met elke elegante haar keurig op zijn plaats vijf centimeter boven haar kraag. Het is haar zelfs gelukt om haar bliksemse nagels te doen.

Maar ze zit wel gevangen. Ze hebben haar bijna meteen gepakt. Typisch Julie, ze keek voor het oversteken de verkeerde kant op. O, ik weet niet of ik moet lachen of huilen. Ben al dat huilen zo beu, maar te ontdaan om te lachen. Als ze bij de eerste ondervraging het goede identiteitsbewijs bij zich had gehad, was het misschien met een sisser afgelopen. Zonder had ze geen schijn van kans.

Miss Penn had gevraagd of ze een Engelstalig iemand mocht interviewen en ze hebben elkaar onder toezicht gesproken. Penn heeft aan de hand van haar codenaam vastgesteld dat het Julie was. Julies echte naam heeft ze niet te horen gekregen. Weet niet wat voor verhaal ze ervan hebben gemaakt, maar Penn is er wel bijna van overtuigd dat de hele opzet bedoeld was om haar te misleiden en dat Julie zelf op de een of andere manier strak aan de lijn werd gehouden. Een onzichtbare lijn, maar toch. Julie wist vast dat ze ook Penn het zwijgen zouden opleggen als zij niet meewerkte. Ik weet zeker dat ze het daar nooit op aan zou laten komen. Ze heeft zich aan de regels gehouden en niet eens haar naam genoemd, alle informatie werd doorgegeven in toespelingen en geheimtaal. De kapitein en zijn slavin waren erbij, met nog een of twee anderen, en ze dronken met zijn allen cognac (de slavin niet, natuurlijk!) in het oerdeftige kantoor van de kapitein, waar Julie tijdelijk als vertaalster aan het werk is gezet. Ze doet dus eigenlijk precies waarvoor ze hierheen gestuurd is!

Er is geen naam, legereenheid of rang genoemd; ze stelde zich aan Penn voor als radiotelegrafiste. Ze heeft de Duitsers verteld dat ze telegrafiste is. WAANZIN – daarvoor is ze hier niet en nu hebben ze dus massa's moeite gedaan om haar geheime codes te ontfutselen. Penn twijfelde er niet aan dat ze hun inderdaad codes verraden had, verouderd of verzonnen, maar in elk geval iets waarmee ze aan de slag kunnen. Penn denkt dat ze juist daarom heeft gezegd dat ze telegrafiste is: om codes te kunnen verraden. Bij de SOE worden vrouwen in Frankrijk meestal ingezet als koerier, maar als Julie had gezegd dat ze koerier was hadden ze haar ondervraagd over haar groep, en je kunt beter verouderde codes verraden dan echte mensen. En als je naar Julies opleiding en haar WAAF-aanstelling kijkt, is het de zuivere waarheid, bovendien klopt het met de foto's van het vliegtuigwrak, die ze haar inmiddels vast hebben laten zien. Zolang ze zich concentreren op haar niet-bestaande activiteiten met radiozenders vragen ze niet naar 'Operatie Gestapo Ormaie de lucht in', of hoe het dan ook heet.

Penn heeft alleen een paar kantoren en een lege slaapzaal met vier keurig opgemaakte bedden te zien gekregen, geen andere gevangenen en niets waaruit blijkt hoe ze behandeld worden. Julie heeft wat dingen laten doorschemeren. Ze zei

Ze

Julie is

KRIJG DE PIP. Gewoon vliegen, Maddie.

IK GA NIET HUILEN.

Ik heb Miss Penn zelf gesproken. Mitraillette en ik ontmoetten haar bij een vijvertje in een piekfijne woonwijk in Ormaie, en onder het praten zaten we op een bankje wol op te winden, allebei aan een kant van

Miss Penn, die een juten zak vol oude sokken op haar schoot had die uitgehaald moesten worden. Het moet er hebben uitgezien alsof ze onze kinderjuf was, want ze is ook nog eens bijna een kop groter dan wij. Zij vertelde, en wij luisterden en pakten intussen steeds een nieuwe sok. Midden in haar verslag pakte Miss Penn opeens stevig mijn arm vast. De mijne, niet die van Mitraillette, geen idee hoe ze wist dat ik degene was die dit het zwaarst zou vallen. Ze is zelf ook een soort ondervrager, nu ik erover nadenk, die net als de anderen haar best doet om opzienbarend nieuws uit onwillige getuigen te krijgen. Ze doen het allemaal op een andere manier, maar het is hetzelfde werk. En Julie, zelf ook een deskundige, maakte het haar gemakkelijk door informatie te geven waar Penn niet om had gevraagd.

'Voel je je sterk, Kittyhawk?' vroeg Penn, met mijn hand stevig in de hare.

Ik grimaste maar zo'n beetje naar haar. 'Best.'

'Er is geen leuke manier om dit te zeggen,' zei Penn. In haar nuchtere Amerikaanse toon klonk woede door. We wachtten. Toen zei ze zacht: 'Ze is gemarteld.'

Kon even geen antwoord geven. Kon even helemaal niets.

Ik reageerde vast heel sloom, was ook niet echt verbaasd, maar Penn zei het zo rechtuit dat het een klap in mijn gezicht was. Uiteindelijk zei ik schaapachtig en met schorre stem: 'Weet je het zeker?'

'Ze heeft het me laten zien,' antwoordde Penn. 'Ze liet er geen misverstand over bestaan. Verschikte haar sjaal zodra we elkaar een hand hadden gegeven, zodat ik er goed zicht op had. Een rij akelige driehoekige brandwondjes op haar keel en sleutelbeenderen. Ze begonnen net te genezen. Het zag eruit alsof het met een soldeerbout gedaan was. Hetzelfde aan de binnenkant van haar polsen. Ze toonde het me allemaal heel gewiekst, kalm zo je wilt, zonder drama. Ze verschoof haar rok een beetje als ze haar benen over elkaar sloeg of liet haar mouw omhoogkruipen als ze een sigaret pakte, maar alleen als de kapitein net even de andere kant op keek. Afschuwelijke blauwe plekken op haar benen. Maar het begint allemaal weg te trekken, het moet twee of drie weken geleden gebeurd zijn. Ze pakken haar nu minder hard aan, geen idee waarom. Ze moet een of andere afspraak met de Duitsers hebben gemaakt, dat staat vast, anders zou ze hier al niet meer zijn. Je zou denken dat Ormaie inmiddels uit haar heeft gekregen wat ze weten wilden of het anders had opgegeven.'

'Een afspraak met de Duitsers!' zei ik met verstikte stem.

'Tja, sommige mensen lukt dat.' Miss Penn leidde mijn hand zachtjes terug naar de zak met sokken. Vervolgens bekende ze: 'Maar ik vind het moeilijk te bepalen wat je vriendin precies denkt dat ze aan het doen is. Ze was zo… zo *geconcentreerd*. Ze had niet verwacht haar eigen codenaam te horen, en dat bracht haar uit haar evenwicht, maar… ze maakte geen enkele toespeling op een mogelijke redding. Ik denk dat ze nog steeds van plan is om haar opdracht uit te voeren en reden heeft om aan te nemen dat ze dat van binnenuit kan doen.' Miss Penn keek me van opzij aan. 'Weet je wat haar opdracht was?'

'Nee,' loog ik.

'Dit is wat ze mij vertelde,' zei Miss Penn. 'Misschien kun jij er iets van maken.'

Maar dat kan ik niet. Ik weet niet wat ik ermee aan moet. Het is… het is misschien net zoiets als paleontologie. Je probeert een dinosaurus in elkaar te zetten terwijl je maar een paar losse botten hebt en niet eens weet of ze wel allemaal van hetzelfde dier zijn.

Ik zal opschrijven welke informatie Julie ons heeft gegeven, misschien dat Paul er iets uit op kan maken.

1) Het gebouw van de Gestapo heeft zijn eigen generator. Penn klaagde over stroomuitval en hoe irritant het is dat je niet op elektriciteit kunt rekenen als je bij de radio werkt, en Julie zei: 'Hier maken we het zelf.' Echt iets voor haar om te praten alsof ze een van hen is. Net als die keer dat ze me meenam naar *Leven en dood van kolonel Blimp* en zat te huilen bij de scène waarin de gevangen Duitse officieren naar Mendelssohn luisteren.

2) De stoppenkast zit onder de centrale trap. Miss Penn vertelde er niet bij hoe onze Julie dit duidelijk wist te maken.

3) Het is algemeen bekend dat de Duitsers tegenover het hoofdkwartier van de Gestapo, in het stadhuis, een radiokamer hebben, en volgens Julie betekent dit dat er in het Château de Bordeaux zelf geen radio-installatie staat. Penn zegt dat de dikke muren de ontvangst hinderen, maar

ik denk dat de generator een groter probleem is dan de muren. Deze informatie werd reuzeachteloos doorgegeven. Bij de SOE noemen ze radiowerk 'artritis', makkelijk zat. Ik zie Julie al voor me. Kijkend naar haar nagels. 'Gelukkig heb ik geen stijve gewrichten. Niemand hier. Daar zouden die nazi's anders wel raad mee weten!'

4) Penn is ook heel wat te weten gekomen over de slavin/secretaresse. Julie denkt dat ze langzamerhand in een gewetenscrisis raakt waar wij misschien gebruik van kunnen maken. Stelt voor haar in de gaten te houden en het haar makkelijk te maken om contact te leggen met het verzet als ze daar klaar voor is.

Ik kan er met mijn verstand niet bij hoe Julie dit allemaal over wist te brengen waar de Gestapo-kapitein *bij was*. Het schijnt dat ze Engels spraken en de slavin voor de kapitein moest vertalen, dus óf die had niets in de gaten óf ze liet niets doorschemeren, wat zou kunnen bewijzen dat Julie gelijk heeft. Julie noemt haar *the angel*, *l'ange*; reuzegênant, als je het mij vraagt, geen wonder dat het arme kind haar mond niet opendoet. Het is mannelijk ook nog, in het Frans, en een letterlijke vertaling van haar achternaam, Engel.

Vroeger was ik wel eens jaloers op Julie, met haar intelligentie, haar gemakkelijke omgang met mannen, haar deftige achtergrond. Ik benijdde haar om de jachtpartijtjes en de Zwitserse school en de drie talen die ze sprak en het bal waarop ze in een blauwe zijden japon aan de koning was voorgesteld en zelfs om de onderscheiding die ze kreeg nadat ze die spionnen had gepakt, maar *vooral* om haar semester in Oxford – en ik HAAT MEZELF omdat ik dacht dat het iets was om jaloers op te zijn.

Nu kan ik alleen maar denken aan waar ze is en hoeveel ik van haar houd. En dan begin ik weer te huilen.

Ik droomde dat ik met Julie in de lucht zat. Ik bracht haar naar huis in Dympna's Puss Moth. We vlogen langs de Noordzeekust naar Schotland, de zon hing laag in het westen, lucht en zee en zand allemaal van goud, goud licht rondom ons. Geen sperballonnen of wat dan ook, gewoon lege lucht, zoals in vredestijd. Maar het was geen vrede, het was nu, eind november 1943, en de eerste sneeuw lag op de Cheviot Hills.

We vlogen laag over de langgerekte zandbanken bij Holy Island, en het was prachtig, maar de kist wilde steeds klimmen en ik moest zwoegen om hem recht te houden. Net als met de Lysander. Ik was bang en zenuwachtig en moe, en kwaad op de lucht die zo mooi was terwijl wij het gevaar liepen neer te storten. Toen zei Julie naast me: 'Ik zal je helpen.'

In mijn droom had de Puss Moth twee stuurkolommen, zoals een Tipsy, en Julie pakte die van haar en duwde de neus rustig recht, en opeens bestuurden we het vliegtuig samen.

Er was geen spanning meer. Niets om bang voor te zijn, niets om tegen te vechten, alleen zij en ik die samen vlogen, naast elkaar in de gouden lucht.

'Makkelijk zat,' zei ze lachend, en dat was het ook.

O, Julie, zou ik het niet weten als je dood was? Zou ik het niet voelen wanneer het gebeurde, als een stroomstoot in mijn hart?

Amélie heeft vanmiddag een executie gezien bij het Château de Bordeaux. Château des Bourreaux noemt iedereen het nu, Kasteel van de Beulen. Hier hebben de kinderen op donderdag vrij van school in plaats van op zaterdag, en Amélie was met een paar vriendinnen naar Ormaie gegaan, naar een goedkoop café dat ze leuk vinden, toevallig aan het eind van het straatje dat achter het Gestapo-gebouw langs loopt. Amélie en haar vriendinnen zaten bij het raam en zagen een oploop ontstaan, en ze gingen naar buiten om te kijken wat er aan de hand was. Blijkt dat die smerige honden op het achterplaatsje een guillotine hadden neergezet en mensen aan het executeren waren…

Die kinderen *zagen* dat. Ze wisten niet wat er aan de hand was, anders waren ze nooit gaan kijken, zegt Amélie, maar het gebeurde precies toen ze aankwamen en dus zagen ze het. ZE ZAGEN HET GEBEUREN. Ze huilt al de hele avond haar ogen uit haar hoofd, ontroostbaar is ze. Ze zagen dat er een meisje werd onthoofd en Amélie *herkende haar* van school, al had ze een paar jaar boven Amélie gezeten en was ze al van school af. Stel je voor dat het Beryl was geweest? Of het zusje van Beryl? Want dat is het: schoolvriendinnen die als spion worden onthoofd. Voorheen begreep ik het niet – ik begreep het echt niet. Het is erg om als kind bang te zijn dat er een bom op je valt. Maar om als kind bang te zijn dat de politie je hoofd afhakt is iets heel anders. Ik heb er geen woorden voor. Elke nieuwe verschrikking is iets wat ik gewoon NIET BEGREEP totdat ik hier kwam.

Toen ik acht was, vóór de crisisjaren, gingen we op vakantie naar Parijs. Ik herinner me er flarden van. We maakten een rondvaart over de Seine en bekeken de *Mona Lisa*. Maar wat me het meest is bijgebleven, is dat opa en ik de Eiffeltoren op gingen. We namen de lift omhoog, maar terug gingen we met de trap, en toen we op het eerste platform bleven staan, zagen we oma beneden in het park, met de grote nieuwe hoed op die ze die ochtend had gekocht. We zwaaiden naar haar. Ze zag er zo deftig uit, daar in haar eentje op het Champ de Mars, dat je nooit gedacht zou hebben dat ze geen Française was. Ze nam een foto van ons, en hoewel we zo ver weg en zo klein zijn dat je ons niet eens herkent, weet ik dat wij het zijn op die foto. En ik weet nog dat er een winkeltje was, ook op het eerste platform. Opa kocht een gouden Eiffeltorentje aan een gouden ketting voor me, en die heb ik nog steeds, thuis in Stockport.

Zo lang is dat niet geleden. Wat *gebeurt* er met ons?

Maman Thibaut troost Amélie aan de grote keukentafel met *café au lait*, terwijl Mitraillette en ik haar om de beurt stevig vasthouden en elkaar over haar hoofd heen vol afschuw aankijken. Ze houdt maar niet op met praten. Ik versta ongeveer elk derde woord. Mitraillette fluistert een ruwe vertaling…

'*Il y en avait une autre…* er was nog iemand. *Il y avaient deux filles…* er waren twee meisjes. *La Cadette et ses amies n'ont rien vu quand on a tué l'autre…*'

De executie van het andere meisje hebben ze niet gezien. Het was voor ons *allemaal* een kwelling om deze informatie uit La Cadette te trekken. Er waren daar *twee* meisjes, aan elkaar vastgebonden. Het tweede meisje moest toekijken terwijl ze het eerste afslachtten – van zo dichtbij, ze moest *zo dichtbij* gaan staan dat het bloed volgens Amélie in haar gezicht spatte. Daarna deden ze de poort dicht. Boven de muur uit zagen Amélie en haar vriendinnen de bijl weer omhoogkomen, en toen zijn ze weggegaan.

Dat andere meisje was Julie. Weet het zeker. Er kunnen niet twee tengere blondines in een trui met de kleur van herfstbladeren gevangen worden gehouden in het hoofdkwartier van de Gestapo in Ormaie. Amélie *heeft haar gezien*.

Maar ik geloof niet dat ze haar vermoord hebben. Dat geloof ik gewoon niet. Ik denk steeds aan die foto's van de piloot. Ze zullen die foto's nu wel aan Julie hebben laten zien, en misschien denkt zij dat ik dood ben. Maar dat ben ik niet. En voor haar geldt hetzelfde, daar ben ik zeker van. Het ziet er misschien naar uit dat ze dood is, maar dat is ze niet. Ze hebben een reden om haar dood in scène te zetten, nu Georgia Penn haar heeft gesproken en ze hun… gezag of wat dan ook, hun zeggenschap over wat iedereen weet of niet weet moeten herstellen. Die kapitein/commandant zal wel in de problemen zitten, hij heeft Penn achter de rug van zijn meerdere om binnengelaten. Misschien heeft hij opdracht gekregen Julie te executeren. Maar het lijkt me even waarschijnlijk dat hij haar dood in scène moest zetten, om haar opnieuw te laten verdwijnen. In één week een glaasje cognac met haar drinken en haar naar de guillotine sturen? Dat geloof ik gewoon niet.

IK WOU DAT ZE DE LUCHT IN VLOGEN.

Bijna elke nacht komen er vliegtuigen over. Er zijn hier in Frankrijk een paar lanceerbases en munitiefabrieken die ze dolgraag lam willen leggen. Ze zullen niet midden in Ormaie een bom laten vallen, niet expres tenminste, want ze zijn veel te bang dat ze burgers raken. Ze hebben het spoorwegknooppunt bestookt en een aanval gedaan op de fabrieken ten noorden van de stad, al geloof ik niet dat Ormaie behalve paraplu's veel belangrijks produceert. Maar de RAF zal het centrum niet bombarderen. Daarom is Julie hierheen gestuurd, om de klus vanaf de grond te klaren. Niet veel mensen hier weten dat de RAF zijn best doet om hen niet te raken. Niemand voelt zich veilig. De Amerikanen hebben bij klaarlichte dag een paar bommen op Rouen laten vallen. De mensen zoeken in paniek dekking als ze het luchtalarm horen afgaan, net als wij tijdens het bombardement op Manchester. Maar op het centrum van Ormaie valt nooit iets.

Soms wou ik dat het wel zo was, één bom maar, om het Kasteel van de Beulen van de aardbodem te vagen. Ik wou dat dat duivelse gebouw in vlammen opging. Ik wil het zo graag dat het *pijn* doet. Dan herinner ik me weer dat Julie daar nog zit.

Ik geloof niet dat ze dood is, ik geloof niets van hun bluf en hun leugens en hun intimiderende dreigementen. Ik geloof pas dat ze dood is als ik de schoten hoor en haar MET MIJN EIGEN OGEN neer zie vallen.

Weer een zondags maal met de nazi's bij de Thibauts thuis, 28 nov. Moest me uit de voeten maken. Zag al voor me hoe La Cadette hun onze smoes op de mouw spelde: 'Käthe heeft een *oudere man*! Die laat er ook geen gras over groeien. Het is een vriend van Papa's chauffeur, ze heeft hem leren kennen toen we een paar weken geleden kippen aan het inladen waren. Ze gaan elke zondag samen uit. En soms ook 's avonds!'

En Maman, met haar ogen ten hemel geslagen: 'Het geeft geen pas, het geeft geen pas voor zo'n jong meisje, hij is twee keer zo oud als zij. Maar wat kan ik eraan doen? Ze is mijn kind niet, we laten haar hard werken en ze krijgt geen loon, dus ik moet haar zondagmiddag wel vrij geven. Bovendien is ze meerderjarig. Ik hoop alleen maar dat ze goed oppast, dat ze niet *in moeilijkheden* raakt...'

'In moeilijkheden' met Paul, jakkie.

Hij en ik fietsten naar het huis van iemand anders om mijn bommakers- en schutterskwaliteiten te verbeteren. Het geeft zo'n verlichting om me op iets neutraals te kunnen concentreren: hoeveel springstof is er nodig om een auto op te blazen, hoe sluit je een ontsteker aan en zet je hem met een magneet vast, hoe schiet je (met een geleend pistool, want Käthe zou gearresteerd worden als ze met een wapen betrapt werd) op een bewegend doelwit? Bedankt, Jamie en Julie Beaufort-Stuart, voor mijn eerste schietlessen. Het bewegende doelwit van vandaag was geen Me-109 of een fazant, maar een leeg blikje op een stok, dat door een dappere ziel aan de andere kant van de tuin heen en weer werd gezwaaid. Het geluid werd gecamoufleerd door het lawaai van een zaagmolen naast het huis. Ik weet niet of ze daar altijd op zondagmiddag werken of dat het lawaai speciaal voor ons georganiseerd was.

'Jammer dat we je niet kunnen houden, Kittyhawk,' zei de bewoner van het huis. 'Je bent een geboren soldaat.'

Ha. Het maakt me zo trots als een pauw en tegelijk word ik er woest van. Wat een lariekoek! Ik ben geen geboren soldaat. Het is oorlog, dus lever ik vliegtuigen af. Maar ik ben niet uit op avontuur of opwinding, en ik zoek al helemaal geen ruzie. Ik vind het leuk om dingen in elkaar te zetten. Ik ben *dol* op vliegen.

Moet mezelf eraan herinneren dat ik nog steeds Maddie ben, heb mijn eigen naam al in geen zeven weken gehoord. En de komende dagen zal van mijn stuntvrouw Käthe het uiterste worden gevraagd.

Ze… ik… moet de boodschap (uitnodiging?) overbrengen aan Julies rekruut, de Duitse slavin/secretaresse Engel. Waarom ik? Omdat ik niet van hier ben en met een beetje geluk na de volgende volle maan vertrokken zal zijn. Engel kent mijn gezicht niet, heel weinig mensen kennen het wel. Maar ik had *haar* ook nog nooit gezien, dus regelden we het zo dat ik haar eerst een keer goed kon bekijken, voor ik haar morgen op straat moet benaderen. Paul en ik kwamen bij de boerderij van de Thibauts terug voor de Duitse bezoekers weg waren, en we wachtten, wachtten, wachtten tot ze naar buiten kwamen.

We hadden het hek dichtgedaan. De Mercedes moest dus stoppen, en Engel, de chauffeuse, stapte uit om open te doen.

Daar stond ik met de fiets van de vermoorde Duitser aan de kant van de weg, op veilige afstand van de auto, met een van Maman Thibauts moederlijke hoofddoekjes om verlegen naar de grond te turen. En daar stond Paul zo brutaal als de beul aan dat Duitse kind te voelen. Ik weet zeker dat niemand op mij lette, want *wat* een voorstelling maakte hij ervan. Hij wachtte tot het arme grietje het hek ongeveer een halve meter open had, legde toen een grote hand op de hare, om te helpen natuurlijk, maar terwijl ze samen het hek helemaal openduwden, belandde zijn andere hand op de een of andere manier op haar billen. Ze zal nu wel net zo'n hartgrondige hekel aan hem hebben als ik. Ze sloeg haar jas en haar rok stevig om haar benen en schuifelde terug naar de auto, en Etienne zat achterin te lachen.

Maar dankzij Pauls grappenmakerij kon ik haar wel goed bekijken. Ze is lang, van mijn leeftijd ongeveer, ze heeft donkerbruin haar in een kort, stijf, golvend kapsel, een beetje ouderwets. Opvallende lichtgroene ogen. Niet mooi, maar wel interessant; in een rood cocktailjurkje zou ze er waarschijnlijk uitzien om te stelen, maar met haar degelijke schoenen en stofgrijze jas maakte ze een strenge en oersaaie indruk.

O, ik klink net als Julie. 'Zeg, klein slavinnetje, als ik iets aan je wenkbrauwen mocht doen, zou je er *beeldig* uitzien.'

Engel wist dus niet hoe snel ze weer in de auto moest komen en liet prompt de motor afslaan, zo kwaad was ze. Ze startte meteen weer, reed weg zonder Paul een blik waardig te keuren en liet hem zelf het hek weer dichtdoen.

Geloof niet dat ze mij hebben gezien, ze hadden het veel te druk met het romantische blijspel tussen Paul en Engel.

Ik heb ook de Gestapo-kapitein eens goed kunnen bekijken.

Ik weet dat ik mijn hoofd gebogen had moeten houden, maar ik heb hem toch een beetje staan aangapen, ik kon het niet helpen. Dat is de man die Julie heeft verhoord, de man die opdracht zal geven voor haar executie – of dat al gedaan heeft. Ik weet niet wat ik had verwacht, maar hij zag eruit als *zomaar iemand*, als iemand die de winkel in zou kunnen komen om voor de zestiende verjaardag van zijn zoon een motorfiets te kopen. Als de hoofdmeester van een school. Maar… hij zag er ook uit alsof hij niet meer *kon*. Hondsmoe, afgetobd tot en met. Alsof hij een week niet geslapen had. Zo zagen onze piloten eruit in september 1940, in de ergste dagen van de Slag om Engeland. Zo zag de zoon van de dominee eruit toen hij naar zijn vliegtuig rende op de dag dat hij sneuvelde. Wat ik op dat moment niet wist – eerder vandaag bedoel ik, toen ik het gezicht van de kapitein zag en vond dat hij er zo moe en zorgelijk uitzag –, maar nu wel, is dat de Gestapo in Ormaie finaal op zijn kop staat, niet alleen omdat de kapitein de fout heeft gemaakt om Penn een interview toe te staan, maar ook omdat er is *gestolen*. Dat heeft Mitraillette onder het rituele cognacje in de keuken uit slavin Engel weten te krijgen. Begin vorige week was er een uur lang een sleutelbos zoek, die vervolgens op de verkeerde plek weer opdook, en niemand weet waar hij in de tussentijd geweest is. De kapitein heeft al het personeel aan een kruisverhoor on-

derworpen, en morgen wordt de kapitein zelf aan een kruisverhoor onderworpen door zijn meerdere, de verschrikkelijke Nikolaus Ferber.

Als ik de kapitein was zou ik Engel muilkorven. Het is vast niet de bedoeling dat ze dit soort informatie lekt. Maar als ze zich niet vrijwillig bij
ons aansluit, kunnen we haar misschien chanteren. Dit is onze kans.

En het is mijn taak om haar binnen te halen. Dat ik ooit tegen die inlichtingenofficier gezegd heb dat ik niet deug voor dit werk! Ik sta te
trappelen, ben *zo blij* dat ik me nuttig kan maken. Maar ik geloof toch
niet dat ik vannacht veel slaap zal krijgen. Ik denk maar steeds aan wat
Theo zei nadat ik die eerste Lysander had afgeleverd: 'Ze zouden je zo
voor het echte werk kunnen inzetten…'

GEWOON VLIEGEN, MADDIE.

Afschuwelijke droom over guillotines. Helemaal in het Frans, beroerd Frans waarschijnlijk, maar wie had gedacht dat ik in het Frans kon dromen! Ik draaide met Etiennes zakmes de schroeven aan waarmee het touw aan de bijl vastzat, zodat die mooi strak neer zou komen. Misselijkmakend. Als het een rommelige executie zou worden, dan was dat helemaal mijn schuld. Ik dacht steeds: het werkt net als een choke... *c'est comme un starter...*

Ja *echt*, juf, zoals Jock zou zeggen.

Als ik niet met mijn hoofd in een wastobbe op die smerige binnenplaats eindig is het een godswonder.

In Amélies lievelingscafé zat ik een uur te wachten tot een oude man wiens naam ik niet weet kwam zeggen dat *l'ange descend en dix minutes.* De engel landt over tien minuten. Dat betekende dat Engel de auto uit de garage aan het halen was om de kapitein naar zijn nare baas te brengen. Ik hoefde alleen maar voor het hotel langs te lopen op het moment dat zij het portier voor hem openhield, en een lippenstift met een strookje papier erin in haar hand te drukken. Op dat papiertje staat waar we haar eigen cachette hebben ingericht: als ze contact wil leggen met het verzet, kan ze in het café een briefje achterlaten, in een zakdoek die onder een tafelpoot ligt tegen het wiebelen.

Ze kan nu natuurlijk ook een val voor me zetten, want ik zal het briefje moeten gaan halen en dat weet ze.

Maar zal ik eens wat zeggen? Als ze me erbij wil lappen hoeft ze niet eens een val te zetten. Als ze me erbij wil lappen ben ik er geweest.

Voor de deur van de Gestapo bukte ik me alsof Engel iets had laten vallen. Ik kwam overeind en stak het glimmende kokertje naar haar uit. Glimlachend als een dwaas sprak ik de helft van alle Duitse woorden die ik ken.

'*Verzeihung, Sie haben Ihren Lippenstift fallen lassen.*' Neem me niet kwalijk, u hebt uw lippenstift laten vallen.

De kapitein zat al in de auto en Engel had haar eigen portier nog niet opengemaakt. Hij kon ons niet horen. Als ze antwoord gaf zou ik er geen woord van verstaan, daarom had ik opdracht alleen maar lief te blijven lachen, en als ze de lippenstift niet aannam moest ik zeggen: '*Es tut mir leid, war doch nicht Ihr Lippenstift.*' Pardon, het was toch niet uw lippenstift.

Ze keek eerst fronsend naar het gouden kokertje en toen naar mijn nietszeggende, onnozele grijns.

Nieuwsgierig vroeg ze, in het Engels: 'Ben jij Maddie Brodatt?'

Het is maar goed dat ik die lach al op mijn gezicht had. Ik liet hem maar gewoon bevriezen. Voelde me zo onecht als wat, alsof ik een masker op had. Alsof ik het gezicht van iemand anders droeg. Maar ik bleef lachen en schudde mijn hoofd.

'Käthe Habicht,' zei ik.

Ze knikte één keer. Het leek op een buiging. Ze nam de lippenstift aan, opende het portier van de Mercedes en stapte in.

'*Danke, Käthe,*' zei ze, voor ze het portier dichttrok. Dank je, Käthe. Zonder blikken of blozen. Familiair en brutaal, alsof ik een klein kind was.

Toen ze wegreed schoot me te binnen dat Käthe geen Engels verstaat.

Gewoon vliegen.

Kon ik dat maar, WIST IK MAAR WAT IK MOEST DOEN.

Ik ben nog niet dood en we hebben antwoord van Engel. Ik heb het zelf opgehaald. Ik durf steeds makkelijker naar de stad te fietsen, want Mitraillette neemt altijd dezelfde controlepost en ze kennen me inmiddels en laten me door zonder naar mijn papieren te kijken. Engel heeft Julies sjaal voor ons achtergelaten. Eerst herkende ik hem niet. Hij lag onder een tafeltje in het café en de jongen die de vloer veegt gaf hem aan mij. 'C'est à vous?' Is deze van u? Ik wist niet meteen wat het was, zag alleen een prop matgrijze stof, maar toen ik eraan voelde besefte ik dat het zijde was, dus pakte ik hem aan, voor het geval het belangrijk was. Ik knoopte de sjaal om mijn nek en schonk de jongen mijn dwaze glimlach. 'Merci.' Bedankt.

Mijn maag draaide zich om van angst en opwinding, maar om geen wantrouwen te wekken bleef ik nog tien minuten zitten en dronk tegen heug en meug een kop van de smerigste surrogaatkoffie die ooit is gezet.

Fietste als de duivel naar huis, maakte de verkreukelde sjaal los en spreidde hem in Etiennes kamer uit op het bed. Op dat moment besefte ik dat het Julies zijden sjaal uit Parijs was…

Ik was nog maar klein toen mijn vader overleed, maar ik weet nog goed hoe ik, voordat oma hem leeghaalde, zijn dassenla openschoof en diep inademde. Alle dassen roken nog naar mijn vader, naar kersentabak en reukwater en een vleugje motorolie. Ik was dol op die geur. Het bracht mijn vader bij me terug.

Julies sjaal ruikt niet meer naar Julie. Ik heb mijn neus er wel in gestoken. Hij ruikt naar carbolzeep. Naar school. Of gevangenis, waarschijnlijk. In een hoek zit een grote inktvlek en in het midden is de zijde helemaal dun, alsof Julie en Engel de sjaal hebben gebruikt om mee te touwtrekken.

Die chemische geur, zoet en teerachtig. Heeft niets met Julie te maken. Het deed me eraan denken dat Penn ons vertelde dat Engel apotheker is.

Ik rende de trap af. '*Tu cherches Gabrielle-Thérèse?* Zoek je mijn zus?' vroeg La Cadette, die aan de keukentafel opkeek van haar schoolboeken.

'*Oui, tout de suite.* Nu meteen. Ik moet een strijkijzer hebben, een... o *verdorie!*' Frustratie, want ik had geen idee hoe ik het moest zeggen. Deed alsof ik streek. Dat kind is zo bijdehand, ze snapte het meteen, zette Mamans strijkijzer op het vuur, wees me de strijkplank en holde weg om haar zusje te halen.

Mitraillette en Amélie en ik stonden als de heksen in *Macbeth* met ingehouden adem over de strijkplank gebogen. Ik was zo bang om het te verpesten, de sjaal te verschroeien, maar dat deed ik allemaal niet en na een minuut of wat verscheen Engels boodschap in bruine hanenpoten op de grijze paisley, in de hoek tegenover de inktvlek.

Je hoeft niet door de geheime dienst opgeleid te zijn om te weten hoe je met onzichtbare inkt werkt. Je hoeft zelfs geen verstand te hebben van scheikunde. Beryl en ik leerden het bij de padvinderij. We schreven altijd geheime berichten met melk. Het is niet moeilijk.

Ik weet niet waar Engel het mee deed, maar ze schreef in het Frans, dus ik herinner me niet haar exacte woorden. Óf ze heeft ons een belangrijke tip gegeven, óf ze lokt ons in de val. Vanavond zullen we het weten. Mitraillette laat Paul halen, via Pauls koerier, want wij weten zelf niet eens waar hij woont.

Vanavond worden er negentien gevangenen uit Poitiers naar een concentratiekamp ergens in het noordoosten van Frankrijk gebracht. De bus maakt een omweg langs Ormaie om nog vijf gevangenen op te pikken. Een van hen is Julie.

Als ik er een soort ongevallenrapport van maak…

Geloof nooit dat ik het er als een echt rapport kan laten uitzien, maar ik moet iets schrijven, ik moet het onthouden. Misschien komt er een rechtszaak. Het interesseert me geen biet. Ik wil het goed vertellen nu ik het nog precies weet.

Mitraillette probeerde me even geleden weer slaapdruppels te geven; een halfuurtje en dan vergetelheid. Maar deze keer had ik haar door, en ik wil schrijven. Misschien neem ik ze daarna.

Ik denk dat ik dat maar doe. Als ik klaar ben, wil ik vast nergens meer aan denken

VOORTGANGSRAPPORT

Poging tot sabotage van brug over rivier de Poitou op de weg Tours-Poitiers, met als doel het tegenhouden van Duitse legerbus met 24 Franse en geallieerde gevangenen, wo 1 dec. 1943.

Nou, we hebben hem tegengehouden.

Een kolossaal gat in de brug geslagen ook, dus voorlopig deporteren ze via het treinstation in Tours niemand meer

IK HAAT ZE

IK HAAT ZE

Mag Paul nooit vergeten. Paul, die ik ook haatte.

Hij was geweldig. Dat moet ik zeggen. Hij beraamde het allemaal al doende, verzon het waar we bij stonden. Het bloedbad was zijn schuld niet. Bracht binnen een uur een legertje van een stuk of tien mannen en twee vrouwen op de been. We verstopten de fietsen en de auto, diezelfde Citroën Rosalie weer. Het is me een raadsel hoe de eigenaar voorkomt dat hij gepakt wordt, of dat zijn auto in beslag wordt genomen in elk geval, en volgens mij is hij ook gewoon te oud voor dit werk. Geloof het of niet, maar we verstopten de auto in de garage van een lieve en heldhaftige oude dame die in haar eentje in een landhuis aan de Tours-kant van de Poitou woont. Zij is de rozenkweker waar de groep naar genoemd is. We zetten onze auto *achter* die van haar, toevallig een nieuwere en grotere Rosalie, zodat het leek alsof onze auto haar oude auto was, en legden er een stoflaken over. De fietsen legden we in haar lege stallen, onder een berg twintig jaar oud hooi.

Daarna leenden we haar boten. Een prachtige teakhouten negentiende-eeuwse roeiboot en twee kastanjehouten Canadese kano's. Veel te goed voor ons. De brug ligt een stuk stroomopwaarts. Het verkeer is hier al eerder lamgelegd, en mevrouw heeft een tijdje onder strenge bewaking gestaan. Hopelijk krijgt ze nu niet weer moeilijkheden, maar tot nu toe lijkt het erop dat ze de dans ontspringt. We hebben goed opgepast.

Al geloof ik niet in God, ik *bid* dat ze de dans ontspringt. Want het is net als met kringen in een vijver. Het stopt niet op één plek.

Hoe dan ook, we laadden ons vuurwerk in de boten – kan geloof ik geen bijzonderheden over de explosieven vertellen, want ik had ze niet gemaakt en heb niet goed opgelet – en roeiden in het donker met omwikkelde riemen naar de brug. Duurde ongeveer een uur. Je leest wel over omwikkelde riemen in piratenverhalen. Ik weet zeker dat ze in *Peter Pan* ook voorkomen, of misschien in *Het onbewoonde eiland*. Engelse zomers en schoolvakanties lijken nu ontstellend ver weg. We zagen bijna niets, boven de rivier hing mist. Maar we kwamen er. We maakten de explosieven aan de brug vast en wachtten.

Wat ging er mis?

Ik weet het niet, ik weet het eerlijk niet. Het was geen valstrik. Ze waren niet met te veel, in het begin niet. Ik denk dat er voor ons gewoon meer op het spel stond. Hadden we niet moeten bedenken dat de Duitsers meedogenlozer zouden zijn dan wij? Hoe hadden we dat moeten bedenken? We waren zelf al zo meedogenloos.

Wat er misging... Misschien was het gewoon te donker, het was nacht en er hing mist. De mist was goed en de mist was slecht, want hij maakte ons onzichtbaar, maar we zagen zelf ook verschrikkelijk weinig. Het was halvemaan, maar daar hadden we niets aan want het was bewolkt, en tot de gevangenenbus met zijn felle koplampen kwam aanrijden waren we stekeblind.

Dat deel ging best: binnen een minuut hadden we die bus grondig onklaar gemaakt. We werden goed gecamoufleerd door de begroeiing op de rivieroever, een dicht bos van wilgen en elzen en populieren vol vogellijm. Veel hoog onkruid, en die mist. Onze bom verwondde niemand, alleen de brug en de bus. De grille werd eruit geblazen, maar de koplampen bleven gespaard en de accu ook, want Paul en de eigenaar van de Rosalie hadden genoeg licht om drie van de banden met kogels te doorboren.

De chauffeur stapte uit. Vervolgens stapte er een soldaat uit. Ze hadden zaklampen en liepen vloekend langs de bus om de schade op te nemen.

Paul schoot ze met zijn machinepistool een voor een neer, als eendjes op de kermis. Terwijl dat allemaal gebeurde, zat ik nutteloos in elkaar gedoken met mijn armen over mijn hoofd en mijn kiezen op elkaar, dus ik miste een deel van het spektakel. Een geboren soldaat, mijn laars. Zo'n overval heeft heel veel weg van een veldslag. Het is oorlog. Het is oorlog in het klein, maar het is en blijft OORLOG.

Er kwamen nog twee soldaten uit de bus, die in het wilde weg op de donkere bosjes begonnen te schieten. Mitraillette moest op me gaan zitten om te voorkomen dat ik ons verraadde, zo hysterisch werd ik. Uiteindelijk gaf Paul me een mep.

'Beheers je een beetje, Kittyhawk,' siste hij. 'We hebben je nodig. Je bent een puike schutter, maar niemand verwacht van je dat je mensen doodschiet. Concentreer je op het materieel, begrepen? Ze zullen zo proberen de bus te repareren. Schiet hun spullen kapot.'

Ik vermande me en knikte. Weet niet of hij me zag knikken, maar hij schoof terug naar zijn post naast de chauffeur van de Rosalie, onder de zacht ruisende wilgentakken, en samen namen ze nog een soldaat te grazen.

Zijn makker sprong terug de bus in. Daarna bleef het onheilspellend stil, een minuut of twee gebeurde er helemaal niets. Vervolgens werden de gevangenen door vier soldaten de bus uit gejaagd en gedwongen om naast elkaar op hun buik midden op de weg te gaan liggen. Dit gebeurde allemaal bij het schaarse licht van zaklampen, en we durfden niet te schieten, uit angst dat we onze eigen mensen zouden raken.

Kon geen afzonderlijke gezichten onderscheiden en kan niets over de gevangenen vertellen, heb geen idee van leeftijd of geslacht of hoe ze gekleed waren, maar aan hun bewegingen zag je dat sommigen bang waren en anderen opstandig, en sommigen waren met de voeten aan elkaar vastgeketend. Voor de geketenden was het lastig om de bus uit te komen, want ze struikelden steeds over elkaar. Toen ze allemaal op een rijtje op hun buik op de grond lagen schoot een van de soldaten er zes in het hoofd.

Het ging RAZENDSNEL.

Dat stuk verdriet begon in het Frans tegen ons te schreeuwen. Mitraillette fluisterde alle Engelse woorden die haar te binnen wilden schieten in mijn oor: 'Wraak... twee tegen een... hun eigen doden. Als wij...'

'Ik weet het, ik weet het,' fluisterde ik terug. *'Je sais.'* Voor elke dode aan hun kant zouden ze er twee van ons doodschieten. Wegwerpgijzelaars.

Drie soldaten hielden hun wapen op de gevangenen gericht, terwijl de vierde de weg af begon te lopen, op zoek naar een telefoon, denk ik.

Daarna wachtten we. Impasse. Het was bitter koud.

Paul en een paar andere mannen overlegden fluisterend en besloten onder de brug door te kruipen en te proberen de soldaten van achteren aan te vallen. Ze waren nog maar met z'n drieën over, plus de ene die hulp was gaan halen; het leek ondenkbaar dat we hen niet de baas zouden worden.

Maar zij hadden achttien gijzelaars die hulpeloos geboeid aan hun voeten lagen.

En een van hun gijzelaars was Julie.

Of misschien, tobde ik op dat moment, misschien was ze al doodge-

schoten. Kon het met geen mogelijkheid zien. Maar toen sloten de soldaten een draagbare schijnwerper op de accu van de bus aan. Ze zetten de
gevangenen in het volle licht, en nu zagen we dat er maar een paar vrouwen bij waren en dat ze allemaal half verhongerd leken. En tussen hen in
lag, precies in het midden, degene die ik zocht. Een bergje blond haar en
een vlammende trui. Haar armen waren strak op haar rug gebonden,
met ijzerdraad, zo te zien, dus ze lag echt plat op haar gezicht, in tegenstelling tot de anderen, die hun hoofd op hun onderarmen lieten rusten.
Maar ze lag niet aan het uiteinde van de rij, ze was niet een van de zes die
net gedood waren. Ze haalde rustig adem. Ze wachtte. Bibberde van de
kou, net als wij allemaal.

We wachtten denk ik wel een uur.

De soldaten zorgden ervoor dat ze moeilijk te raken waren. Ze bleven
in beweging en schenen met hun zaklampen in ons gezicht – of probeerden dat in elk geval, en soms verblindden ze ons ook echt. Later merkte
ik pas dat ik de nagels van mijn duimen tot bloedens toe had afgekloven
in afwachting van Pauls aanval. Die kwam nooit. De drie Duitse soldaten
stelden zich zo op dat ze altijd verschillende kanten op keken, en een van
hen hield zijn geweer voortdurend op de gevangenen gericht. We konden
er gewoon niet bij komen. Een van de vrouwen begon te huilen, omdat
ze het zo verschrikkelijk koud had denk ik, en toen de man naast haar
probeerde zijn arm om haar heen te slaan werd hij in zijn hand geschoten.

Op dat moment drong tot me door dat we deze strijd niet zouden
winnen, niet konden winnen.

Ik denk dat Mitraillette het toen ook wist. Ze kneep zachtjes in mijn
schouder. Zij huilde ook. Maar stilletjes.

De vierde soldaat kwam terug en begon ontspannen met zijn makkers
te praten. We wachtten. Het was nu niet stil meer, want behalve het gepraat van de soldaten en het gehuil van de vrouw hoorde je ook het ker-
men en hijgen van de man met de gewonde hand. Verder waren er alleen
de zachte geluidjes van een nacht aan de rivier, de wind in de kale takken,
het holle ruisen van het water onder de beschadigde stenen brug.

Toen tilde Julie haar hoofd op en zei ze iets tegen de soldaten *waar ze*

263

om moesten lachen. Ik denk… ik durf te zweren, we konden haar niet horen, maar ik durf te zweren dat ze met hen flirtte. Of zoiets. Een van de soldaten kwam naar haar toe en porde links en rechts met zijn geweer in haar, alsof hij een stuk vlees keurde. Hij knielde bij haar hoofd en nam haar kin tussen zijn vingers. Hij vroeg iets.

Ze beet hem.

Hij duwde haar gezicht hard tegen de grond en kwam overeind, maar toen hij zijn geweer op haar richtte, hield een van de andere soldaten hem lachend tegen.

'Hij zegt dat hij haar niet dood mag schieten,' fluisterde Mitraillette. 'Als ze haar doodschieten, is het… uit met de pret.'

'Is ze gek geworden?' siste ik. 'Waarom voor de donder bijt ze hem? Straks vermoorden ze haar!'

'*Exactement*,' beaamde Mitraillette. '*C'est rapide*, dat gaat snel. Geen pret voor de nazi's.'

Toen kwamen de hulptroepen. Een stuk of tien soldaten, verdeeld over twee legertrucks met dekzeil aan de zijkanten. Zelfs toen waren we nog niet ernstig in de minderheid. Ze begonnen zandzakken en planken uit te laden en wisten de bus uit het gat te tillen waarin hij beland was. Ze zetten hem in zijn achteruit en legden planken over de bres in de brug, om er met de trucks overheen te kunnen rijden.

Maar toen ze klaar waren om de mensen in de trucks te laden ontmoetten ze verzet. Niet alleen van ons. Een deel van de gevangenen werd wakker. Een handjevol mannen, die niet aan elkaar vastzaten, zetten het op een lopen, doken aan de andere kant van de weg in de greppel en hadden, zo bleek, het geluk dat ze recht in de armen van Paul en zijn mannen liepen, die hen gauw onder de brug door naar de boten duwden. Er volgde een schietpartij toen een paar soldaten achter hen aan gingen en Pauls mannen het vuur openden. Mik op het materieel, had Paul gezegd, en er werd een tijdje zo hevig gevochten dat ik wist dat twee schoten uit mijn revolvertje niet zouden opvallen. Ik mikte op de boeien. Dubbelschot, twee snelle schoten op hetzelfde doel. De boeien spatten uit elkaar als speelgoedballonnetjes – wat een geluk had ik! En de twee mannen die ik had bevrijd holden weg.

Toen de volgende man probeerde te vluchten, maaiden de soldaten hem neer alsof ze bankrovers waren in een Amerikaanse gangsterfilm.

Op het moment dat de eerste mannen vluchtten, had de soldaat die door Julie was gebeten zijn hak in haar nek gezet om haar tegen de grond te houden. Hij gaf haar niet de kans. Ze vocht als een wilde en kreeg een schop van de man die had gezegd dat ze niet doodgeschoten mocht worden. Nu een paar van de gijzelaars dood waren, er een paar in de trucks zaten en er een paar waren ontsnapt, lagen er nog maar zeven levende mensen op de grond, onder wie Julie, met de laars van de soldaat in haar nek, en twee andere vrouwen. Twee van de overgebleven mannen zaten met de enkels aan elkaar vast. En de Duitse korporaal of wat hij ook was, de man die de leiding had en met de hulptroepen mee was gekomen, besloot iedereen eens een duchtig lesje te leren: ons omdat we hadden geprobeerd hun gevangenen te bevrijden, en de gevangenen omdat ze bevrijd wilden worden…

Hij pikte er twee mannen uit, de twee die niet aan elkaar vastzaten, en sleurde hen overeind. En toen hij zag dat Julie een speciale behandeling kreeg van de man die haar met zijn voet op de grond hield, sleurde hij haar ook overeind en zette haar naast de twee mannen, de een een potige arbeider, de ander een knappe jongen van mijn leeftijd, allebei even haveloos en geradbraakt.

Julie zag er ook haveloos uit. Ze had nog steeds precies dezelfde kleren aan als toen ze uit het vliegtuig sprong: een grijze flanellen rok en een modieus Fransachtig truitje in het donkere roodoranje van Chinese lantaarns, nu met gaten in de ellebogen. Haar haar glansde koperachtig goud in het kunstlicht en hing los en warrig op haar rug. Haar gezicht was vel over been. Alsof… alsof ze in acht weken tijd vijftig jaar ouder was geworden, uitgemergeld, grauw, broos. Sprekend Jamie toen ik hem in het ziekenhuis voor het eerst zag. Maar nog magerder. Ze was net een kind, een kop kleiner dan de kleinste van het groepje mannen om haar heen. Elk van die soldaten had haar kunnen optillen en in de lucht gooien.

Drie gevangenen op een rijtje. De soldaat die de baas was gaf een bevel, en de man die Julie tegen de grond had gedrukt mikte op de jongste van de twee mannen en schoot hem tussen de benen.

De jongen viel krijsend op de grond en ze vuurden nog een keer, schoten eerst de ene elleboog kapot en toen de andere, waarna ze hem, nog altijd krijsend, overeind hesen, naar de truck duwden en erin lieten klimmen, en daarna liepen ze terug naar de andere man en schoten ook hem in het kruis.

Mitraillette en ik zaten op onze knieën te hijgen van afschuw, dicht naast elkaar en gedekt door de bomen en het donker. Julie, zo wit als een doek in het schelle licht van de schijnwerper, stond in elkaar gedoken strak voor zich uit te kijken. Zij was als volgende aan de beurt. Ze wist het. We wisten het allemaal. Maar ze waren nog niet klaar met hun tweede slachtoffer.

Toen ze hem eerst één keer in een elleboog schoten en meteen daarna nog een keer, waardoor het gewricht grondig verbrijzeld werd, verloor ik mijn niet-zo-heel-betrouwbare zelfbeheersing en barstte in tranen uit. Ik kon er niets aan doen, er knapte iets, net als toen we die schutter op Maidsend te hulp schoten en die dode knapen zagen liggen. Ik begon hard en gierend te huilen, als een klein kind.

Haar gezicht – Julies gezicht – haar gezicht begon te stralen als een zonsopkomst. Blijdschap en opluchting en hoop, het was er allemaal tegelijk, en ze was meteen weer mooi, zichzelf, *prachtig*. Ze hoorde me. Herkende mijn angstige gebrul. Ze waagde het niet naar me te roepen, bang als ze was om mij, de wanhopigste voortvluchtige van heel Ormaie, aan de Duitsers te verraden.

Ze schoten opnieuw op de tweede man, verwoesten ook zijn andere arm, en hij raakte prompt buiten westen. Ze moesten hem naar de truck slepen.

Nu was Julie aan de beurt.

Opeens begon ze woest te lachen, en met hoge, bevende stem gaf ze een vertwijfelde gil.

'KUS ME, HARDY! Vlug, KUS ME!'

Draaide haar gezicht van me af om het makkelijker te maken.

En ik schoot.

Ik zag haar lichaam schokken; door de inslagen vloog haar hoofd opzij alsof ze een stomp tegen haar kaak had gekregen. Toen was ze weg.

Weg. Het ene moment vloog ze nog in het groene licht van de zon, het volgende moment onder een donkergrijze hemel. Uit als een kaars. Hier, en dan weg.

Zal ik maar gewoon doorschrijven? Want dat was niet het einde. Het was niet eens een pauze.

De officier trok in Julies plaats meteen een andere vrouw overeind. Het ten dode opgeschreven meisje schreeuwde in het Frans naar ons: '*ALLEZ! ALLEZ!*' Ga weg! Ga weg! '*Sales idiots de la Résistance, vous nous MASSACREZ TOUS!*'

STOMME IDIOTEN VAN HET VERZET, JULLIE MAKEN ONS ALLEMAAL AF.

Zelfs met mijn karige schoolfrans verstond ik wat ze zei. En ze had gelijk.

We sloegen op de vlucht. Ze schoten op ons en zetten de achtervolging in. Paul en zijn kameraden klommen over het muurtje van de brug en vielen hen in de rug aan, en ze draaiden zich om. Bloedbad. Een BLOEDBAD. De helft van onze mensen, onder wie Paul, werd op die brug aan flarden geschoten. De rest wist de boten te bereiken en begon met de vijf gevangenen die we hadden weten te bevrijden de rivier af te roeien.

Toen we los waren van de oever en iemand anders roeide en ik niets meer te doen had, legde ik mijn hoofd op mijn knieën. Mijn hart in stukjes. Het ligt nog steeds in stukjes. Ik denk dat het voor altijd gebroken is.

Mitraillette haalde de Colt .32 voorzichtig tussen mijn vingers vandaan en zorgde ervoor dat ik hem opborg. '*C'était la Vérité?*' fluisterde ze. Was dat Verity?

Of misschien bedoelde ze alleen maar: was dat echt waar? Is dat echt gebeurd? Waren de laatste drie uur *echt*?

'Ja,' fluisterde ik terug. '*Oui. C'était la vérité.*'

Weet niet hoe ik door ben gegaan. Dat doe je gewoon. Het moet, dus je doet het.

Toen we nog hoopten dat we vierentwintig mensen zouden moeten verplaatsen en verstoppen, was het plan om ze naar de andere oever te varen en ze daar in kleinere groepjes van drie of vier te verdelen. Wijzelf zouden ons opsplitsen om hen voor de nacht in verschillende schuren en koeienstallen onder te brengen, voor we ons aan de ingewikkelder taak zouden zetten om hen via de Pyreneeën of het Kanaal veilig Frankrijk uit te smokkelen. Maar nu hoefden we maar vijf vluchtelingen te verstoppen, en wij waren nog maar met z'n zevenen, dus er was ruimte genoeg om met z'n allen in één keer terug te roeien naar het landhuis. Mitraillette nam het besluit om ons bij elkaar te houden. Geloof niet eens dat ik het ooit had gemerkt, zo gericht was ik op mijn eigen angsten en zorgen, maar zij was na Paul de tweede man van de groep.

Denk ook niet dat we het zonder haar gered zouden hebben. We waren allemaal *finaal van de kaart*. Maar zij zat ons als de duivel achter de broek. '*Vite! Vite!*' Vlug! Zacht en fel gefluisterde bevelen, boten terug op hun rek, roeispanen opbergen, alles zorgvuldig afgedroogd met stoflakens die we naderhand onder de plankenvloer verstopten. Je kunt best iets doen terwijl je van de kaart bent. Als iemand je een dom karweitje geeft, doe je dat automatisch, ook al ligt je hart in stukjes. Mitraillette dacht aan alles – misschien heeft ze dit eerder gedaan? We veegden over de roeispanen en de boten met handenvol oud stro uit de stallen, waardoor overal een dun laagje stof op kwam te liggen. De vijf mannen uit de gevangenenbus werkten stil en ijverig mee, blij dat ze konden helpen. Toen we vertrokken zag het botenhuis er perfect uit, alsof het in geen jaren gebruikt was.

Even later kwam de Duitse opsporingspatrouille, en we lagen een uur als Mozes tussen het bies op de modderige rivieroever te wachten tot ze weer weggingen. We hoorden hen praten met de terreinknecht. Later kwam hij terug om het botenhuis af te sluiten en ons het sein veilig te geven, voor zover dat mogelijk was, want nu stonden er Duitse bewakers op de oprijlaan, dus we konden de Rosalie voorlopig niet tevoorschijn halen. Maar de terreinknecht dacht dat we via het pad op de andere oever met fietsen weg konden komen. Benzedrine voor iedereen. We pakten weer een kano, zetten twee fietsen, twee van ons en twee gevangenen over en zagen ze verdwijnen in de mist.

Op dat moment zakte een van de overgebleven mannen uit de bus rillend in elkaar, en Mitraillette nam wat gas terug. 'We kunnen niet meer,' zei ze.

We gingen bij de fietsen in de stallen liggen. Niet de veiligste plek ter wereld.

Waar zou dat zijn, de veiligste plek ter wereld? De neutrale landen, Zweden en Zwitserland, zijn ingesloten. Ierland is in tweeën gedeeld, daar schrijven ze in het neutrale stuk met grote, van witgeverfde keien gemaakte letters IERLAND op de grond, in de hoop dat de Duitsers niet denken dat ze aan de Britse kant van de grens zitten en er hun bommen laten vallen. Ik heb het vanuit de lucht gezien. Zuid-Amerika, misschien.

We waren allemaal nog klaarwakker toen het licht begon te worden. Ik zat met mijn armen om mijn knieën geslagen naast een van de jongens die waren ontsnapt nadat ik hun boeien kapot had geschoten. De mannen die aan elkaar vast hadden gezeten bleven bij ons, want voor ze ergens anders heen konden, moesten ze eerst van de banden om hun enkels af.

'Hoe hebben ze je te pakken gekregen? Wat heb je gedaan?' vroeg ik, even vergetend dat hij Fransman was. Maar hij gaf antwoord in het Engels.

'Precies hetzelfde als jij,' zei hij bitter. 'Een brug opgeblazen en vergeefs geprobeerd het Duitse leger tegen te houden.'

'Waarom hebben ze je niet meteen geëxecuteerd?'

Hij grijnsde. Al zijn boventanden waren met grof geweld gebroken. 'Waarom denk je, *gosse anglaise*, Engels kind? Als ze je executeren, kunnen ze je niet ondervragen.'

'Waarom waren jullie niet allemaal aan elkaar vastgeketend?'

'We zijn niet allemaal gevaarlijk.' Hij bleef grijnzen. Hij had natuurlijk ook reden om optimistisch te zijn: hij had een tweede kans gekregen, hij had weer hoop. Niet veel, maar meer dan twaalf uur geleden. 'Ze ketenen je alleen als ze denken dat je gevaarlijk bent. Die griet met haar armen op haar rug, heb je die gezien? Zij was niet gevaarlijk, ze was een… *collaboratrice*, een collaborateur.' Hij spuugde in het bijna verteerde stro.

Mijn verbrijzelde hart werd koud. Ik had het gevoel dat ik ijsscherven had ingeslikt.

'Hou op,' zei ik. '*Tais-toi*. HOUD JE KOP.' Hij hoorde me niet, of nam me niet serieus, en vervolgde meedogenloos: 'Die is dood beter af. Zag je hoe ze zelfs toen ze daar op de grond lag nog met die soldaten flirtte? Haar armen waren op haar rug gebonden, dus had iemand haar onderweg naar waar we ook heen gingen moeten helpen – helpen eten, helpen drinken. Ze had die soldaten haar gunsten moeten aanbieden om hen zover te krijgen. Geen van ons zou het gedaan hebben.'

Ik kan soms ook gevaarlijk zijn.

Die ochtend was ik een antipersoneelmijn, een tikkende vlinderbom, en die vent drukte op de ontsteker.

Ik herinner me niet precies wat er gebeurde. Ik herinner me niet dat ik hem aanviel. Maar mijn knokkels zijn geschaafd van zijn gebroken tanden. Mitraillette zegt dat ze dachten dat ik zijn ogen uit zijn hoofd probeerde te krabben.

Ik herinner me wel dat drie mensen me tegenhielden, en ik herinner me dat ik tegen die jongen schreeuwde: 'Je zou haar niet geholpen hebben met ETEN EN DRINKEN? DAT HAD ZIJ VOOR JOU ANDERS WEL GEDAAN!'

Omdat ik zo veel lawaai maakte, gingen ze in paniek opnieuw boven op me zitten. Maar zodra ze me loslieten vloog ik hem weer aan. 'IK HEB JE BEVRIJD! Zonder mij zou je nu GEBOEID in een stinkende goederenwagon zitten, ALS EEN RUND! *Je zou een medegevangene niet geholpen hebben met ETEN EN DRINKEN?*'

'Käthe, Käthe!' Mitraillette probeerde huilend mijn gezicht tussen haar handen te nemen om me te kalmeren en het zwijgen op te leggen. 'Käthe, *arrête… Il le faut! Attends…*' Hou op… Het moet! Wacht…

Ze hield een blikken beker met koude koffie en een scheut cognac aan mijn lippen en hielp me… Hielp me drinken.

Dat was de eerste keer dat ze me in slaap bracht. Het duurt een halfuur voor het middel werkt. Ik mag waarschijnlijk van geluk spreken dat ze me niet met een fiets op mijn hoofd hebben geslagen om de zaak te bespoedigen.

Toen ik wakker werd, stuurden ze me met de terreinknecht naar het huis. Ik voelde me geradbraakt, dom, een beetje misselijk en tegelijk uitgehongerd, en ik denk niet dat het me iets had kunnen schelen als de oude dame die er woonde me aan de politie had uitgeleverd. ZO GAAT DAT TOCH ALS JE JE BESTE VRIENDIN HEBT VERMOORD?

Maar nee, de chauffeur leidde me een donkere en elegante, met eikenhout gelambrizeerde hal in, en even later kwam de bewoonster van het huis naar me toe. Ze is echt zo'n prachtige, als een porseleinen pop zo perfecte dame van de vorige eeuw, met spierwit haar in precies zo'n wrong als Julie altijd had. Dat viel me op. Ze nam me zonder iets te zeggen bij de hand en liep met me de trap op, naar een badkamer ter grootte van een balzaal, waar een kokendheet bad op me stond te wachten, duwde me naar binnen en liet me alleen.

Ik overwoog met Etiennes zakmes mijn polsen door te snijden, maar dat leek me niet helemaal eerlijk tegenover de broze heldin die in dit huis woonde, en bovendien… BOVENDIEN WIL IK WRAAK, NONDEJU

Ik ging dus in bad. Wat, moet ik toegeven, hemels was. Droogde me af met een enorme donzige handdoek die duidelijk voor mij was klaargelegd. Het gaf me een zondig, een beetje onwezenlijk gevoel.

De oude dame – dame op leeftijd, zou ik moeten zeggen, ze is een verfijnd iemand – stond bij de deur toen ik naar buiten kwam. Eronder was ik schoon, maar mijn wandelbroek zat onder een dikke laag slijk en mijn haar stond alle kanten op en ik voelde me net een verlopen straatschooier. Het leek haar niet te deren, want ze nam me opnieuw bij de hand, en nu gingen we naar een kleine salon waar een haardvuur brandde en een ketel op de plaat stond. Ik moest op een achttiende-eeuwse bank met versleten zijden bekleding gaan zitten, terwijl zij me te eten bracht: brood met honing, koffie, kleine gele appeltjes en een gekookt ei.

Ze zette het dienblad op een marmeren bijzettafeltje en sloeg met een mooi zilveren lepeltje de dop voor me van het ei, alsof ik een klein kind was en gevoerd moest worden. Ze doopte het lepeltje in het ei en het eigeel kwam omhoog als de gouden zon die opduikt uit een wolkenbank. Ik moest meteen aan het avondeten met de Partizanen van Craig Castle denken. Het volgende moment besefte ik dat Julie en ik daar nooit samen waren geweest en dat dit er nu ook nooit meer van zou komen, en ik dook in elkaar en begon te huilen.

De dame, die niet wist wie ik was en die haar leven waagde door me in huis te nemen, kwam naast me op de bank zitten en aaide me met magere, gerimpelde handen over mijn haar. Bijna een uur lang lag ik radeloos te snikken in haar armen.

Daarna stond ze op en zei: 'Ik kook een nieuw ei voor je, drie minuten maar, zoals Engelsen het lekker vinden. Dit is koud geworden.'

Ze gaf me een nieuw ei en spoorde me aan het op te eten, terwijl zij zelf het koude nam.

Voordat ik terugging naar de stallen kuste ze me op beide wangen en zei: 'Wij gaan gebukt onder dezelfde afschuwelijke last, *chérie*. We lijken op elkaar.'

Ik weet niet precies wat ze bedoelde.

Ik kuste haar ook en zei: '*Merci, madame. Merci mille fois.*'

Duizendmaal dank is eigenlijk niet genoeg. Maar meer heb ik haar niet te bieden.

Haar tuin staat vol rozen, oude, naar alle kanten uitgroeiende struiken, een flink aantal daarvan herfstbloeiende damascusrozen met hun laatste bloemen nog knikkend en druipend in de regen. De oude dame is degene naar wie de verzetsgroep genoemd is. Volgens Mitraillette was ze voor de oorlog een vrij bekende hovenierster en is de chauffeur/terreinknecht in werkelijkheid een geschoold tuinman. Een aantal rozen heeft ze zelf gekweekt en een naam gegeven. Toen we die avond aankwamen waren de rozen me niet opgevallen, en toen ik bij daglicht verdwaasd naar het huis liep ook niet, maar op de terugweg na mijn bad zag ik ze wel. De doorweekte bloemen sterven af in de decemberregen, maar de robuuste struiken zijn springlevend en zullen in de lente weer prachtig mooi zijn, als het Duitse leger ze tenminste niet neermaait, zoals ze met de rozen op het plein in Ormaie hebben gedaan. Om de een of andere vage reden deden ze me aan Parijs denken, en sindsdien zit dat liedje weer in mijn hoofd.

Geen van de anderen kreeg een bad of een warm, zachtgekookt ei, al werden er wel koude, hardgekookte rondgedeeld. Ik denk dat ze me naar het huis stuurden om even van me af te zijn terwijl zij de jongen die ik had willen vermoorden en die andere geketende man wegwerkten. Ik heb ze in elk geval nooit teruggezien. Ik weet niet hoe ze hun boeien kwijtgeraakt zijn of waar ze naartoe gingen, en ook niet of ze nu veilig zijn. Ik hoop het. Dat meen ik echt.

De anderen vertrokken in de loop van de volgende twee dagen. Mitraillette zegt dat je je als voortvluchtige beter overdag dan 's nachts kunt verplaatsen, want overdag zijn er mensen op de been en is er geen spertijd. Denk dat ik me dat nog niet eens gerealiseerd had omdat ik de hele tijd probeer om bij vliegtuigen te komen die na middernacht in een of ander afgelegen weiland landen.

Zij en ik en de eigenaar van de Rosalie werden met de auto van de rozendame thuis afgezet. Het leek ons dat we de oude Rosalie beter nog een tijdje in haar garage konden laten staan, voor het geval de Duitsers nog eens terug zouden komen. De brug is nog niet gerepareerd, en op de Duitse soldaten die wij gedood hebben na liggen de lichamen nog allemaal in de regen. Er staan bewakers bij die moeten voorkomen dat iemand ze begraaft. *Vijftien doden* liggen daar. Ik heb ze niet gezien; vanwege de kapotte brug konden we niet die kant op. Als ze de brug gaan repareren, zullen ze de weg vrij moeten maken, maar ik heb het akelige gevoel dat ze de lichamen dan gewoon aan de kant zullen schuiven om ons te manen het niet nog eens te proberen. Julie, o, mooie Julie,

JULIE

Ik ga dit spul nu maar eens drinken en proberen weer te slapen, maar eerst moet ik nog opschrijven dat ik een project heb voor als ik wakker word. Terwijl Mitraillette en ik weg waren, heeft een vriendin van Maman Thibaut, die wasvrouw is, een zak met schone, *in Duitsland gemaakte* hemden met de naam 'Käthe Habicht' erin afgegeven, en helemaal onderin zat een enorme stapel papier die ik moet doornemen. Ik weet niet wat het is, heb niet de moed gehad om te kijken, maar het moet wel van Engel zijn. Amélie heeft er een blik op geworpen en zag dat de blaadjes genummerd zijn, dus heeft ze ze allemaal voor me op volgorde gelegd, maar het is in het Engels en ze kon het verder niet lezen. Het zit nog in de waszak onder mijn nieuwe, van een 'anonieme' weldoener gekregen on- dergoed. Ik heb helemaal geen zin om vanavond nog post van Engel te le- zen, maar morgen is het zondag en er zullen croissants zijn bij de koffie en het zal ook nog wel regenen.

Het is niet Engels handschrift
  Het is van Julie

Ik ben nog niet klaar met lezen. Ik ben nog maar amper begonnen. Het zijn *honderden* bladzijden, voor de helft op stukjes kaart. Maman Thibaut blijft maar koffie voor me zetten en de zusjes houden de weg en het achterpad goed in de gaten. Ik kan niet ophouden. Ik weet niet of het misschien haast heeft. Het kan zijn dat Engel de papieren terug moet hebben, want aan het eind staat in het rood een soort registratienummer dat er officieel uitziet, met daarachter nog een afschuwelijk executiebevel van de gruwelijke Nikolaus Ferber op briefpapier van de Gestapo. Geen bevel, bedoel ik, maar een aanbeveling – volgens de vertaling van Engel dan. Maar ik denk dat er met de uitvoering al begonnen was toen wij die bus tegenhielden.

Ik weet precies wanneer Julie moest huilen. Niet alleen omdat ze dat schrijft, maar omdat de inkt op die plaatsen vlekkerig is en het papier verkreukeld. Haar tranen, opgedroogd op deze bladzijden, worden weer nat van de mijne. Ik moet steeds zo hard huilen dat ik me dom begin te voelen. Ze hebben haar die snertfoto's *echt* laten zien. En ze heeft *echt* codes verraden: elf sets met sleutelgedichten, wachtwoorden en frequenties. Elf geheime codes, elf fopcodes, ÉÉN VOOR ELK VAN DE FOPZENDERS die we in het wrak van de Lysander hebben gestopt. Die foto's waren een geschenk. Ze had hun *zoveel* kunnen vertellen, ze wist ZOVEEL, en het enige wat ze van haar kregen waren verzonnen codes.

Ze heeft de Duitsers zelfs nooit mijn codenaam verteld, al moeten ze daar benieuwd naar zijn geweest. Ze heeft hun de naam Käthe Habicht, waarmee ze mij had kunnen verraden, nooit verteld. Ze heeft HELE-MAAL NIETS verteld.

Namen namen namen. Hoe doet ze dat? Cattercup... Stratfield... SWIN-LEY??? Newbury College? Hoe *doet* ze dat? Ze klinkt alsof ze er *kapot* van is dat ze al die informatie doorspeelt, en het is allemaal maar geklad dat ze uit haar duim zuigt. Ze heeft HELEMAAL NIETS verteld. Ik geloof niet dat ze ook maar één bestaand vliegveld genoemd heeft, behalve Maidsend en Buscot, waar ze natuurlijk zelf gestationeerd is geweest. Dat hadden ze makkelijk kunnen controleren. Het ligt allemaal zo dicht bij de waarheid, en het is zo handig opgeschreven... In vliegtuigtypes is ze nog best goed, als je ziet wat een drukte ze erover maakt. Het doet me denken aan onze eerste ontmoeting, toen ze in het Duits aanwijzingen aan die piloot gaf. Zo kalm en kordaat, met zo veel gezag; ze veranderde voor mijn ogen in een Duitse verkeersleider, *zo goed* deed ze alsof. Of aan die keer dat ik zei dat ze Jamie moest spelen en opeens Jamie *werd*.

Die bekentenis van haar wemelt van de fouten. Ik kreeg mijn opleiding voor de Burgerluchtverdediging op Barton, niet 'Oakway', en de mistlijn op dat zogenaamde Oakway is elektrisch, daar hebben ze geen gaslampen. Ik vloog natuurlijk niet in een Spitfire naar Craig Castle, maar in een BEAU-FORT, en dat wist ze donders goed! Maar ik heb wel Spitfires naar 'Deeside' gevlogen. Ze wilde waarschijnlijk geen aandacht vestigen op bestaande na-men. Ze noemt de eskadercommandant van Maidsend 'Creighton', terwijl ze best weet dat hij Leland North heet. Creighton is de naam van de kolonel in *Kim*. Dat weet ik omdat ik het boek van Julie moest lezen, voor een deel, daar ben ik zo zeker van als wat, om me erop te wijzen hoe we allebei door die rottige machiavellistische inlichtingenofficier, wiens naam ze ook best kent, voor de oorlogsmachine werden klaargestoomd.

Dat verhaal over de zus van haar grootmoeder die haar man dood-schoot herinner ik me helemaal niet. Om de vaart erin te houden moest Julie onze gesprekken natuurlijk danig aanpassen, en ze lopen dan ook nooit zoals ik ze me herinner. Maar het meeste herken ik wel, ik geloof al-leen niet dat ze me dat verhaal ooit verteld heeft. Ik heb er geen enkele herinnering aan.

Het is griezelig en onverdraaglijk. Het is alsof ze me probeert duidelijk te maken wat ze van me wilde. Maar ze kon niet weten wat er zou gebeu-ren, niet eens dat ik dit zou lezen. Ze dacht dat ik dood was. Het is dus niet voor mij bedoeld, maar… waarom vertelt ze het dan?

Het gekke van het hele schrijfsel is dat het vol staat met onzin en tege-lijk helemaal *waar* is; Julie heeft ons verhaal, het verhaal van haar en mij, van onze vriendschap, reuzegetrouw opgeschreven. Dit zijn *wij*. We had-den zelfs op hetzelfde moment dezelfde droom. Hoe konden we op het-zelfde moment dezelfde droom hebben? Hoe kan zoiets moois en raad-selachtigs waar zijn? Maar dat is het wel.

En dit, nog mooier en raadselachtiger, is ook waar: als ik het lees, als ik lees wat Julie geschreven heeft, is ze onmiddellijk weer springlevend, heelhuids en ongedeerd. Door haar woorden in mijn hoofd is ze net zo echt als ik. Knettergek, adembenemend mooi, vol boekenkul en grove taal, groothartig en onverschrokken. Ze is er. Bang en uitgeput, alleen, maar *strijdbaar*. Ze vliegt in de zilveren maneschijn in een kist die niet kan landen – en ze is SPRINGLEVEND.

CdB = Château de Bordeaux
HdV = Hôtel de Ville [stadhuis]
O.HdV.S. 1872 A.No4 CdB
O = Ormaie? S/Stadsarchief misschien? A/Archiefkast/*Armoire*
1872, zou jaartal kunnen zijn, Stadsarchief 1872 kast no. 4

IK ZIE HET
    STADHUIS VAN ORMAIE ARCHIEF 1872 KAST No. 4 CHÂ-
TEAU DE BORDEAUX
    We hebben ze. WE HEBBEN ZE.

✓ Onze cellen zijn maar gewoon hotelkamers, maar we worden als
    vorsten bewaakt. Bovendien zijn er honden.
✓ De meeste kelderruimtes staan leeg omdat ze niet goed bewaakt
    kunnen worden.
✓ Er zijn een paar dienstliften; etensliften waarin dienbladen om-
    hoog kunnen worden gehesen en een grotere waar vanaf de
    straat kratten en andere dingen in gezet werden.

Er is meer, ik weet dat er meer is; Engel heeft alle instructies met rood onderstreept. Rood is haar kleur, schreef Julie. De bladzijden zijn ook met
rood genummerd en gedateerd. Julie zegt ergens dat Engel de bladzijden
moest nummeren. Ze hebben dit samen gedaan, Julia Beaufort-Stuart en
Anna Engel, en nu hebben ze het aan mij doorgegeven. Er zit geen sys-
teem in de code, maar dat hoeft ook niet. Geen wonder dat ze het per se
wilde afmaken…

Bah, wat EEN BOEL PAPIER
hier is het…

✓ <u>was er een luchtaanval en holde iedereen zoals gewoonlijk naar</u>
  <u>de schuilkelders [waar we] twee uur lang [zaten]</u>
✓ <u>CdB</u> = Château de Bordeaux
✓ <u>zoals in alle gevangeniscellen is ook mijn raam dichtgetimmerd</u>
✓ <u>De Gestapo gebruikt de begane grond en twee tussenverdiepin-</u>
  <u>gen als woonvertrekken en kantoorruimte</u>
✓ <u>Hôtel de Ville</u> rood onderstreept = HdV
✓ <u>door de kelder naar een binnenplaatsje [waar] de poort [is]</u>
  <u>naar het achterpad</u>

We kunnen voor en achter naar binnen via de kelder. Er is een ingang aan
het achterpad en een goederenlift aan de straatkant. Ze gebruiken de hotelkamers als cellen en de kelder wordt niet bewaakt. Bij een luchtaanval
is er op de honden na helemaal geen bewaking meer. We hebben maxi-
maal twee uur de tijd. We kunnen de stoppen losdraaien, de generator
onklaar maken en de etensliften volstoppen met Nobel 808.

Julie heeft dat verhaal over haar oudtante erin gestopt omdat ze dacht
dat we het gebouw misschien zouden moeten opblazen met haar erin.
Dat er misschien geen andere oplossing zou zijn. En ze wilde toch dat we
het deden.

Maar we hoeven de gevangenen helemaal niet achter te laten. We kunnen de deuren met koevoeten en lopers forceren en iedereen uit de kamers halen. Dat officiële registratienummer aan het eind is een verwijzing
naar het STADSARCHIEF. Daar vinden we de BOUWTEKENINGEN
van het Château de Bordeaux. Dan hebben we een plattegrond van het gebouw.

Het gaat gebeuren. We zijn nog steeds een spectaculair team.

TE CODEREN BERICHT VOOR SOE LONDEN
Moet tot spijt melden dat uw coördinator codenaam
Paul van Damascus en kapt. Julia Beaufort-Stuart
1 dec. 1943 zijn gevallen in de strijd STOP Verzoek
om RAF-toestellen boven Ormaie komende vollemaan
za 11 dec. voor schijnaanval tbv Operatie Verity

La Cadette is de tekeningen gaan halen. Het blijkt dat iedereen zomaar in het stadsarchief van Ormaie kan komen graven – de Duitse verachting voor het bezette land in optima forma. Alsof ze de plaatselijke bevolking uitnodigen om hun eigen erfgoed te plunderen, zodat zij zich de moeite kunnen besparen. Als je het gebouw binnen komt, word je natuurlijk gefouilleerd, maar als je naar buiten gaat niet, en ze hebben niet eens naar Amélies identiteitskaart *gekeken*. Ze zei gewoon dat ze bezig was met een schoolproject, makkelijk zat. Ze had eigenlijk zullen zeggen dat ze een erfgrens van de boerderij van de Thibauts kwam nakijken, maar toen ze zag hoe makkelijk het was om naar binnen en naar buiten te lopen, verzon ze ter plekke een eenvoudiger verhaal. Wat is het toch een pienter kind.

Het kostte haar twintig minuten van haar middagpauze, en ze liet de papieren voor mij achter, dan kon zij er in elk geval niet mee betrapt worden.

Het was waarschijnlijk een vergissing om haar opdracht te geven ze in Engels cachette te stoppen. Ik zie het als mijn postbus, maar eigenlijk is hij van Engel. Bovendien geloof ik dat we cafés zoveel mogelijk moeten mijden. Ik wou dat ik hiervoor opgeleid was. Uiteindelijk bleek het niet erg te zijn, maar o, mijn maag keerde zich om toen ik binnenkwam en Engel aan het tafeltje zag zitten.

Ik wilde al doorlopen naar een ander tafeltje, met dat imbeciele namaaklachje weer op mijn gezicht – deze week geeft het me het gevoel dat ik een zombie ben –, maar opeens riep ze me.

'*Salut*, Käthe.' Ze klopte op de stoel naast zich. Toen ik ging zitten drukte ze haar sigaret uit, stak twee nieuwe op en gaf er een aan mij. Dit is op de een of andere manier het bloedstollendste wat ik ooit heb gedaan: mijn lippen aanraken met de sigaret die een seconde eerder de lippen van Anna Engel had aangeraakt. Na het lezen van Julies bekentenis heb ik het gevoel dat ik haar door en door ken. Ze zal wel net zo over mij denken, al geloof ik nooit dat zij ook bang is voor mij.

'*Et ton amie, ça va?*' vroeg ze langs haar neus weg. Hoe gaat het met je vriendin?

Ik wendde mijn blik af, slikte, kon met geen mogelijkheid blijven lachen. Nam een trek van de sigaret en stikte er bijna in. (Ik had al een tijd niets gerookt, laat staan zo'n Franse stinkstok.) Na een paar tellen begreep ze dat het geen goede afloop was, waarover ik niet kon vertellen.

Ze vloekte zachtjes in het Frans, één fel, teleurgesteld woord. Ze zweeg even en vroeg toen: '*Elle est morte?*'

Ik knikte. Ja, ze is dood.

'*Viens,*' zei Engel, terwijl ze haar stoel achteruitschoof. '*Allons-y. Viens marcher avec moi, j'ai des choses à te dire.*'

Al had ze me naar de gevangenis willen slepen, ik denk niet dat ik had kunnen weigeren. Loop met me mee, ik wil je een paar dingen vertellen? Geen keus.

In Engels rookwolk stond ik weer op. Ik had nog niet eens de kans gekregen om iets te bestellen, wat maar beter was ook, want ik raak altijd in paniek als ik tegen vreemden Frans moet spreken. Engel gaf een klopje op het opgevouwen papier naast de asbak. Ik pakte het en stopte het in mijn jaszak, bij mijn identiteitskaart.

Het was midden op de dag, niet te druk op straat, en Engel ging bijna meteen op Engels over, om alleen als we iemand passeerden weer op Frans over te schakelen. Het is reuzevreemd om Engels met haar te praten, ze klinkt als een yankee. Ze heeft een Amerikaans accent en spreekt de taal redelijk vloeiend. Ik geloof dat Penn vertelde dat ze in Chicago gestudeerd heeft.

We sloegen de hoek om en kwamen op de Place des Hirondelles, het stadhuisplein, dat vol stond met pantservoertuigen en verveelde wachtposten.

'Ik heb nog bijna een uur,' zei Engel. 'Middagpauze. Maar niet hier.'

Ik knikte en volgde haar. Ze bleef de hele tijd praten, en we moeten er doodnormaal hebben uitgezien, als twee vriendinnen die samen een ommetje maakten en een sigaretje rookten. Ze draagt geen uniform, ze is maar gewoon werknemer, ze heeft niet eens een rang. We liepen voor het stadhuis langs.

'Ze stak de straat over, precies hier, en ze keek de verkeerde kant op.' Engel blies vinnig een rookwolk uit. 'Wat een stomme plek om zo'n fout te maken, midden op La Place des Hirondelles! Met het stadhuis aan de ene en de Gestapo aan de andere kant is er *altijd* iemand die het ziet.'

'Het was de bestelbus van de Thibauts, hè?' vroeg ik mismoedig. 'Dat busje dat haar bijna aanreed.' Een Frans busje vol Franse kippen, dat schreef ze op een van de eerste bladzijden.

'Weet ik niet. Het busje was al weg toen ik aankwam. De chauffeur had natuurlijk geen zin om bij een arrestatie betrokken te raken. Heel Ormaie kijkt de andere kant op als er op de Place des Hirondelles weer eens iemand wordt afgetuigd – een jood die uit zijn schuilplaats is gesleurd of de een of andere dwaas die de ramen met mest staat te bekogelen.'

Ze wierp een snelle blik op de gewraakte ramen. Deze week hangen er godzijdank geen doden aan het balkon van het stadhuis.

'Ze mepte flink van zich af, die vriendin van je,' zei Engel. 'Ze beet een politieagent. Ik moest komen met de chloroform, om haar te bedwelmen, snap je wel? Ze werd door vier agenten vastgehouden toen ik over het plein kwam aanrennen, maar ze verzette zich nog steeds met hand en tand. Ze probeerde mij ook te bijten. Toen de chloroformdampen haar overweldigden, was het net alsof het licht uitging...'

'Ik weet het. Ik weet het.'

We waren nu van het plein af. We keken op precies hetzelfde moment naar elkaar op. Ze heeft wonderbaarlijke ogen.

'We hebben er hier een regelrechte zwijnenstal van gemaakt,' zei ze. 'Toen ik hier pas was stonden er rozen op dat plein. Nu zie je alleen nog trucks en modder. Ik moet *altijd aan haar denken* als ik over die keien loop, en dat doe ik drie keer per dag. Vreselijk.' Ze wendde haar blik af. 'Kom mee. Je kunt hier zo'n halve kilometer langs de rivier lopen. Ben je daar wel eens geweest?'

'Nee.'

'Het is er nog steeds mooi.'

Ze stak weer een sigaret op. Haar derde in ongeveer vijf minuten. Begrijp niet hoe ze het zich kan veroorloven, en al helemaal niet waar ze ze vandaan haalt, want vrouwen mogen in Ormaie geen sigaretten meer kopen.

'Ik heb wel vaker iemand met chloroform verdoofd, dat wordt nu eenmaal van me verwacht, het hoort bij mijn werk. Ik ben apotheker, ik heb in Amerika farmacie gestudeerd. Maar ik heb nog nooit zo'n hekel aan mezelf gehad als op die dag. Ze was zo klein en…'

Ze struikelde over haar eigen woorden en ik moest op mijn wang bijten om niet te gaan huilen.

'… zo fel, zo *mooi*. Het was alsof je een havik zijn vleugels breekt, een heldere bron volstopt met bakstenen – rozen uitgraaft om plaats te maken voor je tanks. Zinloos en wreed. Het ene moment barstte ze van leven en vechtlust, het volgende moment was ze een bewusteloze huls met haar gezicht in de goot…'

'IK WEET HET,' fluisterde ik.

Ze keek me met een nieuwsgierige frons aan, tastte met haar lichte, priemende ogen mijn gezicht af.

'Is dat zo?'

'Ze was mijn *beste vriendin*,' zei ik knarsetandend.

Anna Engel knikte. 'Dat weet ik. Ach, wat zul jij mij haten.'

'Nee. Nee, het spijt me. Vertel verder. Alsjeblieft.'

'Daar is de rivier,' zei Anna.

We staken de straat over. Er liep een reling langs de rivieroever, en daar gingen we tegenaan staan. Vroeger werd de Poitou hier aan beide kanten omzoomd door iepen. Nu zijn er alleen nog stronken over, want in de afgelopen drie jaar zijn alle bomen gekapt en opgestookt. Maar ze had gelijk: de rij historische huizen op de andere oever was nog steeds mooi om te zien.

Anna haalde diep adem en begon weer te praten.

'Toen ze buiten westen was, draaide ik haar om om te kijken of ze gewapend was. Ze had haar zijden sjaal in een prop in haar hand. Die moet ze tijdens die hele worsteling stevig in haar vuist gehouden hebben, maar toen ze het bewustzijn verloor ontspanden haar vingers zich. Het was niet de bedoeling dat ik haar uitgebreid fouilleerde, daar hebben we iemand anders voor, maar ik vroeg me wel af wat ze zo krampachtig verborgen had gehouden – een zelfmoordpil, misschien? – en ik trok de sjaal uit haar vingers…'

Ze legde haar hand geopend op de reling.

'Op haar handpalm zat een inktvlek. Op de sjaal stond keurig in spiegelbeeld een referentienummer van het stadsarchief van Ormaie. Ze had het op haar hand geschreven en geprobeerd weg te vegen toen ze gepakt werd.

Ik spuugde op de sjaal – alsof ik haar diep verachtte, natuurlijk – en propte hem weer in haar hand. Maar ik wreef er hard mee over haar handpalm om het nummer uit te wissen en sloot haar slappe vingers eromheen, en het enige wat ze later vonden was een lap met inktvlekken en *niemand vroeg haar ernaar*, want vlak voordat ze gearresteerd werd had ze, voor een verzonnen bejaarde grootmoeder, in het rantsoenkantoor formulieren staan invullen, en haar vingers zaten sowieso onder de inkt.'

Een vlucht hoopvolle duiven streek neer rond onze voeten. Ik sta altijd versteld van de manier waarop ze opstijgen en landen; het gaat nooit mis, niemand hoeft het ze te leren, ze doen het instinctief. Vliegende ratten, maar wat komen ze prachtig neer.

'Hoe wist je waar ze dat nummer voor nodig had?' vroeg ik.

'Dat heeft ze me verteld,' antwoordde Anna.

'Niet waar.'

'Ze heeft het me verteld. Aan het eind, toen ze klaar was. Ze zat onzin te schrijven. Ik pakte haar pen om haar te laten ophouden, en ze liet zonder ruzie te maken los. Ze was moe. We hadden haar uitgeput. Ze keek zonder hoop naar me op: geen uitvluchten meer, geen respijt. Ferbers bevelen zijn zogenaamd omgeven door geheimzinnigheid, maar we wisten allebei waartoe hij Von Linden opdracht zou geven. Waar ze haar heen zouden sturen.'

Anna sloeg met de rug van haar hand zacht op de reling en hield haar sigaret erboven alsof het een pen was.

'Op mijn hand schreef ik: 72 B4 CdB.'

Ze nam een trek van haar sigaret/pen en blies de rook met een diepe zucht uit.

'Alleen zij kon het zien. Voor de inkt opdroogde balde ik mijn vuist en maakte ik er een onleesbare vlek van. Ik schoof de vellen die ze zojuist had volgeschreven op een stapeltje.

"Dat is *van mij*," zei ze.

Ik wist dat ze het niet over de kaartjes en papiertjes had. Ze had het over het nummer op mijn hand.

"Wat heb jij eraan?" vroeg ik.

"Niets," antwoordde ze. "Nu niet meer. Maar als ik de kans kreeg..."

"Wat zou je er dan mee doen?" vroeg ik zacht. "Wat moet *ik* ermee doen?"

Ze tuurde naar me als een in het nauw gedreven rat. "In brand steken en dit hier de lucht in laten vliegen. Dat zou het beste zijn."

Ik hield haar papieren dicht tegen mijn borst. Haar instructies. Ze keek me aan met die uitdagende, beschuldigende blik van haar.

"Anna, Engel der Wrake," zei ze, en ze begon te lachen. Te *lachen*. Ze zei: "Nu is het in elk geval jouw probleem."'

Anna gooide de opgerookte sigaret in de Poitou en stak de volgende op.

'Ga naar huis, Käthe,' zei ze opeens. 'Dat Engelse meisje dat motorfietsen aan joden verkoopt, die Maddie Brodatt, die zal je in de problemen brengen. Ga morgen nog terug naar de Elzas, als je kunt, en laat Maddie haar eigen boontjes doppen.'

Zorg dat Käthe uit beeld verdwijnt voor er iets gebeurt. Een zinnig advies. Een stuk veiliger voor de Thibauts. Al vind ik het vreselijk om weer te moeten onderduiken. Morgenavond weer op die vliering, en het is nu weer een stuk kouder dan in oktober.

'En jij?' vroeg ik.

'Ik ga terug naar Berlijn. Ik heb weken geleden al om overplaatsing gevraagd, toen we haar en dat arme Franse kind begonnen te verhoren. *God.*' Ze huiverde en trok verwoed aan haar sigaret. 'Wat geven ze me toch een rotbaantjes. Ravensbrück en Ormaie. Toen ik nog geneesmiddelen aanvroeg voor Natzweiler hoefde ik tenminste niet te zien wat ze ermee deden. Maar goed, ik zit hier nog maar tot de kerst.'

'Het is hier misschien wel veiliger. We bombarderen Berlijn,' zei ik. 'Al bijna twee weken.'

'Weet ik,' zei ze. 'Wij luisteren ook naar de BBC. Bommen op Berlijn. Tja, we zullen het wel verdiend hebben.'

'Ik vind niet dat iemand dat ooit verdient.'

Ze draaide zich abrupt naar me om en keek me met die lichte, glasgroene ogen scherp aan. 'Behalve die lui in het Kasteel van de Beulen, zeker?'

'Wat had *jij* dan gedacht?' antwoordde ik boos.

Ze haalde haar schouders op en maakte aanstalten om terug te wandelen naar de Place des Hirondelles. Het uur was bijna om.

Zal ik eens zeggen aan wie ze me deed denken? Dit klinkt vast gek, maar ze deed me denken aan Eva Seiler.

Niet gewoon aan Julie, niet echt, maar aan Julie als ze kwaad was. Ze deed me denken aan die keer dat Julie me vertelde over het gesimuleerde verhoor tijdens haar SOE-opleiding – een regelrechte schending van haar zwijgplicht en de enige keer dat ik haar, net als Engel nu, kettingrokend en vloekend als een bootwerker meemaakte. 'En zes uur later wist ik dat ik er niet meer tegen kon, maar ik *verdomde* het om toe te geven en mijn naam te noemen. Dus deed ik alsof ik flauwviel, en ze begonnen allemaal in paniek om een dokter te roepen. De vieze vuile *klootzakken.*'

Engel en ik zeiden niet veel op de terugweg. Ze bood me nog een sigaret aan, en ik kreeg aan aanval van opstandigheid.

'Julie kreeg er nooit een van je.'

'Julie kreeg er nooit een van me!' Engel begon ruw te lachen. 'Ik heb haar verdomme mijn halve salaris aan sigaretten gegeven, het hebberige Schotse kreng! Ik ging bijna failliet aan haar. Ze heeft in die paar weken voor jouw hele vliegenierscarrière genoeg gerookt!'

'Daar heeft ze niets over gezegd! Niet eens vaag! Niet één keer!'

'Wat denk je dat er met haar gebeurd zou zijn als ze het had opgeschreven?' zei Engel koel. 'Wat denk je dat er met mij gebeurd zou zijn?'

Ze hield me de sigaret voor.

Ik nam hem aan.

We liepen een tijdje zwijgend door. Twee vriendinnen die samen een sigaretje rookten. Ja *echt*, juf.

'Hoe kom je eigenlijk aan Julies verhaal?' vroeg ik opeens.

'Via Von Lindens hospita. Het lag op het bureau in zijn kamer, en toen hij weg was heeft ze de hele stapel in een waszak laten glijden. Tegen hem zei ze dat ze er de haard in de keuken mee had aangestoken. Het zag er ook wel uit als een berg oud papier, met al die verrekte receptenkaarten en doorgekraste formulieren.'

'*Geloofde* hij dat?' vroeg ik verbaasd.

Ze haalde haar schouders op. 'Wat moest hij anders. Ze boet er heus wel voor, hoor. Ze krijgt alleen nog melk en eieren voor haar huurders, er geldt een avondklok voor het hele gezin, zodat ze 's avonds niet eens nog wat kunnen zitten en meteen na het eten naar bed moeten. Ze doet nu de hele afwas 's ochtends, vóór ze het ontbijt voor de gasten maakt. De kinderen hebben een pak ransel gekregen.'

'NEE!' riep ik uit.

'Ze zijn er nog goed van afgekomen. Ze hadden de kinderen ook weg kunnen halen. Of de vrouw in de gevangenis kunnen gooien. Maar Von Linden heeft een zwak voor kinderen.'

Ik had mijn fiets in een zijstraat van het plein neergezet. Op het moment dat ik het stuur wilde pakken, legde Anna een hand op de mijne. Ze drukte iets zwaars en kouds en duns in mijn hand.

Een sleutel.

'Ze vroegen me om een stuk zeep om haar mee te wassen voor dat interview,' zei Anna. 'Zachte zeep, die lekker rook. Ik had er nog een uit Amerika – dat zijn zo van die dingen die je bewaart. Ik heb er een afdruk van de sleutel van de dienstingang in gemaakt. Dit is een kopie. Nu heb je geloof ik alles wat je nodig hebt.'

Ik kneep stevig in haar hand.

'*Danke*, Anna.'

'Het beste, Käthe.'

Alsof ze hem door het noemen van zijn naam had opgeroepen kwam op dat moment Amadeus von Linden de hoek om, op weg naar de Place des Hirondelles.

'*Guten Tag, Fräulein Engel*,' zei hij hartelijk, en zij gooide haar sigaret op de grond, stampte hem uit en rechtte in een vlaag van geoefende paniek haar rug en de kraag van haar jas. Ik gooide ook mijn sigaret op de grond, dat leek me de juiste handelwijze. Ze zei iets over mij en gaf me gauw een arm, alsof we oude vriendinnen waren, en ik hoorde haar de namen Käthe en Thibaut noemen. Blijkbaar stelde ze me voor. Hij stak zijn hand naar me uit.

Vijf seconden lang stond ik als aan de grond genageld.

'Hauptsturmführer Von Linden,' hielp Anna plechtig.

Ik stopte de sleutel in mijn jaszak, bij de bouwtekeningen en mijn valse identiteitskaart.

'Hauptsturmführer Von Linden,' herhaalde ik, en met een domme grijns gaf ik hem een hand.

Ik heb nooit een 'aartsvijand' gehad. Ik heb zelfs nooit geweten wat dat betekende; voor mij was het iets uit Sherlock Holmes en Shakespeare. Hoe kan het dat mijn hele bestaan nu opeens uitmondt in een gevecht op leven en dood met één man?

In beslag genomen door zijn eigen kolossale problemen keek hij dwars door me heen. Het kwam geen moment bij hem op dat ik hem de geheime coördinaten van het vliegveld van het Maaneskader zou kunnen geven, dat ik de namen van een stuk of wat verzetsstrijders hier in zijn eigen stad zou kunnen noemen, of dat ik plannen smeedde om over vijf dagen zijn hele gebouw de lucht in te laten vliegen. Het kwam geen moment bij hem op dat ik in alle opzichten zijn vijand was, zijn tegenstrever, *alles* waar hij tegen vocht: ik ben Brits en joods, ik ben een vrouw die voor een mannensalaris mannenwerk doet, en dat werk houdt in dat ik vliegtuigen aflever die zijn regime omver zullen werpen. Het kwam geen moment bij hem op dat ik wist dat hij had toegekeken, aantekeningen had zitten maken terwijl mijn beste vriendin in haar ondergoed aan een stoel vastgebonden zat en er iemand gaatjes in haar polsen en keel brandde, dat ik wist dat hij het zo bevolen had, dat ik *wist* dat hij ondanks zijn bedenkingen als een lafaard het bevel van een ander had opgevolgd en haar naar een kamp had gestuurd waar ze haar als laboratoriumrat zouden gebruiken tot haar hart het begaf… Het kwam geen moment bij hem op dat hij oog in oog stond met zijn meerdere, met de persoon die zijn lot in haar handen hield – ik in mijn opgelapte afdankertjes, met mijn ragebol en mijn idiote grijns – en dat de haat die ik voor hem voel puur is en inktzwart en onverzoenlijk. En dat ik niet in God geloof, maar als dat wel zo was, *als dat wel zo was*, dat ik dan geloofde in de God van Mozes, een toornige, veeleisende en WRAAKZUCHTIGE god, en

Het doet er niet toe of ik medelijden met hem heb of niet. Het was Julies opdracht en nu is het de mijne.

Hij zei iets beleefds tegen me. Zijn afgetobde gezicht stond neutraal. Ik keek vlug naar Anna, die afgemeten knikte.

'*Ja, mein Hauptsturmführer*,' zei ik knarsetandend. Anna gaf me een gemene schop tegen mijn enkel en verzon snel een excuus voor me. Ik stak een hand in mijn zak en voelde de barstjes in dik, zeventig jaar oud papier en het gewicht van de nieuwe sleutel in de zoom van mijn tot op de draad versleten jas.

Ze knikten me toe en liepen samen weg. Arme Anna.

Ik was erg op haar gesteld.

Käthe is terug naar de Elzas, en ik wacht weer eens op de maan. Alles is in gereedheid gebracht en we hebben de bevestiging gekregen dat er zaterdagnacht bommenwerpers over zullen vliegen. Of Op. Verity nu slaagt of niet, zo of ma sturen ze een Lysander voor me naar het nieuwe weiland. Als het weer het toelaat, natuurlijk, en als we de Rosalie te pakken kunnen krijgen. Reuzemoeilijk om in slaap te komen, en als het lukt droom ik alleen maar dat ik in een brandend vliegtuig met een defecte choke zit, dat ik met Etiennes zakmes Julies keel moet doorsnijden et cetera. Als ik drie keer per nacht gillend wakker word, heeft het ook weinig zin om me verborgen te houden. Ik vlieg in mijn eentje.

Brand brand brand brand…

Onthoofd me of hang me,
het is me om het even –
Auchindoon brand ik plat
voor ik klaar ben met leven

In mijn hoofd staat Ormaie nog steeds in brand. Maar ik ben in Engeland.

Ik ben weer in Engeland.

Misschien kom ik wel voor de krijgsraad. Misschien word ik veroordeeld voor moord en opgehangen. Maar ik voel alleen *opluchting*. Opluchting! Alsof ik onder water zat en twee maanden lang door een rietje heb moeten ademen en nu weer zuurstof om mijn hoofd heb. Met diepe, zoete teugen adem ik de koude, klamme decemberlucht in, die ruikt naar benzine en verbrande steenkool en vrijheid.

Het tegenstrijdige is dat ik niet vrij ben. Ik heb huisarrest en zit in De Bungalow op het vliegveld van het Maaneskader. Ze hebben me opgesloten in mijn gewone slaapkamer, de kamer die ik vroeger met Julie deelde, en ook onder mijn raam staat een wachtpost. Maakt me niet uit, het voelt toch vrij. Als ze me ophangen doen ze het netjes, zodat onmiddellijk mijn nek breekt, en heb ik het verdiend. Ze zullen me niet dwingen iemand te verraden. Ze zullen me niet laten toekijken hoe ze een ander ophangen. Ze zullen mijn lichaam niet in een oven stoppen en er zeep van maken. Ze zullen opa laten weten wat er is gebeurd.

Julies rottige machiavellistische inlichtingenofficier is ontboden om me te verhoren. Hij zal er geen soldeerbouten en ijswater en spelden bij halen. Misschien wel een pot thee. Ik zie om allerlei redenen tegen mijn verhoor op, maar ik ben er niet bang voor.

Ik voel me hier oerveilig. Het maakt me niet uit dat ik gevangenzit. Ik voel me gewoon *heel veilig*.

VOORTGANGSRAPPORT NO. 2

Sabotage en vernietiging Gestapo-hoofdkwartier, gebouw Château de Bordeaux, Ormaie, Frankrijk, geslaagd, 11 dec. 1943

Mijn rapporten lijken nergens op.

Ik weet dat de geallieerden een echte invasie voorbereiden, met tanks en landingsboten en zweefvliegtuigen vol stoottroepen, maar als ik aan de bevrijding van Frankrijk denk, stel ik me een leger op de fiets voor. Zo kwamen we zaterdagavond Ormaie binnen, allemaal van een andere kant, allemaal met onze manden en fietstassen vol zelfgemaakte bommen. Het luchtalarm ging pas na spertijd, en we hielden ons nog een hele tijd zenuwachtig verscholen. Ik geloof dat er achter elke krantenkiosk in Ormaie wel een explosieve fiets stond. Zelf lag ik zeker twee uur onder een vrachtwagen, samen met een vriend van Mitraillette. Halleluja voor Jamies laarzen.

De poort naar het binnenplaatsje moesten we openblazen, wel een risico, maar toen het luchtalarm eenmaal klonk was er niemand meer in de buurt, en daarna hadden we natuurlijk de sleutel om het gebouw in te komen. Het bangst was ik eigenlijk nog voor die snerthonden. De arme beesten, zij konden er ook niets aan doen. Ik had me geen zorgen hoeven maken, Mitraillette kende geen genade.

Ik heb het gevoel dat ik nu een objectief en gedetailleerd verslag hoor te schrijven. Maar er valt niet veel te melden. We waren snel en doeltreffend, we wisten precies waar we heen moesten en opereerden in teams van twee of drie personen, elk met zijn eigen opdracht: honden doodschieten, deuren openmaken, gevangenen verzamelen, bommen aanbrengen. Als de sodemieter wegwezen. Ik zou zeggen dat we binnen een halfuur weer buiten stonden. Binnen drie kwartier zeker. We hoefden niet veel gevangenen te bevrijden, officieel was het namelijk geen gevangenis. Zeventien in totaal. Geen vrouwen. Maar...

Ik deed het expres; ik had mijn partner en mij de taak toebedeeld om de persoon die in Julies cel zat te bevrijden. Ik had er niet bij nagedacht wat het zou betekenen om door de aangrenzende verhoorkamer te moeten lopen...

Gelukkig was er niemand, maar o... Het is bijna te verschrikkelijk om aan te denken. *De stank.* Ik moet al kokhalzen bij de herinnering. We gingen naar binnen en het sloeg ons in het gezicht, en even kon ik alleen maar naar adem happen en proberen niet over te geven, en de Franse knaap die bij me was wankelde en moest zich aan mij vastgrijpen. We werkten natuurlijk met zaklampen, dus we zagen maar weinig: de vage omtrekken van kantoormeubelen, stalen stoelen en tafels en een paar dossierkasten, niets lugubers eigenlijk, maar o, die ziekmakende, helse stank. Een volle latrine, maar ook ammoniak en rottend vlees en verbrand haar en braaksel en... Nee, het was *onbeschrijflijk*, en als ik het zo neerpen moet ik alweer overgeven. Het kwam ook pas naderhand in me op dat Julie acht weken lang met die stank had moeten leven (geen wonder dat ze haar schoonpoetsten voor haar ontmoeting met Penn), want op het moment zelf waren we alleen maar bezig met zonder te stikken zo snel mogelijk weer wegkomen. Met onze jas voor onze neus wierpen we ons op de deur van Julies cel, en we sleurden de verbijsterde bewoner door die gruwelkamer de gang op.

De man die we gered hadden, verstond geen Frans. Hij bleek *Jamaicaan* te zijn, een boordschutter van de RAF, vorige week neergehaald. Hadden ze misschien gehoopt geallieerde invasieplannen uit hem los te peuteren? Hij maakt het goed, ze waren nog niet aan hem toegekomen, en hoewel hij een week lang amper had gegeten, was hij in staat een jongen met twee gebroken knieën naar buiten te dragen...

Een leuke man, die Jamaicaan, en hij is hier. Tenminste, ik denk niet dat hij hier in De Bungalow is, volgens mij is hij naar de grote vliegbasis gebracht, maar ik bedoel dat hij met mij naar Engeland is gevlogen. Hij zat ook bij mij ondergedoken in de schuur van de Thibauts. Hij komt uit Kingston en heeft drie kinderen, drie meisjes. Hij volgde me op een holletje de trap van dat afschuwelijke, kapotgemaakte hotel af, met het in stilte lijdende joch met de gebroken benen op zijn rug. Ik had een zaklamp in de ene en Pauls Colt .32 in de andere hand en navigeerde zoals gewoonlijk op de kaart in mijn hoofd.

Op de binnenplaats met de guillotine telden we koppen. De laatste die naar buiten kwam zette de generator weer aan. We hadden er een tijdklok aan bevestigd, en vanaf dat moment hadden we twintig minuten. Boven Ormaie trotseerden nog steeds een paar Lancasters de zoeklichten, en in het donker klonk het lawaai van halfhartig afweergeschut. Veel luchtafweerkanonnen worden bemand door jongens uit de streek, ingelijfd bij het bezettingsleger, en die schieten niet met hart en ziel op geallieerde toestellen. Twintig minuten om van de Place des Hirondelles weg te komen, en misschien nog een uur om onder te duiken voor het sein veilig.

Moesten voor de gewonde jongen iemand in de buurt zien te vinden, wat Mitraillette op zich nam, en de rest smeerde hem op de fiets en te voet. Om de controlepost op de weg te omzeilen, kozen mijn Jamaicaanse boordschutter en ik een omslachtige route over een massa tuinmuren, maar we fietsten al buiten Ormaie – omdat hij veel zwaarder is dan ik fietste hij en stond ik achterop – toen de explosie kwam.

Het gaf ons zo'n schok dat we omvielen. Niet dat we het voelden, we schrokken ons gewoon de blubber van de klap. Een paar minuten lang zat ik in het licht van de vlammen en de volle maan maniakaal te lachen, voor mijn bevrijde boordschutter me heel vriendelijk weer op de fiets hielp en we Ormaie achter ons lieten.

'Welke kant op, juffrouw Kittyhawk?'

'Bij de splitsing links. Zeg maar gewoon Kittyhawk.'

'Heet je zo?'

'Nee.'

'O,' zei hij. 'Jij bent ook niet Frans.'

'Nee, Engels.'

'Wat doe je in Frankrijk, Kittyhawk?'

'Hetzelfde als jij. Mijn toestel is neergehaald.'

'Je neemt me in de maling!'

'Nee hoor. Ik ben vliegenier bij de Air Transport Auxiliary. Maar jou geloven ze vast ook niet als je zegt dat je boordschutter bij de luchtmacht bent.'

'Daar heb je helemaal gelijk in, meid,' beaamde hij hartgrondig. 'Dit is een wereld van blanke mannen.'

Ik hield me stevig aan zijn middel vast en hoopte maar dat hij niet zo'n viespeuk was als Paul, anders moest ik *hem* straks ook nog doodschieten als we samen in de schuur van de Thibauts opgesloten zaten.

'Wat zit je dwars, Kittyhawk?' vroeg hij zacht. 'Waarom moet je zo huilen? Opgeruimd staat netjes, zou ik zeggen.'

Ik hing inmiddels snikkend op zijn schouder. 'Ze hebben mijn beste vriendin daar gevangengehouden, jij zat in haar cel. Ze heeft er twee maanden gezeten.'

Hij trapte een tijdje zwijgend op de pedalen. Uiteindelijk vroeg hij: 'Is ze daar gestorven?'

'Nee,' antwoordde ik. 'Niet daar. Maar ze is wel dood.'

Opeens voelde ik zijn schouders door zijn jas heen schokken. Hij huilde zonder geluid te maken, net als ik.

'Mijn maat is ook dood,' zei hij. 'Hij was onze piloot. Heeft zijn kist de grond in gevlogen. Nadat we geraakt waren, hield hij hem net zo lang in de lucht tot de rest van ons eruit was gesprongen.'

O, pas nu ik dit schrijf bedenk ik dat ik precies hetzelfde heb gedaan.

Gek. Toen hij me over zijn vriend vertelde vond ik het de heldhaftigste daad van de hele wereld, niet te geloven dat een mens zo moedig en on-zelfzuchtig kon zijn. Maar toen ik het zelf deed voelde ik me helemaal geen held. Ik durfde gewoon niet te springen.

We reden in de maneschijn met de vlammen van Ormaie in onze rug, en we hielden pas op met huilen toen we de fiets hadden opgeborgen.

Twee nachten, anderhalve nacht eigenlijk, sliepen we rug aan rug op de piepkleine vliering van die oude boerenschuur. Overdag zaten we urenlang te eenentwintigen met een pak misselijke, obscene speelkaarten die ik uit een van Etienne Thibauts geheime bergplaatsen had gegapt. Maandag, gisteren, vannacht bedoel ik, pikte de chauffeur van de rozendame ons op om ons naar de Rosalie te brengen, waarmee we naar mijn weiland zouden rijden.

Voor de derde keer kusten en omhelsden de Thibauts me ten afscheid. Amélie maakte er een heel spektakel van, Maman probeerde me twaalf zilveren lepeltjes cadeau te geven – die kon ik *onmogelijk* aannemen! – en Mitraillette had tranen in haar ogen. Het was voor het eerst dat ik haar zag volschieten om iets wat niet met bloed te maken had.

Ze kwam dit keer niet met ons mee. Ik hoop…

Wist ik maar hoe ik voor hen moest bidden. O, wist ik dat maar.

De Rosalie stond op de oprijlaan van het grote huis op de oever van de Poitou op ons te wachten. Het was nog licht toen we aankwamen, dus om de chauffeur niet in de problemen te brengen moesten we nog even wachten. Terwijl de andere auto werd weggezet nam de oude dame met het haar van Julie me net als die eerste afschuwelijke dag bij de hand, en zonder een woord te zeggen leidde ze me door haar koude tuin.

Aan het water lag een berg rozen, een *enorme* berg damascusrozen, de herfstbloeiers. Ze had alle overgebleven bloemen in haar tuin geplukt en daar op een hoop gelegd.

'Na een tijdje mochten we hen eindelijk begraven,' vertelde ze. 'De meesten liggen bij de brug. Maar ik was zo kwaad om die arme kinderen, die twee prachtige jongedames die ze daar vier dagen lang in de modder lieten liggen, met al die ratten en kraaien eromheen! Het deugt niet. Het is *onnatuurlijk*. Dus toen we de anderen begroeven heb ik de mannen ge-vraagd of ze de meisjes hierheen wilden brengen…'

Julie is begraven in de tuin van haar oudtante, gewikkeld in de com-muniesluier van haar grootmoeder, onder een berg damascusrozen.

Natuurlijk is dat ook de naam van haar verzetsgroep: Damascus.

Ik weet nog steeds niet hoe haar oudtante heet. Hoe kan dit allemaal? Opeens wist ik dat zij het was, in een flits drong het tot me door. Toen ze vertelde dat ze de sluiers had genomen die zij en haar zus op hun eerste communie hadden gedragen, schoot me te binnen dat Julies grootmoe-der uit Ormaie kwam, en daarna herinnerde ik me ook het verhaal over de oudtante, en dat de rozendame had gezegd dat zij en ik hetzelfde lot droegen, en alles viel op zijn plaats en ik wist wie ze was.

Maar ik heb het haar niet verteld, had niet de moed om iets tegen haar te zeggen. Ze leek niet te weten dat het Julie was; Katharina Habicht heeft haar ware identiteit natuurlijk geheimgehouden, om de rest van de groep niet in gevaar te brengen. Ik had iets moeten zeggen. Maar ik *kon het niet*.

Nu ben ik *alweer* in tranen.

Hoorde net een auto aankomen, dus misschien word ik zo opgehaald, maar ik wil nog vertellen hoe we Frankrijk uit kwamen… waardoor ik waarschijnlijk weer moet huilen, maar dat is geen nieuws.

Begon zelfs meteen al te grienen toen we via de radio hoorden dat we die nacht opgepikt zouden worden: 'Na verloop van tijd vertellen alle kinderen de waarheid.' *Après un certain temps, tous les enfants disent la vérité*, in het Frans. Ik weet zeker dat ze het woord *vérité* er expres in hadden gestopt, maar ze konden niet weten dat het mij zou herinneren aan wat Julie op haar laatste blaadje schreef: Ik heb de waarheid verteld, telkens en telkens opnieuw.

De hele procedure is inmiddels zo vertrouwd als een weerkerende droom. Donker weiland, knipperende lampen, Lysander-vleugels in het licht van de maan. Alleen wordt het elke keer *kouder*. Ondanks de regen van de afgelopen week geen modder deze keer, de grond was stijf bevroren. Een landing als een zonnetje, de kist draaide niet eens één heel rondje – ik maak mezelf graag wijs dat dit in elk geval voor een deel aan *mijn* voortreffelijke weilandkeuze te danken was – en de uitwisseling van goederen en passagiers was binnen een kwartier geregeld. *Zo doen we dat!*

Mijn Jamaicaanse schutter was al aan boord en ik pakte net de ladder beet om achter hem aan te gaan toen de piloot naar beneden riep: 'HÉ, KITTYHAWK! VLIEG JIJ ONS NAAR HUIS?'

Wie anders dan Jamie Beaufort-Stuart, ik bedoel… wie anders?

'Kom op, neem mijn stoel,' schreeuwde hij. 'Je bent hierheen gevlogen, vlieg nu ook maar naar huis.'

Niet te geloven dat hij dat aanbood, en niet te geloven dat ik zijn aanbod aannam, helemaal verkeerd allemaal. Ik had na die noodlanding op zijn minst opnieuw gekeurd moeten worden.

'Maar jij wilde niet eens dat ik HIERHEEN vloog!' schreeuwde ik terug.

'Ik maakte me zorgen om Frankrijk, niet om je vliegkunst! Het was erg genoeg dat een van jullie ging, ik wilde jullie niet ALLEBEI kwijt. En trouwens, als we beschoten worden… jij bent beter in noodlandingen dan ik.'

'Ze slepen ons allebei voor de KRIJGSRAAD…'

'LARIE, je bent een BURGER! De krijgsraad vormt al geen gevaar meer voor je sinds je in 1941 bij de WAAF wegging. De ATA kan je hooguit ontslaan, en als ze dat van plan zijn, dan doen ze dat toch wel. KOM NOU!'

De motor draaide. Hij had de handrem erop, en toen hij eenmaal op de rand van de cockpit was gaan zitten, hadden we net genoeg ruimte om van plaats te wisselen. De stoel hoefde niet eens bijgesteld te worden, want we zijn precies even lang. Hij gaf me zijn vlieghelm.

Ik hield het niet meer uit. Ik vertelde het hem.

'Ik heb haar doodgeschoten.'

'*Wat?*'

'Ik was het. Ik heb Julie doodgeschoten.'

Een paar tellen lang was het alsof niets anders op de wereld er nog toe deed of enige betekenis had. Er bestond niets anders meer, alleen ik achter de stuurknuppel van die Lysander en Jamie op de rand van de cockpit met zijn hand op de schuifkap, geen geluid behalve het gebrul van de motor, geen licht behalve de drie lampen in het weiland en de weerspiegeling van de maan op het instrumentenpaneel. Uiteindelijk stelde Jamie één vraag.

'Was het je bedoeling?'

'Ja. Ze wilde dat ik het deed. Ik kon… ik *kon* haar niet laten barsten.'

Na nog een paar lange tellen zei Jamie bruusk: 'Nu niet gaan huilen, Kittyhawk! Krijgsraad of geen krijgsraad, nu moet je wel vliegen, want mezelf vertrouw ik het niet toe, niet na die bekentenis.' Hij wurmde zich de cockpit uit en stapte soepel van de stut van de vleugel op de achterste ladder. Ik zag hem in de cabine klimmen, en even later hoorde ik hoe hij zich voorstelde aan mijn Jamaicaanse vriend.

GEWOON VLIEGEN, MADDIE

Ik schoof de kap dicht en begon aan de vertrouwde controles.

En net toen ik gas wilde geven, die hand op mijn schouder.

Meer niet, geen woorden. Hij stak alleen zijn hand door de afscheiding, precies zoals zij had gedaan, en gaf een kneepje in mijn schouder. Hij heeft oersterke vingers.

Hij liet zijn hand daar de hele weg naar huis liggen, ook als hij op de kaart moest kijken om mij aanwijzingen te geven.

Ik vlieg bij nader inzien dus toch niet in mijn eentje.

Mijn papier raakt op. Etiennes schrift is bijna vol. Maar ik heb wel een idee wat ik met dit alles ga doen.

Gezien dat plan zal ik de naam van de machiavellistische inlichtingen-officier maar niet opschrijven. Zei Julie niet dat hij zich bij haar sollicita-tiegesprek met een nummer voorstelde? Vanmiddag stelde hij zich voor als zichzelf. Lastig om erover te schrijven zonder een naam te noemen. John Balliol misschien, dat is een mooie spottende naam, de naam van de beroerde Schotse koning voor wie William Wallace zijn leven gaf. Sir John Balliol. Ik word hier langzamerhand goed in. Misschien moet ik toch maar bij de Special Operations Executive gaan.

O, Maddie, Maddie, IN GEEN DUIZEND JAAR.

Mijn gesprek met John Balliol moest wel in de verhoorkamer plaats-vinden. Ik weet dat ze daar ook nog andere dingen doen dan mensen ver-horen, maar zo noemt iedereen het nu eenmaal. En het moest daar, want het moest volgens de regels gebeuren. Sergeant Silvey bracht me erheen. Ik weet dat Silvey een zwak voor me heeft, altijd gehad heeft ook, en vol-gens mij is hij kapot van wat er met Julie is gebeurd, maar hij deed reu-zestijf en formeel tegen me, ongemakkelijk. Hij deed dit liever niet. Hij vond het ook maar niets dat ik opgesloten zat. Had er ruzie over gemaakt met de eskadercommandant. Het maakt allemaal niet uit, alles draait om protocol als het erop aankomt, en hoe je het ook wendt of keert, ik had nooit naar Frankrijk mogen vliegen.

Ik werd dus onder escorte naar de verhoorkamer gebracht, en toen ik naar binnen stapte werd ik me er opeens pijnlijk van bewust wat een *schooier* ik toch altijd ben – ik lijk wel een evacuee uit Glasgow! Ik loop nog steeds in de klimbroek van de vrouw van de Franse fotograaf, het voddige vest van Etienne en Jamies laarzen, de kleren die ik de hele afgelopen week en een groot deel van de laatste twee maanden ook al aanhad, de kleren die ik aanhad toen ik het centrum van Ormaie de lucht in liet vliegen. Geen vrouwelijke listen om op terug te vallen. Ik stapte die witgekalkte ruimte in met een hart dat tekeerging als een Otto-motor. Het zag er nog precies hetzelfde uit als toen hij me bijna twee jaar geleden voor het eerst bij zich riep. Twee harde stoelen, dicht bij het elektrische kacheltje geschoven, een pot thee onder een theemuts op tafel. Het rook er niet zoals in de verhoorkamer in Ormaie, maar het lukte me niet om daar niet aan te denken.

Balliol gaf me een hand. 'Ik ben bang dat dit wel even gaat duren,' zei hij verontschuldigend. 'Je hebt hoop ik wel wat geslapen vannacht?'

Hij had zijn bril niet op. Dat bracht me in verwarring: hij zag eruit als zomaar iemand. En dan de manier waarop hij me een hand gaf. Ik was meteen weer in Ormaie, met de nieuwe sleutel en de oude bouwtekeningen in mijn zak en een hart vol haat en bloeddorst. En ik schudde hem de hand en antwoordde knarsetandend: '*Jawohl, mein Hauptsturmführer.*'

Hij keek me stomverbaasd aan, en ik weet zeker dat ik zo rood werd als een tomaat. O MADDIE, WAT EEN GOED BEGIN.

'Sorry, sorry!' zei ik ademloos. '*Je suis désolée…*' *Niet te geloven*, ik probeer nog steeds Frans tegen mensen te spreken.

'Nog niet helemaal de loopgraaf uit, geloof ik, hè?' zei hij vriendelijk. Hij duwde me met zijn vingertoppen zacht naar een van de stoelen. 'Thee, Silvey,' zei hij, en sergeant Silvey schonk stilletjes thee in en verliet de kamer.

Balliols bril lag op tafel. Hij zette hem op, leunde tegen de tafelrand en hield zijn kop en schotel zo onbeweeglijk in zijn handen dat ik die van mij op de grond moest zetten. Wilde geen rammelend porselein in mijn schoot terwijl hij me met die enorme uitvergrote ogen stond te fixeren. Lieve hemel, Julie vond hem nog leuk ook. Begrijp niet waarom. Ik ben *als de dood* voor hem.

'Waar ben je bang voor, Maddie?' vroeg hij zacht. Niets van die 'kapitein Beaufort-Stuart'-onzin.

Ik ga het niet nog een keer zeggen. Er is niemand anders aan wie ik het moet vertellen. Dit was de laatste keer...

'Ik heb Julie gedood. Verity, bedoel ik. Ik heb haar zelf doodgeschoten.'

Hij zette zijn kopje met een klap op tafel en staarde me aan. '*Pardon?*'

'Ik ben bang dat ik terecht moet staan voor moord.'

Ik wendde mijn blik af en tuurde naar het afvoerputje in de grond. Hier had die Duitse spion geprobeerd Eva Seiler te wurgen. Ik huiverde letterlijk toen ik dat besefte. Ik heb nooit van mijn leven zulke akelige blauwe plekken gezien, daarvoor niet en daarna niet. Julie is in deze kamer *echt* gemarteld.

Toen ik weer opkeek, stond Balliol met voorovergezakte schouders en zijn bril op zijn voorhoofd in de rug van zijn neus te knijpen, alsof hij zware hoofdpijn had.

'Ik ben bang om opgehangen te worden,' voegde ik er mistroostig aan toe.

'*Grote goden*, Maddie,' viel hij uit, terwijl hij de bril met een woest gebaar weer op zijn neus zette, 'je zult me moeten vertellen wat er is gebeurd. Ik moet bekennen dat je me... hebt laten schrikken, maar ik heb mijn rechterstoga momenteel niet aan, dus voor de draad ermee.'

'Ze brachten haar in een bus vol gevangenen naar een van hun concentratiekampen, en wij probeerden er een stokje voor te steken...'

Hij viel me op klaaglijke toon in de rede. 'Moet je bij de moord beginnen? Ga eerst eens een stukje terug.' Hij keek me gespannen aan. 'Mea culpa, vergeef me. Een ongelukkige woordkeuze. Jij zei niet dat het moord *was*, hè? Je bent alleen bang dat anderen het zo zullen zien... Het was misschien een vergissing, of een ongeluk. Nou, brand maar los, kind. Begin bij het begin, toen je in Frankrijk landde.'

Ik vertelde hem alles. Tenminste, bijna alles. Over één ding zei ik geen woord, en dat is de dikke stapel papier die ik al de hele tijd met me meezeul: alles wat Julie heeft geschreven, alles wat ik heb geschreven, het briefpapier en de bladmuziek en mijn handboek en Etiennes schrift. Ik heb hem niet verteld dat het allemaal zwart-op-wit staat.

Ik sta er versteld van dat ik zo'n gladde leugenaar ben geworden. Of misschien niet echt een leugenaar, want gelogen heb ik niet. Het verhaal dat ik hem vertelde is geen trui vol gaten, vol gevallen steken die je makkelijk ontrafelt als je er eenmaal aan begint te peuteren. Het lijkt meer op één steek breien, één steek overslaan. Penn en Engel hebben me samen zo veel informatie gegeven dat ik niet hoefde te vermelden dat Julies bekentenis in mijn kamer ligt. Want ik ben mooi niet van plan om hem aan de een of andere ambtenaar in Londen te geven. Hij is *van mij*.

En mijn eigen aantekeningen, die heb ik nodig om een deugdelijk verslag te maken voor de Ongelukkencommissie.

Het duurde inderdaad wel even voor ik het hele verhaal had verteld. Sergeant Silvey kwam nog een pot thee brengen, en daarna nog een. Toen ik klaar was verzekerde Balliol me: 'Je zult niet hangen.'

'Maar ik ben verantwoordelijk.'

'Niet meer dan ik.' Hij wendde zijn blik af. 'Gemarteld en afgevoerd om als proefpersoon te dienen, goeie god. Dat prachtige, slimme kind. Ik kon net zo goed zelf... Ik ben *diepbedroefd*. Nee, je zult niet hangen.'

Hij haalde diep en bevend adem. '"Gevallen in de strijd", stond er in het eerste telegram, en het oordeel zal "gevallen in de strijd" zijn,' zei hij beslist. 'Afgaand op jouw verhaal *is* ze ook gevallen in de strijd, en gezien het aantal mensen dat die nacht is omgekomen, hoeven we niet in bijzonderheden te treden over wie wie doodschoot. Je verhaal blijft binnen deze muren. Je hebt toch niet aan anderen verteld wat er is gebeurd?'

'Aan haar broer,' zei ik. 'En trouwens, deze ruimte wordt afgeluisterd. Er staan mensen in de keuken die alles horen. Het komt toch wel uit.'

Hij keek me hoofdschuddend aan.

'Zijn er ook nog dingen die je *niet* van ons weet, Kittyhawk? Wij bewaren jouw geheimen en jij bewaart die van ons. "Loslippigheid kost mensenlevens."'

In Frankrijk is dat echt zo. Het is minder grappig dan het klinkt.

'Luister, Maddie, laten we een halfuurtje pauzeren. Ik ben bang dat er nog een beestachtige hoeveelheid details is waarover ik je aan de tand moet voelen, en die we nu nog niet eens genoemd hebben, maar ik ben nu enigszins uit mijn doen.'

Hij haalde een gestippelde zijden zakdoek tevoorschijn, keerde zich van me af en snoot zijn neus. Daarna stak hij zijn hand naar me uit om me overeind te helpen. 'En volgens mij moet jij even een dutje doen.'

Wat zei Julie ook alweer over mij? Ik heb geleerd om positief te reageren op bevelen van gezagsdragers. Ik ging terug naar mijn kamer en sliep twintig minuten, en ik droomde dat Julie me in de keuken op Craig Castle de foxtrot leerde. Ze heeft me natuurlijk echt de foxtrot geleerd, maar dan op een dansfeestje op Maidsend en niet in de keuken van Craig Castle, maar het was zo'n levendige droom dat ik niet meteen wist waar ik was toen ik wakker werd. En daarna sloeg de troosteloosheid me opnieuw in het gezicht.

Alleen heb ik nu in plaats van dat liedje over Parijs 'Dream a little dream of me', 'droom een beetje van mij', in mijn hoofd, want dat speelde de band toen we op Maidsend dansten. Helemaal niet erg, want ik heb schoon genoeg van 'The last time I saw Paris'. Als ik een van die liedjes ooit nog ergens hoor, dan begin ik vast onmiddellijk te janken.

Even later begonnen Balliol en ik aan de volgende sessie en werd het wat technischer allemaal, en ik moest me namen en nummers te binnen brengen waarvan ik niet eens wist dat ik ze kende, zoals de codenamen van alle verzetsmensen met wie ik te maken had gehad, die Balliol dan weer vergeleek met de namen in zijn eigen kalfsleren opschrijfboekje, en de locatie van alle wapens en voorraden en cachettes waarvan ik had geweten. Op een bepaald moment zat ik met mijn ellebogen op mijn knieën aan mijn haar te trekken tot het pijn deed, omdat ik me de kaart-coördinaten van de boerderij van de Thibauts en de garage van de rozen-dame niet kon herinneren. Het drong tot me door dat ik zo al twintig minuten zat, en opeens werd ik boos.

Ik tilde met een ruk mijn hoofd op en vroeg razend: '*Waarom*? Wat maakt het *uit* of ik de coördinaten uit mijn hoofd weet? Ik kan *coördinaten verzinnen*, zoals Julie radiocodes verzon! Geef me een kaart en ik wijs ze aan, dit is toch nergens voor nodig! Wat wil je nou eigenlijk *echt*, machiavellistische ROTZAK die je bent!'

Hij zweeg een hele tijd.

'Ze hebben me gevraagd je een beetje op de proef te stellen,' bekende hij uiteindelijk. 'De druk wat op te voeren, om te kijken hoe je reageert. Ik weet eerlijk gezegd niet goed wat ik met je aan moet. Het ministerie van Luchtvaart wil je je brevet afnemen en de SOE wil je voordragen voor een koninklijke onderscheiding. Ze willen dat je voor hen blijft werken.'

IN GEEN DUIZEND JAAR.

Maar, maar. Mijn succes als officieus agent voor de SOE weegt op tegen mijn vlucht naar Frankrijk als officieus piloot voor de RAF. Ik krijg geen onderscheiding, en die wil en verdien ik ook niet, maar ik raak ook mijn brevet niet kwijt – ik bedoel, ik ben het eigenlijk al kwijt, maar ze geven me een nieuw. Ze nemen het me niet af. Ze nemen me zelfs mijn baan niet af. O… Dit is pas echt een goede reden om te huilen, tranen van opluchting. Ik mag weer vliegen. Ik zal voor de Ongelukkencommissie moeten verschijnen, maar dat gaat dan alleen over het ongeluk zelf, alsof ik een Maanpiloot ben en mijn eigen kist te pletter heb gevlogen. Van meer word ik niet beschuldigd.

En als de invasie eenmaal begint, zal de ATA machines naar Frankrijk overvliegen. Het duurt nu niet lang meer, in het voorjaar is het zover. Ik ga terug. Ik weet het zeker.

Ik ben doodop. Behalve die twintig minuten, en de paar uurtjes na thuiskomst, heb ik sinds zondagnacht niet meer geslapen en het is nu dinsdagavond. Nog één ding voor ik naar bed ga…

Balliol heeft me een afschrift gegeven van een boodschap van Damascus die ze zojuist gedecodeerd hebben.

```
ZWAAR GEALLIEERD BOMBARDEMENT OP ORMAIE GERAPPOR-
TEERD NACHT VAN ZA 11 OP ZO 12 DEC OP VERWOESTING
CDB ALIAS REG HOOFDKWARTIER GESTAPO GESLAAGD GEEN
ARRESTATIES ALLES GOED AUB DOORGEVEN AAN KITTY-
HAWK ISOLDES VADER DOOR HOOFD GESCHOTEN WAARSCH
ZELFMOORD
```

'Wie is Isoldes vader?' vroeg Balliol toen hij me het telegram gaf.

'De Gestapo-officier die… die Verity heeft verhoord. En veroordeeld.'

'Zelfmoord,' zei Balliol zacht. 'Nog een diepbedroefd man.'

'Nog een diepbedroefd kind,' verbeterde ik.

Weer die kringen in de vijver. Het stopt niet op één plek. Al die levens die zo vluchtig in aanraking zijn gekomen met het mijne. Van de meeste mensen ken ik niet eens de echte naam, zoals van Julies oudtante en de chauffeur van de Rosalie. Van anderen ken ik *alleen* de naam, zoals van Benjamin Zylberberg, de joodse dokter, en Esther Lévi, van de fluitmuziek waarop Julie schreef. Sommigen heb ik heel even gekend en gemogen en zal ik nooit meer terugzien, zoals de domineeszoon die Spitfires vloog en Anna Engel en de Jamaicaanse boordschutter.

En dan is er Isolde von Linden op haar Zwitserse school, die nog niet weet dat haar vader zich door het hoofd heeft geschoten.

Isolde nog in het domein van de zon, nog in het stralende daglicht Isolde…

Ik heb het luciferdoosje dat haar vader aan Amélie gaf bewaard.

Ik ben in bad geweest en heb van de knappe chauffeuse die nooit een woord zegt een pyjama geleend. De hemel mag weten wat ze van me denkt. Ik zit niet meer opgesloten en sta niet meer onder bewaking. Morgen vliegt iemand me terug naar Manchester. Vannacht… vannacht slaap ik nog één keer in deze kamer, in dit bed, waarin Julie acht maanden geleden huilend in mijn armen in slaap viel.

Haar grijze zijden sjaal houd ik. Maar dit schrift, mijn handboek en Julies bekentenis geef ik aan Jamie, zodat hij ze aan Esmé Beaufort-Stuart kan geven, want mevrouw Julies moeder heeft het recht om alles te horen te krijgen. Als ze *het naadje van de kous* wil weten, dan *zal* ze het naadje van de kous weten.

Ik ben weer in Engeland. Ik mag weer aan het werk. Ik heb geen woorden voor de vervoering en de dankbaarheid die ik voel nu ik mijn brevet heb mogen houden.

Maar een deel van mij ligt in kant en onder rozen begraven op een Franse rivieroever. Een deel van mij is voor altijd afgebroken. Een deel van mij is voorgoed onvliegbaar en zal nooit meer landen.

26 dec. 1943

Liefste Maddie,

Jamie heeft de 'brieven' bezorgd, zowel die van jou als die van Julie, en ik heb ze gelezen. Hier zullen ze blijven en veilig zijn: de wet op de geheime dienst is van geen belang in een huis dat geheimen opzuigt als vocht. Een paar receptenkaarten en wat bladmuziek meer of minder zullen in onze uitpuilende bibliotheken vast niet opvallen.

Ik wil je vertellen wat Jamie zei toen hij me je post overhandigde: *'Maddie heeft juist gehandeld.'*

Ik vind dat hij gelijk heeft.

Lieve Maddie, kom me alsjeblieft opzoeken zodra ze je laten gaan. De jochies zijn vreselijk van slag door het nieuws en jij zult hen goeddoen. Misschien zullen zij jou ook goeddoen. Ze zijn op het moment mijn enige troost en ik ben verschrikkelijk druk geweest om er voor hen een 'vrolijk' kerstfeest van te maken. Ross en Jack zijn inmiddels beide ouders kwijtgeraakt aan de bombardementen, dus misschien houd ik hen wel als de oorlog voorbij is.

Jou 'houd' ik ook graag, als dat mag van jou – in mijn hart, bedoel ik, en als de beste vriendin van mijn enige dochter. Als je ons nu alleen zou laten, zou het zijn alsof ik twee dochters had verloren. Kom alsjeblieft gauw weer. Het raam staat altijd open.

Vlieg voorzichtig.
Je liefhebbende
Esmé

P.S.: Dank je voor de balpen. Wat een wonderbaarlijk ding is dat:
niet één woord in deze brief is uitgelopen. Niemand zal ooit weten
hoeveel tranen ik heb vergoten onder het schrijven!
Vlieg voorzichtig bedoel ik letterlijk. En kom gauw weer ook.

Opmerkingen van de schrijfster

Dit boek is een historische roman. Julia Beaufort-Stuart en Maddie Brodatt hebben niet echt bestaan, ze zijn voortgekomen uit mijn door avonturen geobsedeerde fantasie. Het begon als een portret van een piloot bij de Air Transport Auxiliary. Als vrouwelijke piloot wilde ik onderzoeken welke mogelijkheden er in de Tweede Wereldoorlog voor mij zouden hebben bestaan. Ik had al eerder een verhaal over een vliegenierster geschreven ('Something Worth Doing', in *Firebirds Soaring*, onder redactie van Sharyn November), maar nu wilde ik iets langers schrijven, iets wat gedetailleerder en bovenal geloofwaardiger zou zijn.

Op zoek naar ideeën begon ik met research, en ik las *The Forgotten Pilots* door Lettice Curtis. Dit is hét verhaal over de ATA, en het is geschreven door een vrouw, dus het leek me kloppend om van mijn ATA-piloot een meisje te maken. Maar het ATA-verhaal liep uit de hand toen ik (toevallig, onder het koken) op het raamwerk van *Codenaam Verity* stuitte en er een agent van de Special Operations Executive bij verzon. Meer leeswerk volgde. Goed, ik mocht een piloot én een spion in mijn verhaal stoppen, die ook nog allebei vrouw waren. Het zou nog steeds geloofwaardig zijn. Want er waren echt vrouwen die dit werk deden. Niet veel. Maar wel echt. Ze werkten en vochten en leden net zo hard als mannen. Er zijn er veel gesneuveld.

Hoezeer ik ook mijn best heb gedaan om zorgvuldig met de historische feiten om te gaan, dit boek is niet bedoeld als goede geschiedschrijving, maar in de eerste plaats als een *goed verhaal*. De lezer zal dan ook in één belangrijk verzinsel met me mee moeten gaan, en dat is Maddies vlucht naar Frankrijk. Vrouwelijke ATA-piloten mochten pas geruime tijd ná de invasie van Normandië naar het Europese vasteland vliegen, toen de voormalige bezette gebieden stevig in handen van de geallieerden waren. (Als Maddie 'de enige neergehaalde geallieerde vliegenierster buiten Rusland' wordt genoemd, verwijst dat naar het feit dat Russische vrouwen in de oorlog wél gevechtspiloot konden worden.) Ik heb mijn uiterste best gedaan om Maddie via een geloofwaardige reeks van gebeurtenissen in die Lysander naar Frankrijk te sturen – haar troef was in werkelijkheid mijn troef, namelijk het feit dat ze haar eigen vlucht mocht aftekenen.

Iets anders wat ik (in navolging van een zekere onbetrouwbare vertelster) verzonnen heb, zijn de eigennamen. De meeste, althans. De reden daarvoor is dat het een eenvoudige manier is om historische ongerijmdheden te vermijden. Oakway is bijvoorbeeld de vermomming van Ringway (nu Manchester Airport), maar in tegenstelling tot Oakway was er op Ringway in de winter van 1940 geen eskader actief. Maidsend is een samenstelsel van een groot aantal kleine vliegvelden in Kent. De Franse stad Ormaie bestaat niet, maar is losjes gebaseerd op Poitiers.

Al vroeg in mijn research was ik van plan om op deze plek te schrijven dat ik het werk van SOE-ondervrager en SOE-taxipiloot verzonnen had. Maar later bleek dat Betty Lussier, een Amerikaanse ATA-piloot, op verschillende tijdstippen in de oorlog min of meer dat werk had gedaan (maar dan voor de OSS, de Amerikaanse SOE). Telkens wanneer ik weer een verhaal hoor over een vrouw die in de oorlog vloog of in het verzet zat, denk ik bij mezelf: zulke mensen zou je nooit kunnen verzinnen.

Ik zou wel bladzijde voor bladzijde door mijn boek willen gaan om aan te geven waar het allemaal precies vandaan komt: hoe ik erachter kwam dat je inkt kunt verdunnen met petroleum, of dat schoolzusters pennenkroontjes gebruikten om bloed mee af te nemen, of wanneer ik voor het eerst een joods doktersrecept zag. Dat kan natuurlijk niet, maar laten we het, omdat alles in dit boek om papier en inkt draait, eens over de BALPEN hebben! Het zou lastig worden om mijn fictieve schrijfsters continu van inkt te voorzien, en het handigst zou zijn om ze een balpen te geven. Ik moest dus controleren of de balpen in 1943 al wel bestond.

Het antwoord was ja, maar nog maar net. De balpen is uitgevonden door László Bíró, een Hongaarse journalist die voor de nazi's naar Argentinië vluchtte. In 1943 verleende hij een licensie aan de RAF, de Britse luchtmacht, en de eerste pennen werden geproduceerd om piloten van een onuitputtelijke inktvoorraad te voorzien. In *Codenaam Verity* moest ik een voorbeeldexemplaar gebruiken omdat er nog geen balpennen op de markt waren. Maar op deze manier had het gekund, en dat is wat ik wil: dat de details in mijn boek geloofwaardig zijn. En ik vind het geweldig dat de eerste balpennen gemaakt werden voor de RAF. Wie had dat gedacht?

Achter bijna elk detail en elke gebeurtenis in het boek zit een verhaal als dit. Ik geloof dat ik in een geschiedenisboek voor kinderen het verhaal las over de SOE-agent die gepakt werd omdat hij in Frankrijk bij het oversteken de verkeerde kant op keek. Ik ben zelf een keer bijna doodgereden omdat ik dezelfde fout beging. Ik heb ook een paar moordende middagen puin van een landingsbaan staan ruimen. Zelfs de defecten aan de Lysander en de Rosalie zijn op de werkelijkheid gebaseerd. De Groene Man bestaat echt, als je hem kunt vinden. Ik heb de naam niet eens verzonnen. Maar inmiddels heet de kroeg wel anders.

Ik weet dat er foutjes en onnauwkeurigheden in het boek zitten, maar daarvoor doe ik een beroep op dichterlijke vrijheid. Sommige zitten er bewust zo in, andere niet. De codenaam 'Verity' is voor mij het duidelijkste voorbeeld. Voor zover ik weet hadden vrouwelijke agenten in Frankrijk allemaal een Franse meisjesnaam als codenaam, en Verity is een Engelse naam. Maar je kunt hem vertalen als *vérité*, het Franse woord voor 'waarheid', en de codenamen van radiotelegrafisten waren soms zo willekeurig gekozen ('ziekenzuster', bijvoorbeeld) dat ik besloot het zo te laten. Een ander goed voorbeeld is het gebruik van de term 'Nacht und Nebel', een verwijzing naar het feit dat de nazi's bepaalde politieke gevangenen spoorloos lieten verdwijnen, alsof ze in 'nacht en mist' waren opgelost. De term was zo geheim dat het heel onwaarschijnlijk is dat Julie ervan gehoord zou hebben. Maar gevangenen in concentratiekamp Ravensbrück wisten dat ze 'NN'-gevangenen genoemd werden, en tegen het eind van 1944 wisten ze ook wat het betekende. Ook over Nelsons laatste woorden valt te twisten. Maar wat hij ook precies zei, Hardy hééft hem gekust. Waar ik niet accuraat ben, ben ik hopelijk wel geloofwaardig.

Veel mensen hebben me geholpen om dit boek compleet en perfect te maken, en ik ben ze allemaal ongelooflijk veel dank verschuldigd. Onder de miskende helden is een trio van cultuur- en taaladviseurs, Schots, Frans en Duits: Iona O'Connor, Marie-Christine Graham en Katja Kasri, die zich met de hartstocht van oorlogsvrijwilligers op hun taak gestort hebben. Mijn man, Tim Gatland, was (zoals altijd) mijn adviseur op het gebied van techniek en luchtvaart, en Terry Charman van het Imperial War Museum heeft het manuscript nagelopen op de historische feiten. Jonathan Habicht van The Shuttleworth Collection bood me de kans om de Lysander en de Anson van heel dichtbij te bekijken. Tori Tyrrell en Miriam Roberts waren onontbeerlijke eerste lezers. Tori kwam met het idee van de paragraaftitels, waar ik, hoe voor de hand liggend het ook lijkt, zelf niet opgekomen was. Mijn dochter Sara bedacht een aantal van de meer bloedstollende plotwendingen.

Dit boek zou er nooit gekomen zijn zonder de fantastische Sharyn November, hoofdredacteur van Viking Children's Books, die me vroeg het te schrijven. Met mijn agente Ginger Clark als spin in het web hebben Stella Paskins van Egmont UK, Catherine Onder van Disney Hyperion Books for Children en Amy Black van Doubleday Canada *Codenaam Verity* tot aan de laatste versie begeleid.

Ik voel me verplicht om op bescheiden wijze ook al die naamloze mensen te bedanken wier leven met het mijne verbonden is en die me in de loop van de jaren op de een of andere manier beïnvloed hebben – vrienden, familie, leraren en collega's; Duitsers, Fransen, Polen, Amerikanen, Japanners, Schotten, Engelsen; joden en christenen –, die in de Tweede Wereldoorlog verzetsstrijder waren of piloot, evacué of gevangene in een Amerikaans danwel Duits concentratiekamp, onderduiker, lid van de Hitlerjugend of het Vrouwenkorps, soldaat of krijsgevangene. OPDAT WIJ NIET VERGETEN.

EEN KORTE BIBLIOGRAFIE

(zonder atlassen, vluchtkaarten, vliegeniersaanwijzingen, lijsten met RAF-slang, et cetera)

BOEKEN

Curtis, Lettice. *The Forgotten Pilots: A Story of the Air Transport Auxiliary 1939–45*. Olney, UK: Nelson & Saunders, 1985. Eerste uitgave 1971, Go To Foulis.

Du Cros, Rosemary. ATA *Girl: Memoirs of a Wartime Ferry Pilot*. London: Frederick Muller, 1983.

Lussier, Betty. *Intrepid Woman: Betty Lussier's Secret War, 1942–1945*. Annapolis, Md.: Naval Institute Press, 2010.

Whittell, Giles. *Spitfire Women of World War II*. London: HarperPress, 2007.

Binney, Marcus. *The Women Who Lived for Danger: The Women Agents of SOE in the Second World War*. London: Hodder & Stoughton, 2002.

Escott, Beryl E. *Mission Improbable: A Salute to the* RAF *Women of* SOE *in Wartime France.* Sparkford, UK: Patrick Stephens, 1991.

Helm, Sarah. *A Life in Secrets: The Story of Vera Atkins and the Lost Agents of* SOE. London: Little, Brown, 2005.

SOE *Secret Operations Manual.* Boulder, Colo.: Paladin Press, 1993.

Verity, Hugh. *We Landed by Moonlight: Secret* RAF *Landings in France 1940–1944.* London: Ian Allan, 1978.

Caskie, Donald. *The Tartan Pimpernel.* Edinburgh: Berlinn, 2006. Eerste uitgave 1960, Fontana.

Knaggs, Bill. *The Easy Trip: The Loss of 106 Squadron Lancaster* LL 975 *Pommeréval 24/25th June 1944.* Perth, Scotland: Perth & Kinross Libraries, 2001.

Némirovsky, Irène. *Suite Française.* London: Vintage Books, 2007.

Arnold, Gwen. *Radar Days: Wartime Memoir of a* WAAF RDF *Operator.* West Sussex, UK: Woodfield Publishing, 2000.

Escott, Beryl E. *The* WAAF. Shire Publications, 2001.

FILMS

Ferry Pilot. London: Trustees of the Imperial War Museum, 2004 (Crown Film Unit, 1941).

Now It Can Be Told. London: Imperial War Museum, 2007 (RAF Film Production Unit, 1946).

MUSEUM

Grandma Flew Spitfires: The Air Transport Auxiliary
Exhibition and Study Centre, Maidenhead Heritage
Centre, 18 Park Street, Maidenhead, Berkshire.
http://www.atamuseum.org

MADDIES WANTEN

http://www.vam.ac.uk/images/image/13026-popup.html
(Uit: *Essentials for the Forces*, gescand door het Victoria and
Albert Museum, London)